THE VERY PERSISTENT GAPPERS OF FRIP

THE VERY PERSISTENT GAPPERS of FRIP

George Saunders
illustrated by Lane Smith

Villard
New York

Text copyright © 2000 by George Saunders
Illustrations copyright © 2000 by Lane Smith

All rights reserved under International and Pan-American Copyright
Conventions. Published in the United States by Villard Books,
a division of Random House, Inc., New York, and simultaneously
in Canada by Random House of Canada Limited, Toronto.

VILLARD BOOKS and colophon are registered trademarks
of Random House, Inc.

Library of Congress Cataloging-in-Publication Data
Saunders, George.
The very persistent gappers of Frip / George Saunders and Lane Smith.
p. cm.
ISBN 0-375-50383-8
I. Smith, Lane, ill. II. Title
PS3569.A7897 V47 2000
813'.54—dc21   00-023131

Random House website address: www.villard.com

D.L. TO: 574-2000

24689753

First Edition

Special thanks to Natalie.

DESIGN BY MOLLY LEACH

to Alena and Caitlin, both very Capable
—GS

to Toddy
—LS

EVER HAD A BURR IN YOUR SOCK

A GAPPER'S LIKE THAT, ONLY BIGGER, about the size of a baseball, bright orange, with multiple eyes like the eyes on a potato. And gappers love goats. When a gapper gets near a goat it gives off a continual high-pitched happy shriek of pleasure that makes it impossible for the goat to sleep, and the goats get skinny and stop giving milk. And in towns that survive by selling goat milk, if there's no goat milk, there's no money, and if there's no money, there's no food or housing or clothing, and so, in gapper-infested towns, since nobody likes the idea of starving naked outdoors, it is necessary at all costs to keep the gappers off the goats.

SUCH A TOWN WAS FRIP.

Frip was three leaning shacks by the sea. Frip was three tiny goat-yards into which eight times a day the children of the shacks would trudge with gapper-brushes and cloth gapper-sacks that tied at the top. After brushing the gappers off the goats, the children would walk to a cliff at the edge of town and empty their gapper-sacks into the sea.

The gappers would sink to the bottom and immediately begin inching their way across the ocean floor, and three hours later would arrive again at Frip and split into three groups, one per goat-yard, only to be brushed off again by the same weary and discouraged children, who would stumble home and fall into their little beds for a few hours of sleep, dreaming, if they dreamed at all, of gappers putting *them* into sacks and dropping *them* into the sea.

In the shack closest to the sea lived a girl named Capable.

Earlier that year her mother had died. Since then, her father had very much liked things to stay as they were. At dusk Capable would find him in the yard, ordering the sun to stay up, then sitting sadly in the flower bed when the sun disobeyed him and went down anyway.

The last thing her mother had ever cooked was rice, and now Capable's father insisted that all his food be white. So in addition to brushing gappers eight times a day and faithfully mending her gapper-sack, Capable also had to mix sugar and milk and cliff-chalk into a special white dye and spread it over whatever she was cooking that night.

It was a hard life, and it made her tired.

"Father," she said one day, "maybe it's time we moved. Away from the ocean. Away from the gappers."

"My dear, I'm surprised at you," he said. "This is our home. It has always been our home. There have always been gappers, and exhausted children brushing them off.

I myself was once an exhausted child brushing off gappers. It was lovely! The best years of my life. The way they fell to the sea from our bags! And anyway, what would you do with your time if there were no gappers?"

"Sleep," said Capable, whose eyes were deep dark pools.

"Ha ha, sleep, yes," said her father sadly, and went off for his afternoon nap.

Now gappers are not smart, but then again they are not all equally stupid. One day, at the bottom of the sea, one of the less-stupid gappers, who had a lump on one side of its

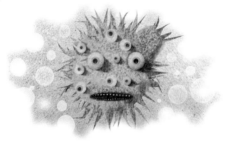

skull that was actually its somewhat larger-than-average brain sort of sticking out, calculated that, of the three houses in Frip, the reddish one—Capable's house—was about fifteen feet closer to the sea than the next-closest house, which, when you are the size of a baseball and have no legs and move around by crinkling and uncrinkling your extremely sensitive belly, is useful information.

So that night, instead of splitting into
three groups, the gappers moved in one very
large impressive shrieking group directly
into Capable's yard.

There were approximately fifteen hundred gappers living in the sea near Frip. Each Frip family had about ten goats. Therefore, there would normally be about five hundred gappers per yard, or fifty gappers per goat. Tonight, however, with all fifteen hundred gappers in Capable's yard, there were approximately one hundred fifty gappers per goat. Since the average goat can carry about sixty gappers before it drops to its knees and keels over on one side with a mortified look on its face, when Capable came out to brush gappers that night, she found every single one of her goats lying on its side with a mortified look on its face, completely covered with shrieking orange gappers.

When the other Frip children came out to brush gappers, they found they had no gappers.

So they went back inside and fell asleep.

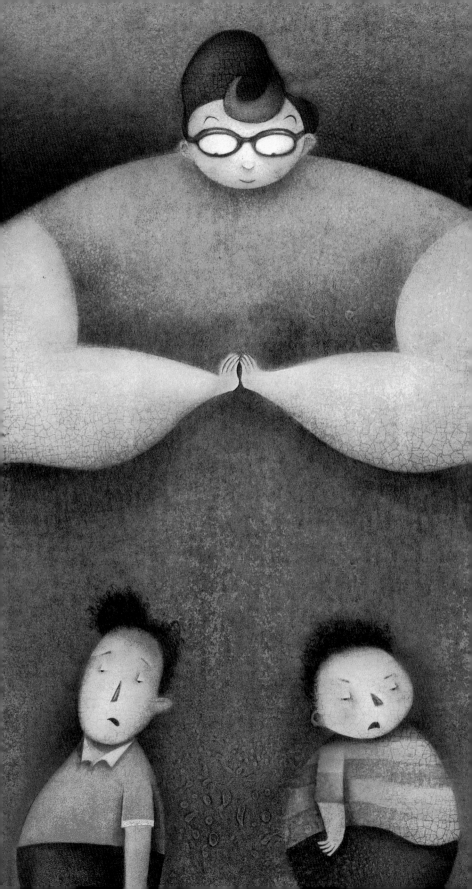

* * *

Mrs. Bea Romo, a singer, whose children,
two sons, were also singers. They all sang in a
proud and angry way, as if yelling at someone, their faces bright red.

"It's a miracle!" Mrs. Romo shouted next
morning, when she came out and discovered
that her yard was free of gappers. "This is
wonderful! Capable, dear, you poor thing.
The miracle didn't happen to you, did it? I
feel so sorry for you. God has been good to
us, by taking our gappers away. Why? I can't
say. God knows what God is doing, I guess! I
suppose we must somehow deserve it! Boys!
Boys! Come out and look!"

17

And her boys, Robert and Gilbert, came out and looked.

"What?" said Robert, who was himself only slightly brighter than a gapper.

"I don't get it," said Gilbert, who was exactly as bright as a gapper.

"No gappers, boys!" said Bea. "See? No more gapper-brushing!"

"So what are you saying, Ma?" said Robert. "Are you saying we don't have to brush gappers as long as there aren't any?"

"Is that what you're saying, Ma?" said Gilbert.

"Boys, it's a good thing you're such excellent singers," said Bea Romo, sort of rolling her eyes at Capable. "Because you're certainly not going to win any brain awards."

"Well, I don't want a brain award," said Robert.

"Me too," said Gilbert. "I don't want a brain award either."

"Unless they give money with it," said Robert.

"Do they give money with it?" said Gilbert. "In that case maybe I'll take it."

"Money or candy," said Gilbert. "Or a trophy."

"Or a medal," said Robert.

"Unless they pin the medal right directly into your brain," said Gilbert. "In that case, no, I don't want it."

"Me too," said Robert. "If they're going to stick a pin into my brain about it, forget it."

"Boys, stop talking," said Bea Romo. "Stop talking now, go inside and sing."

"Okay," said Robert. "But no brain awards."

"And that's final," said Gilbert.

And the Romo boys went back inside and
sang some more angry scales, after which

they argued about which of them sang the
best, after which they wrestled about which

of them sang the best and there was the
sound of some wooden thing breaking,
possibly a piano bench.

＊ ＊ ＊

LATER THAT DAY CAPABLE CAME
out to brush gappers and found Mrs. Romo
saying heave-ho to a team of several strong
men from Fritch, the next town over, who
had their shoulders to the Romos' little
green shack. It was tilted way up and
Capable could see dark dirt and worms
underneath and a pair of old shoes.

"Hello dear!" Mrs. Romo said. "Hope you
don't mind—I'm moving my house as far
away from yours as I possibly can! After we
spoke earlier, it occurred to me that the only
thing separating my yard from your yard is a
picket fence. Which gappers could easily
squeeze through! And one thing I don't need
at this point is a yard full of gappers! I suppose they don't bother you anymore, you're
probably used to them, you probably even
take a kind of crude enjoyment in them, but
my boys are made of more sensitive stuff,
and mustn't be distracted from their singing
careers! To the lot-line, fellows! Lift, men,
you can do it!"

And the men succeeded in lifting the house and moving it very very close to the third and final house in Frip, which belonged to Sid and Carol Ronsen, who stood in their yard with looks of dismay on their nearly identical frowning faces.

"See here!" said Sid Ronsen.

"See here!" said Carol Ronsen. "What are you doing, Bea?"

"What in the world are you doing, Bea?" said Sid. "Good Lord! Moving your house so close? You're crowding our little house. Do you see it? Our little house is this blue one here, the one your house is now nearly touching, Bea."

And it was true. The houses were now very very close. A person could easily hop from roof to roof. The Romo boys were doing just this. They were hopping from roof to roof, singing in angry voices, while the Ronsen girls, Beverly and Gloria, craned their heads out the window with their fingers in their ears.

"I'm still on my property," said Mrs. Romo.

"Good Lord," said Sid.

"Good Lord, Bea," said Carol. "You could look right in on us. You could look right in on us being naked in our own private bathroom."

"Don't worry, I won't!" said Mrs. Romo. "Although you will probably hear us singing from time to time!"

"Lucky us," said Sid Ronsen.

And immediately, Sid Ronsen hired the same five men to move *his* house to the far edge of *his* property.

Now the distance between his house and the Romo house was exactly the same as it had been that morning.

It was as if the world had tipped, and the Romo and Ronsen houses had slid over, but Capable's house had stayed where it was.

Capable tried everything she could think of to get rid of the gappers.

She tried hiding the goats under blankets,

setting the goats on tables,

building fences around the goats,

shaving the goats, but nothing worked.

She moved the goats inside, but the gappers only squeezed under the door and blundered into the dye vat and left white streaks across the floor as they chased the worried-looking goats around the kitchen.

Finally her goats stopped giving milk altogether, which meant no milk and no cheese, and no money from selling the milk and cheese, which meant that Capable and her father were reduced to eating dandelions, which she first had to paint white.

"Father," she said late one night. "I can't keep up. Our goats are dying. We're going to have to ask the neighbors for help."

"Have we ever done that before?" he said.

"We've never needed help before," said Capable.

"Well I'm against it," he said. "If we haven't done it before, it stands to reason that this is the first time we've done it, which means that, relative to what we've done in the past, this is different, which I am very much against, as I always have been, as you well know. I have consistently been very very consistent about this."

Then he went back to sleep and Capable went out to the yard. Twenty times she filled her sack with gappers and walked to the cliff. As she brushed and bagged she thought of her mother, and while thinking of her mother she seemed to hear her mother's voice, saying: Honey, if you need help, ask for help, you're not alone in this world, you sweet little goof.

So she went inside and wrote a note to the Romos and the Ronsens:

Dear friends, it said, *we need your help. The gappers are too much for me. They're killing our goats. Please help, I beg you, your friend Capable.*

Then she left a copy for the Romos and a copy for the Ronsens, and went to sleep happy, feeling that tomorrow things would get better.

✳ ✳ ✳

"GOOD LORD!" SAID SID RONSEN next morning, standing by his fence, reading the note. "What is the meaning of this? What is she thinking? Are those gappers our gappers? Are those goats our goats?"

"Good Lord!" said Carol Ronsen. "They certainly are not. They are her goats and her gappers, as indicated by the fact that they are in her yard. Is her yard our yard? I think not."

"I feel that our yards are our yards," said Bea Romo.

"Quite right!" said Sid Ronsen. "Well said, Bea."

"I for one," said Carol Ronsen, and then forgot what she was going to say, and poked Sid Ronsen, who almost always knew what she had been about to say.

"I for one," he said, poking her back, out of habit, "do not intend to stand idly by while my poor daughters, Beverly and Gloria, who only recently were freed from gapper-duty, go marching out of my yard, into her yard, and lend a hand. What sort of father would I be? What kind of message would I be sending? Wouldn't I be saying: Girls, I don't value you, I think you should work like dogs to solve a problem that isn't even yours? Preposterous! I refuse to say that! I am very sorry that Capable's luck has gone bad, but, come to think of it, I for one do not believe in luck. Do you know what I do believe?"

"You don't believe in luck," said Carol Ronsen, who was quite thrilled that what she had been going to say had turned out to be so very long and opinionated.

"I believe we make our own luck in this world," said Sid Ronsen. "I believe that, when my yard suddenly is free of gappers, why, that is because of something good I have done. Because, as both of you ladies know, I have always been a hard worker."

"As have I," said Bea Romo. "I too have always been a hard worker, as have my boys, and look: No gappers, just like you. I suppose one might say that we too have made our own luck. With our hard work."

"Work, work, work," said Carol Ronsen.

"Perhaps I should compose a response," said Sid Ronsen.

"That would be super," said Bea Romo.

So Sid Ronsen composed the following response:

Dear Capable, it said, *we are in receipt of your letter of the other day, that other day, whenever that day was, when you sent that letter that you sent us. We regret to inform you that, although we are very sympathetic to your significant hardships, don't you think it would be better if you took responsibility for your own life? We feel strongly that, once you rid your goats of gappers, as we have, you will feel better about yourself, and also, we will feel better about you. Not that we're saying we're better than you, necessarily, it's just that, since gappers are bad, and since you and you alone now have them, it only stands to reason that you are not, perhaps, quite as good as us. Not that we hate you! We don't. We sort of even like you. Just please get rid of those gappers! Prove that you can do it, just as we proved we could do it, and at that time, and that time only, please come over, and won't that be fun, all of us standing around the fire, sharing a laugh about those bad old days when we all had gappers.*

Love, Your Neighbors.

Sid crept to Capable's mailbox and slipped the note in.

* * *

THAT AFTERNOON, MRS. ROMO finished her usual afternoon session of shouting at her boys for not doing their afternoon scales, then stepped out onto what she called her veranda, which was a little square of hard-packed dirt where the cat liked to leave its chewed-up spitty toys.

Walking by was Capable, looking mad, leading her goats on a rope.

With Capable was her father, muttering and shaking his head.

"Hello, dear," said Mrs. Romo. "How quaint that you've tied all your goats together. They look so cute. Why did you do it? Just being silly? Taking them on a little tour of the town?"

"No," said Capable. "I'm giving up."

"Why say it so grumpy?" said Bea Romo. "And what do you mean you're giving up?"

"I'm taking them to Fritch, to sell," Capable said. "It's too hard here, and nobody's helping us."

"Do you mean me?" said Bea Romo.

"I hope you don't mean us," said Sid Ronsen, leaning out the window with shaving cream on his face.

"Did you not get our letter?" said Bea Romo.

"Did you not get my letter?" said Sid Ronsen.

"I have to say it's a strange idea," said Carol Ronsen. "I have to say it makes me somewhat angry. That you should expect us to do your work. I mean, do you cover my roses? Do you polish my antiques?"

"Do you force my boys to sing their scales?" said Bea Romo.

"Do you trim my nose hairs?" said Sid Ronsen.

"And what will you do then?" said Carol Ronsen. "Having sold your goats?"

"Fish," said Capable.

"Good Lord!" said Sid Ronsen.

This was a shocker. The people of Frip did not fish. They had stopped fishing long ago, when Sid Ronsen's great-grandfather had acquired the town's first goat. Sid's great-grandfather had been the richest man in town, and once he got a goat, everyone wanted a goat, and fishing went out of style, and now fishing was considered something one did only if one was not bright enough to acquire a goat.

"Fish for what?" said Bea Romo. "For fish? With a hook? A hook and some bait? Some bait on a hook, which you throw into the sea?"

"To think it's come to this," said Capable's father. "To think that my daughter is going to start fishing, which is something she's never done before."

"You must be heartbroken," said Sid Ronsen.

"I've been crying about it all night," said Capable's father. "Which is why my mustache is so wet and my nose is so red, which I have to say is completely unprecedented."

"I've done my best," said Capable. "But look at these goats."

Everyone looked at the goats, which were skinny and jittery and kept glancing nervously out at the ocean.

"If you want my advice?" said Sid Ronsen. "Work harder. Actually, no, don't work harder, work smarter. Be more efficient than you've ever been before. In fact, be more efficient than is physically possible. I know that's what I'd do."

"That's also what I would do," said Bea Romo.

"Me too," said Carol Ronsen.

"I certainly wouldn't start fishing about it," said Sid Ronsen.

But Capable knew she had tried her best, and her best hadn't worked, and remembered her mother once saying: Just because a lot of people are saying the same thing loudly over and over, doesn't mean it's true.

So she kissed her father on the cheek and walked her goats out of Frip, and a few hours later returned with a fishing pole and some hooks and a big heavy book called *How to Fish for Fish*.

* * *

REMEMBER THAT LESS-STUPID gapper with the brain poking out the side of his head?

That night he deduced that the reddish Frip shack, the one they had come to love so well, was now totally without goats. He deduced this by systematically leading his team of fifteen hundred gappers blindly around Capable's yard for approximately six hours. Once he had confirmed the total absence of goats, he led his team into the Romos' yard, where he found ten fat complacent goats, who were soon lying on their sides, mortified, covered with bright orange gappers making the usual high-pitched joyful shrieking noise, which woke Bea Romo from a sweet dream in which she was engaged to a handsome man who loved to hear her sing. She was singing and singing, when suddenly her fiancé turned into a vacuum cleaner and, apparently in response to her excellent singing, began making a high-pitched joyful shrieking noise. The shrieking

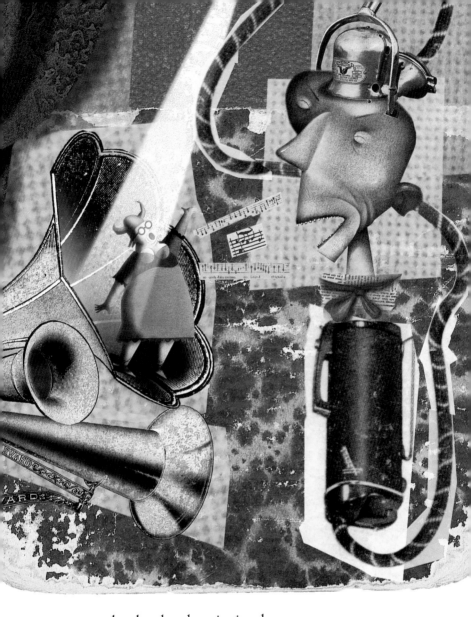

was louder than her singing, however, so
Bea Romo stepped on the little switch on
her fiancé's foot, to make him stop shrieking,
so he could better hear her singing. When
this didn't work, she woke with an angry
look on her face, having decided never to
date a vacuum cleaner again, especially one

who didn't properly appreciate her singing. She then realized with some alarm that, even though she had stepped very firmly on her fiancé's foot, the high-pitched joyful shrieking noise still hadn't stopped.

Imagine her surprise when she went to the window and saw her goats lying on their sides, mortified, covered with gappers.

Bea Romo let out a high-pitched shrieking noise of her own that was not a bit joyful.

"Good Lord!" said Sid Ronsen from his bed. "Is that Bea? Is that Bea shrieking? Is she shrieking or singing?"

"It's always so hard to tell," said Carol Ronsen.

They rushed to the window and saw the Romo boys, Robert and Gilbert, frantically brushing gappers, just like in the old days.

"Robert! Gilbert!" said Sid Ronsen. "See here! Boys, how did this happen?"

But Robert and Gilbert were too breathless and sweaty to answer.

"Oh, Sid," said Carol Ronsen. "Check our goats. Are our goats fine?"

"I am happy to say that our goats appear to be fine," Sid said. "They are actually standing at the fence, watching Robert and Gilbert. Sort of smiling. Can goats smile? Our goats appear to be smiling."

"But no gappers?" said Carol Ronsen.

"No gappers," said Sid Ronsen.

"Thank God," said Carol Ronsen. "We are so blessed."

"I feel like praying," said Sid Ronsen. "I feel like thanking God for giving us whatever trait we have that keeps us so free of gappers."

"We should," said Carol Ronsen. "We should pray."

And the Ronsens prayed, thanking God for making them the sort of people they were, the sort of people who had no gappers, and they prayed that God would forgive Bea for not being that sort of person, and would have mercy on her, and, in His infinite mercy, would make Bea into a better sort of person, and take all her gappers away.

* * *

MEANWHILE CAPABLE WAS teaching herself to fish. All day she stood on the beach in a pair of dumpy green overalls. Sometimes she practiced getting her line caught in a tree, sometimes she practiced peeling her worm off her forehead while feeling grateful that she hadn't just succeeded in hooking her own eyebrow, other times she practiced sitting frustrated and near tears in the sand.

At one point, having just knocked herself down by trying to reel in her own shoe, which unfortunately at that time was still on her foot, she looked up to see Beverly and Gloria Ronsen staring down at her with their eyebrows held very high.

"You should be glad we're not boys," said
Beverly.

"Boys would not like that, what you just
did," said Gloria. "Boys do not like girls who
wear overalls and knock themselves over
with their own fishing thingamabobs."

"Boys like girls who wear nice dresses and
who, if they absolutely have to fall over, do so
only after being pushed over by a boy who's
just kidding, who only knocked them over to
show how much he liked them," said Beverly.
"At least that's been my experience."

"Yes," said Gloria. "Although some boys
might not mind a girl who falls over, if that girl
giggled a bit and needed his help to get up."

"True," said Beverly. "Although the type of boy I like? He is the type of boy who likes the type of girl who not only never falls over, but rarely even moves. Because she is so graceful. She just stands there absolutely still while looking very pretty. Such as this."

"Such as this here," said Gloria. "What we're going to do right now."

And both Ronsen girls stood very still, and looked sort of pretty, if you like the kind of girl who, to look sort of pretty, has to stand very still.

"Why do you care so much what boys like?" said Capable, and at this point Beverly and Gloria stopped standing perfectly still in order to gasp, turn red in the face, then fold and unfold their largish ears several times with their fingers as if there were some blockage that had kept them from hearing her correctly.

"I totally care what boys like!" said Beverly. "Especially cute boys."

"I even care what ugly boys like," said Gloria.

"Because who knows," said Beverly. "An ugly boy might turn out to be cute later."

"Or he might have a cute friend," said Gloria.

"Take Bob Bern," said Gloria. "He's ugly. His nose is about a foot long. But guess who he's friends with?"

"Bernie Bin!" said Beverly. "Oh my God! Is Bernie's nose ever not a foot long! His nose is so cute! It's just the right length."

At that moment Capable caught her first fish, which came skittering across the beach like a silver coin that had suddenly come to life and was trying to get a hook out of its mouth.

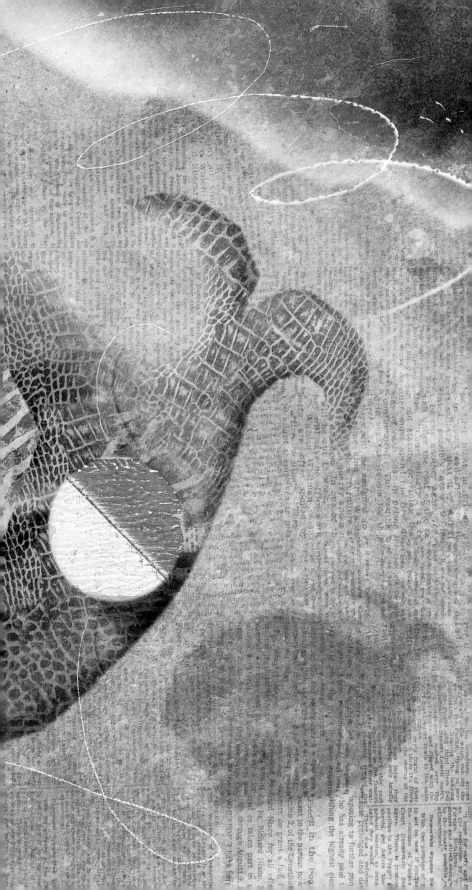

"Gosh, yuck!" said Gloria. "Watch it! That thing on that hook nearly brushed right against my new tights!"

"One thing we do not need is fish-goo on our new tights," said Beverly, and led Gloria off the beach.

The fishing was good.

By ten Capable had caught enough fish for a nice dinner. The rest of the morning she swam and slept. In the early afternoon, she swam some more, made a sandcastle, and day-dreamed a bit. She daydreamed about the old days when her father used to make her mother laugh by holding radishes in his eye sockets. She daydreamed about dressing up the Romo boys in goat suits and locking them in a closet full of gappers. In the late afternoon she day-dreamed further, slept again, woke up, went for a swim, made a second sandcastle, then walked home happy, dragging behind her a huge gapper-sack full of fish.

✸ ✸ ✸

BY NOON THE NEXT DAY, BEA
Romo's goats had stopped giving milk.

"Uh, Carol?" she said that afternoon at the
fence. "Why not send over your girls? We'll
make a party of it. A cookie-and-milk party.
And Carol? Do you have any cookies? And
do you have any milk? For the party? Oh
Carol, I'm so worried. My boys are so tired,
they never sing anymore, they only fall asleep
in the yard, with those horrible gappers
crawling all over their arms, the arms with
which they used to gesture so beautifully
while they sang. I worry about their singing
careers. Even I myself am singing less, I'm so
worried about them."

"Not everyone can be a singer, Bea," said
Carol. "We all must accept our lot in life.
Some of us are singers and some of us are
gapper-brushers, and it seems to me that,
if you would simply happily accept the fact
that your kids are gapper-brushers, and
always will be, gosh, just think how happy
you'd be."

"Oh Carol," said Bea, starting to weep.
"Things are going badly for us."

"Life is mysterious," said Carol.

"Isn't it though," said Bea, and tried to get
a hug from Carol. But Carol, afraid that a
gapper or two might be hiding under Bea's

tremendous operatic gown, pretended to
suddenly sneeze, taking two very large steps
back from the fence.

"But you'll come to the party?" said Bea.
"The milk-and-cookie party? And you'll
bring milk and cookies, and your kids, who'll
bring their gapper-brushes? Oh gosh, won't
it be fun?"

"Well Bea," said Carol. "To tell the truth,
that doesn't sound like all that much fun,
really. Us brushing your gappers? When we
ourselves have none? And with gappers
being so disgusting and all? What fun is that?
Do you see what I mean?"

"Well, aren't you suddenly a snoot," said Bea Romo.

"A snoot?" cried Carol. "Are you calling me a snoot? Good Lord!"

"Who's calling who a snoot?" said Sid Ronsen, emerging from a bush he'd been trimming.

"Bea called me a snoot!" said Carol Ronsen.

"I think I'm going to cry," said Bea Romo.

"Oh brother," said Sid Ronsen. "First you call my wife a snoot, and then you start crying? Good Lord. You'd think Carol would be the crying one. Carol, come inside at once. I won't have my wife being called a snoot by someone with so many gappers. The nerve!"

And the Ronsens went inside.

Bea Romo stayed outside, thinking about possibly starting to cry. But since no one was around except the fifteen hundred gappers who just that minute were squeezing through her fence, she decided not to cry, but instead went inside and called the team of very strong men from Fritch, and asked could they come to her house first thing next morning.

* * *

FIRST THING NEXT MORNING
Carol and Sid Ronsen looked out their bed-
room window to find the team of very strong
men from Fritch walking past their house
very slowly, with shaky knees and red faces,
and sweat flying off their trembling arms,
and Bea Romo's house on their shoulders.

Just past the Ronsens' house, the strong
men set the Romo house down, brushed
off their hands, wiped their foreheads,
and accepted a big wad of money from
Bea Romo.

"See here!" said Sid Ronsen. "What are you
doing, Bea? Good Lord! Why are you putting
your house on the other side of our house, in
that vacant lot, the vacant lot by the swamp?"

"None of your beeswax, you snoot," said Bea Romo.

"Again with the snoot talk," said Carol Ronsen.

"Fine, Bea!" said Sid Ronsen. "If you want to live in a vacant lot, live in a vacant lot. It's no skin off our noses. Only stop calling us snoots!"

"And don't start in again with that awful singing," said Carol Ronsen.

A few hours later, that less-stupid gapper with the sticking-out brain led his gappers into the former Romo yard, found it goat-less, and proceeded directly into the Ronsen yard.

Sid Ronsen was making lunch when he heard the high-pitched joyful shrieking and literally dropped his omelet on the dog, who quickly ate it.

"Good Lord!" Sid Ronsen shouted. "Girls! Get out there and start brushing. Brush like the wind, girls! This is terrible! Just awful. I blame Bea!"

"Don't blame me!" shouted Bea, standing at her window in her big operatic gown. "Accept your lot in life! Ha ha! You snoots. Let's see how you like it. Just look at my goats now."

"Good Lord!" said Carol Ronsen. "Bea's goats appear to be smiling."

"How about our goats?" said Sid Ronsen. "Do they appear to be smiling?"

"I can't tell," said Carol Ronsen. "There are too many gappers on their faces for me to see their mouths."

"Good Lord!" said Sid Ronsen. "We'll see about this, Bea! Two can play this game!"

And he rushed out of his house in his bathrobe and gave a big wad of money to the team of very strong men from Fritch, who, though still out of breath, carried his house past the Romo house, to the lip of the swamp.

After which Bea Romo paid the team of very strong men from Fritch to carry her house past the Ronsen house, literally into the swamp.

After which Sid Ronsen paid the team of very strong men from Fritch to carry his house past the Romo house, even further into the swamp.

This went on well into the afternoon, at which time the Romo and Ronsen houses were so far into the swamp that the Romos and the Ronsens could only stay dry by sitting on the peaks of their respective roofs, surrounded by their children and their goats and a few treasured household items.

Plus they were all completely out of money.

"Good-bye, folks!" said the leader of the team of very strong men from Fritch. "Have a nice day! And thanks for all the money!"

BY NOW IT WAS GETTING DARK
and cold, so Sid Ronsen led his wife and children and goats off the roof, and they swam,
shivering, with looks of disgust on their faces,
through the swamp, followed by the scowling
shivering disgusted Romos and the scowling
shivering disgusted Romo goats.

At that moment Capable came up from
the sea with her big gapper-sack full of fish.

"What are those you have there?" said Carol Ronsen. "Are those fish? Fish you caught in the actual sea?"

"They don't look half-bad," said Bea Romo. "Actually they look sort of yummy. You know what might be fun? Maybe you could teach me and Robert and Gilbert to fish. Maybe, for fun, you could, you know, lend us a pole, and some worms, and sort of teach us to fish."

"And maybe you could also teach us to fish," said Sid Ronsen.

"And maybe also we could all live with you awhile?" said Carol Ronsen. "Just until we can sell our goats in Fritch and use the money to get our houses out of the swamp?"

"Ha ha!" said Sid Ronsen. "Somehow our houses ended up in that darn swamp!"

Capable looked at her neighbors, who were shivering and covered with swamp muck, and remembered the way they had all refused to help her.

Then she went into her house and shut the door.

She made a fire and cooked the fish. She sat down with the plate of fish in front of her window. She watched the Romos and Ronsens swim back across the swamp and remount their houses. She watched Robert Romo's shoe slip off and fall in the muck. She watched Sid Ronsen sitting with his head in his hands, possibly weeping, and Carol Ronsen sort of consoling him, by patting him on the back.

And she soon found that it was not all that much fun being the sort of person who eats a big dinner in a warm house while others shiver on their roofs in the dark.

That is, it was fun at first, but then got gradually less fun, until it was really no fun at all.

"Father," she said. "I guess we'll be having some company."

"What in the world?" he said. "Our house is so small, and there are so many of them. We have so little, and they'll use so much. This is a really big change. It makes a lot of extra work."

"Yes it is," said Capable. "Yes it does."

"But we're still doing it?" he said.

"Yes we are," she said, and called the neighbors in, and put water on for tea, because she knew that tea would taste good to people who'd recently been swimming in a freezing mucky swamp.

Then she cooked up a bunch more fish, remembering to paint a few white for her father.

Who at that moment said something amazing:

"You remind me of your mother," he said. "So generous and all."

Then he did something amazing:

He ate an unpainted fish.

SO THE NEXT MORNING, AND EVERY
morning after that, Capable and her father
and the Romos and the Ronsens went down
to the sea and fished.

AND LIFE GOT BETTER.

Not perfect, but better. The Ronsen girls
still sometimes stood completely motionless
in order to look somewhat pretty; the Romo
boys still argued, often about who was a better worm-finder, after which they wrestled

about who was a better worm-finder, after which they argued about who'd gotten more sand down his underwear during the wrestling, after which they hopped up and down, comparing the amount of sand that came dribbling out of their underwear; Mrs. Romo still burst into song from time to time, prompting the Ronsens to cover their ears, after which Mrs. Romo would sing louder, sort of pursuing the wincing Ronsens down the beach; but generally, on most days, everyone was happier.

Except of course the fish.

AND THE GAPPERS.

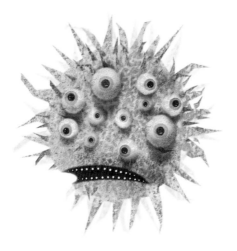

For weeks afterward, the gappers came sadly into town, looking for the goats.

But the goats were in Fritch, fat and happy.

Finally that less-stupid gapper, the one with the sticking-out brain, called a meeting. Seeing as how there were no longer any goats in Frip, he proposed that they stop loving goats. The goats had never returned their affections. The goats had taken them for granted. Goats stunk, actually. What was the point of loving someone who only nipped at you with its sharp yellow teeth whenever you joyously shrieked because you were happy to see it? It was an outrage. They'd been played for fools. Would it not, he proposed, be more prudent for them to love something that might actually love them back, something solid and reliable, something that was actually still present in Frip?

What did he have in mind? the other gappers asked. What was still in Frip that might
possibly love them back?

Fences, the brighter gapper replied. And
he began singing the praises of the attractive
yet reliable fences of Frip, which never, to his
knowledge, had nipped anything with their
teeth, not having teeth, and which never, to
his knowledge, had even nipped anything
with their gates, but had only stood with
great dignity in all sorts of weather, looking
out very calmly to sea, as if waiting for something wonderful to emerge from the sea and
begin madly loving them.

So the gappers took a vote. And though
they were not in perfect agreement—one
believed they should begin loving wadded-
up pieces of paper, another believed they
should begin loving turtles, particularly turtles who were dying, particularly dying turtles who nevertheless kept a positive
attitude—the gappers still very much
admired and trusted that less-stupid gapper,
and voted to begin madly loving fences.

Which is how Frip came to be what it is today: a seaside town known for its relatively happy fisherpeople and its bright orange shrieking fences.

THE END.

ThGl 97 (2007) 401–410

Bernd Irlenborn

Christlicher Glaube im säkularen Staat.

Zur öffentlichen Relevanz von religiösen Überzeugungen

Kurzinhalt – Summary:

Der Beitrag untersucht die öffentliche Tragweite des christlichen Glaubens im säkularen Staat. Dabei werden zunächst der staatskirchenrechtliche Hintergrund und dann das christliche Selbstverständnis skizziert. Im Anschluss daran stelle ich aus der aktuellen Debatte drei religionsphilosophische Positionen zur öffentlichen Rolle von Glaubensüberzeugungen vor und plädiere für eine vernunftgemäße Reformulierung von christlichen Anschauungen im politischen Diskurs.

The article analyses the public significance of Christian convictions in the secular state. After describing the German legal background and the Christian self-concept, three positions in the current discussion of the role of religious commitments in political debate are presented. Finally I argue for a rational positioning of Christian convictions in political debates.

Der in diesem Jahr verstorbene Philosoph Richard Rorty hat mit einer wirkmächtigen Formulierung vom religiösen Glauben als „conversation-stopper" gesprochen: Ein erfolgreicher Weg für einen solchen Gesprächsabbruch sind für Rorty beispielsweise die Thesen, Abtreibung sei verboten, weil Gott es so wolle, oder Homosexualität sei eine Sünde, weil sie in Lev 18,22 als „Gräuel" bezeichnet werde.[1] Das Gespräch wird Rorty zufolge dadurch abgebrochen, weil es angesichts solcher Behauptungen nicht mehr um das öffentliche politische Wohl, sondern nur um eine private Einstellung gehe. Rortys Appell richtet sich, wie er sagt, vor allem an katholische Bischöfe und religiöse Autoritäten, die mit solchen Begründungen nicht aus pastoraler Fürsorge handelten, sondern rein um Orthodoxie zu gewährleisten und politischen Einfluss zu gewinnen.[2]

Hinter Rortys Formel steht das Plädoyer für eine Privatisierung des Religiösen im Kontext des säkular verfassten Staates. Die Grundthese lautet: Im säkularen Staat haben religiöse Überzeugungen angesichts des weltanschaulichen Pluralismus nur einen rein privaten Status. Befürworter einer solchen Privatisierung argumentieren wie folgt: Wenn es um politisch relevante Themen oder Entscheidungen gehe, sei ein Rekurs auf religiöse Überzeugungen oder Autoritäten in einer pluralistischen Gesellschaft nicht angemessen, da dieser für nicht-religiöse Menschen unverständlich bleibe und insofern nicht die Zustimmung aller Bürger finden könne.

[1] Richard Rorty: *Philosophy and Social Hope.* London, 1999, 171.
[2] Richard Rorty: *Religion in the Public Square. A Reconsideration.* In: JRE 31 (2003) 141–149, 141.

Im säkular verfassten Staat hätten religiöse Argumente in der politischen Debatte keinen Platz. Wenn überhaupt, dann nur mit der Einschränkung, dass die religiösen Akteure dafür Argumente fänden, die in einer säkularen Sprache verfasst und mit der Vernunft zu verstehen seien.

Nun ist die Rede von einer Privatisierung des Religiösen in den letzten Jahren nicht allein deswegen in die Krise gekommen, weil sich zum Teil schmerzlich gezeigt hat, welche öffentliche Wirkung und politische Bedeutung religiöse Überzeugungen haben können. Auch aus empirischer Sicht ist die Entpolitisierung des Religiösen kein zwangsläufiges Kennzeichen der Moderne; in diesem Sinne spricht etwa der angesehene US-Religionssoziologe José Casanova von einer „Entprivatisierung" im Sinne eines Heraustretens der Religion aus dem Privatbereich, das seit etwa fünfzehn Jahren zu beobachten sei.[3] Auch aus christlicher Perspektive widersprechen alle Versuche der Privatisierung des Glaubens ganz entschieden dem Öffentlichkeitscharakter der Botschaft Jesu, die die Kirche methodisch adäquat und intellektuell reflektiert verkünden muss. Die Zeitbezogenheit dieser Verkündigung schließt eine Pluralismusfähigkeit nicht aus: Im Wissen um die Vielfalt der Weltdeutungen im säkularen Staat kann sich das Christentum in seinem öffentlichen Engagement nicht der Tatsache verschließen, dass immer weniger Menschen die Grundlagen des Glaubens kennen, verstehen oder annehmen wollen. Insofern ist Rorty im Recht, wenn er im Kontext politischer Diskurse eine schlichte Berufung auf Bibelstellen oder religiöse Autoritäten kritisiert. Daraus folgt allerdings nicht, wie er gleichzeitig unterstellt, die Notwendigkeit der Privatisierung religiöser Überzeugungen. Gerade aufgrund des engen Bezugs von Glaube und Vernunft innerhalb der katholischen Tradition kann und muss die Kirche, wenn sie im öffentlich-politischen Raum des säkularen Staates für die christliche Botschaft eintritt, Vernunftargumente verwenden, die einerseits diese Botschaft nicht verzerren und andererseits allgemeinverständlich und konsensfähig sind.

Ich möchte in diesem Beitrag eine Einführung bieten in die Diskussion um die öffentliche Bedeutung christlicher Überzeugungen und kirchlichen Handelns im säkularen Staat. Dazu ist es zunächst nötig, den staatskirchenrechtlichen Hintergrund zu skizzieren, was im ersten Abschnitt geschehen soll. Im zweiten Abschnitt schließt sich die Frage an, welches Verhältnis sich zum Staat im Hinblick auf die öffentliche Rolle von Glaubensüberzeugungen vom christlichen Selbstverständnis her ergibt. Im dritten Abschnitt werde ich drei unterschiedliche philosophische Positionen zu dieser Thematik benennen. Im vierten Abschnitt möchte ich dazu Stellung nehmen und ein Fazit ziehen. Das Themenfeld der Religion schränke ich ein auf das Christentum.

---

[3] José CASANOVA: *Chancen und Gefahren öffentlicher Religion.* In: Otto KALLSCHEUER (Hrsg.): *Das Europa der Religionen. Ein Kontinent zwischen Säkularisierung und Fundamentalismus.* Frankfurt/M., 1996, 181–210, 191.

THEOLOGIE UND GLAUBE

Herausgegeben von den Professoren
der Theologischen Fakultät Paderborn

97. JAHRGANG (2007)

ASCHENDORFF · MÜNSTER

AUFSÄTZE

I. Staatskirchenrechtliche Aspekte

Der Bonner Staatsrechtler Josef Isensee hat einmal das Verhältnis des Staates zur Kirche in der Bundesrepublik Deutschland treffend so zusammengefasst: „Das Christentum geht ihn an, obwohl er es sich nicht zu eigen macht. Ihn berührt nicht die Wahrheit des Glaubens, wohl aber die Wirkung des Glaubens in der sozialen Welt."[4] Der weltanschaulich neutrale Verfassungsstaat gewährt dem Christentum nicht nur einen privaten, sondern einen öffentlichen Wirkungsbereich, ohne dass er sich mit religiösen Überzeugungen identifiziert oder besondere unter ihnen bevorzugt. Die Neutralität des Staates ergibt sich aus der Garantie der individuellen Glaubens-, Gewissens- und Bekenntnisfreiheit in Art. 4 und aus dem Verbot der Staatskirche in Art. 140 des Grundgesetzes in Rückbezug auf Art. 137 Abs. 1 der Weimarer Reichsverfassung. Die vom Grundgesetz vorgeschriebene Neutralität des Staates wird nicht in einem negativen Sinne einer radikalen Trennung von Staat und Kirche verstanden, die – wie etwa in Frankreich – zu einer Privatisierung des Religiösen führt. Neutralität ist nicht mit Indifferenz zu verwechseln, die im Sinne eines weltanschaulich vermeintlich bezugslosen Standpunktes das Christsein offen oder verdeckt stets am Maßstab des Atheismus misst.[5] Die Neutralität schließt vielmehr verfassungsrechtlich positiv die Achtung des Staates für den religiösen Glauben ein und führt zu Kooperationen. Durch Konkordate und Staatskirchenverträge werden die *res mixtae*, die gemeinsamen Angelegenheiten zwischen Staat und Kirche, unter Wahrung der jeweils eigenen Zuständigkeit geregelt, wie beispielsweise der Religionsunterricht oder die Einrichtung von Theologischen Fakultäten an staatlichen Universitäten. Insofern wird das kooperative Verhältnis zwischen Staat und Kirche formelhaft auch als eine „hinkende"[6] oder „balancierte"[7] Trennung beschrieben, die in Zukunft freilich, angesichts immer heftigerer Diskussionen um die Rechtmäßigkeit vermeintlicher kirchlicher Privilegien, zu einer „distanzierenden Neutralität"[8] abgleiten könnte. Diese behaupteten Privilegien genießt die evangelische und die katholische Kirche, weil sie gemäß Art. 140 des Grundgesetzes in Rückbezug auf Art. 137 Abs. 5 der Weimarer Reichsverfassung eine Körperschaft des öffentlichen Rechts und nicht – wie etwa Vereine oder Stiftungen – bloß eine Körperschaft des Privatrechts ist: Sie ist also befugt etwa zur Erhebung von Kir-

---

[4] Josef ISENSEE: *Verfassungsrechtliche Erwartungen an die Kirche.* In: *Essener Gespräche zum Thema Staat und Kirche.* Hrsg. von Heiner MARRÉ; Johannes STÜTING. Münster, 1991, 104–143, 106.

[5] Vgl. Martin HECKEL: *Staat – Kirche – Kunst. Rechtsfragen kirchlicher Kulturdenkmäler.* Tübingen, 1968, 209. Vgl. auch Axel Frhr. von CAMPENHAUSEN: *Der heutige Verfassungsstaat und die Religion.* In: HdbStKirchR² I, 47–84, vor allem 77ff.; Joseph LISTL; Alexander HOLLERBACH: *Grundmodelle einer möglichen Zuordnung von Kirche und Staat.* In: HdbKathKR², 1256–1268, 1260ff.

[6] So die bekannte Formulierung von Ulrich STUTZ: *Die päpstliche Diplomatie unter Leo XIII. Nach den Denkwürdigkeiten des Kardinals Domenico Ferrata.* Berlin, 1926, 54.

[7] Ernst-Wolfgang BÖCKENFÖRDE: *Kirche und christlicher Glaube in den Herausforderungen der Zeit.* Münster, 2004, 431.

[8] Ernst-Wolfgang BÖCKENFÖRDE: *Wie können Religionen friedlich und frei beisammen leben?* In: NZZ vom 23./24. Juni 2007.

chensteuern oder zur Rechtsetzung in ihrem eigenen Bereich.[9] Das Grundgesetz schützt die freie Ausübung des Christentums hinsichtlich der Form und des Inhalts, soweit sie sich im Rahmen sittlicher Grundüberzeugungen bewegt.[10]

Die Bekenntnisfreiheit gewährt dem Christentum die Befugnis, religiöse Überzeugungen in der Öffentlichkeit zu vertreten. Sie beinhaltet auch die Freiheit der Werbung für den eigenen Glauben, die so genannte Missionsfreiheit.[11] Zu dieser – in Art. 4 Abs. 2 des Grundgesetzes gewährleisteten – ungestörten Religionsausübung rechnet das Bundesverfassungsgericht also nicht nur kultische Handlungen und religiöse Gebräuche wie Gottesdienst, Sammlung von Kollekten, Glockengeläut und Kirchenfahnen, sondern auch öffentliche Äußerungen des christlichen Lebens zu gesellschaftlichen und politischen Fragen.[12] Der Ansporn zu solchen Äußerungen kommt nicht erst in der Moderne auf, sondern gehört seit Jesu Wirken zum staats- und gesellschaftskritischen Kern der christlichen Botschaft.

II. Theologische Aspekte zur Öffentlichkeitsrelevanz des Glaubens

Mit dieser auf Kooperation angelegten Trennung von Staat und Kirche berücksichtigt das Staatskirchenrecht ein wesentliches und unaufgebbares Merkmal des christlichen Selbstverständnisses: den *öffentlichen* Anspruch des christlichen Glaubens. Es gehört zur Identität des Christentums, sich zu gesellschaftlichen und politischen Fragen zu äußern und auf die damit betroffenen weltlichen Bereiche einzuwirken. Diese Mitverantwortung für die Ordnung und Gestaltung des Gemeinwesens zielt nicht auf eine Repolitisierung der Kirche ab.[13] Sie ergibt sich programmatisch aus der Universalität des Heilswillens Gottes, wie sie Jesus Christus letztverbindlich offenbar gemacht hat. Christus ist nicht bloß *lumen fidelium*, Licht der Gläubigen, sondern *lumen gentium*, Licht der Völker – ob sie seine Botschaft annehmen oder nicht. Das bedeutet: Die christliche Botschaft ist selbst dann öffentlich, wenn ihre Verkündigung – etwa in Zeiten der Verfolgung – nur nicht-öffentlich geschehen kann. Jesu Verkündigung geschah, wie es in Joh 18,20 heißt, *tō kosmō*, offen, in der Welt, und nicht *tō kruptō*, im Verborgenen oder Geheimen. Die *parrēsía*, die Freimütigkeit und Offenheit, die er dafür in Anspruch nimmt, findet sich schon in der Redefreiheit der attischen Demokratie. Was dort allerdings nur zwischen

---

[9] Allerdings kann jede andere Religionsgesellschaft auf Antrag die gleichen Rechte und die gleiche Rechtsstellung erhalten, „wenn sie durch ihre Verfassung und die Zahl ihrer Mitglieder die Gewähr der Dauer bieten" (Art. 140 Grundgesetz in Verbindung mit Art. 137 Abs. 5 der Weimarer Reichsverfassung) und sich auf dem Boden der bundesdeutschen Verfassung befinden.

[10] So ist beispielsweise die Befreiung von der Schulpflicht aus christlichen Gründen – entsprechend einer Klage so genannter bibeltreuer Evangeliums-Christen – nach einer aktuellen Entscheidung des Verwaltungsgerichts Stuttgart nicht mit der Religionsfreiheit vereinbar (VG Stuttgart, 26.07.2007, 10 K 146/05).

[11] Vgl. Joseph LISTL: *Glaubens-, Bekenntnis- und Kirchenfreiheit.* In: HdbStKirchR² I, 439–479, 456ff.

[12] Vgl. ebd., 460–463.

[13] Vgl. Klaus SCHLAICH: *Der Öffentlichkeitsauftrag der Kirchen.* In: HdbStKirchR² II, 131–180, 141.

Gleichen galt und für Sklaven verboten war, universalisiert sich durch Jesu Wirken zur Signatur des Christseins in der politisch fremden oder feindlichen Umgebung. Wie öffentlich Jesu Botschaft war, zeigt sich unmissverständlich darin, dass es ein staatliches Gerichtsforum und damit die politische Macht war, die ihn zum Tode verurteilte.[14] Darin begründet sich eine normative Distanz zwischen Christentum und Politik, die eine Folge der normativen Distanz zwischen Christentum und Welt ist. Diese Distanz ist nicht in erster Linie politisch, sondern eschatologisch motiviert:[15] Insofern die Kirche – biblisch gesprochen – zwar in, aber nicht von der Welt ist, wird die politische Ordnung des Staates in ihrer stets zeitgeschichtlich begrenzten Gestalt relativiert. Da aber die Kirche eben auch *in* der Welt ist, steckt in dieser Relativierung gerade keine zwangsläufige Abwertung des Staates. Insofern entspricht dem christlichen Selbstverständnis eher die kooperativ ausgerichtete Trennung von Kirche und Staat als die in der Geschichte meist unheilvolle Allianz beider in einem Staatskirchentum.

Die öffentliche Wirksamkeit hat der christliche Glaube nicht allein durch das mit *sacra potestas* ausgestattete kirchliche Lehramt. Wie es im Zweiten Vatikanischen Konzil im Dekret über das Laienapostolat *Apostolicam actuositatem* heißt, gibt es eine Verschiedenheit des Dienstes („diversitas ministerii"), aber eine Einheit der Sendung („unitas missionis").[16] An dieser universalen Heilssendung haben alle Gläubigen aufgrund von Taufe und Firmung Anteil.[17] Der Konstitution *Lumen Gentium* zufolge sind alle Christen von Gott gerufen, „wie ein Sauerteig zur Heiligung der Welt … beizutragen und vor allem durch das Zeugnis ihres Lebens … Christus anderen kund zu machen."[18] Diese Herausforderung ist zeitgeschichtlich auch heute aktuell: Gerade in den inhomogenen Gesellschaften der westlichen Welt, die durch eine weltanschauliche und religiöse Vielfalt gekennzeichnet sind, gewinnt die öffentliche Verantwortung für die Wahrheit des christlichen Glaubens eine immer größere Brisanz. Diese Intervention gilt der Ordnung und Orientierung des Gemeinwesens, etwa in bioethischen Streitfragen um den Anfang und das Ende des menschlichen Lebens, in sozialethischen Belangen mit dem Ziel einer gerechten und solidarischen Gesellschaft, in gesellschaftspolitischen Fragen um das Ethos des säkularen Staates, aber auch in philosophischer Hinsicht etwa gegen den Naturalismus in der Diskussion um das Verhältnis von Schöpfungslehre und Evolutionstheorie oder gegen den Atheismus in Bezug auf die metaphysischen Grundlagen

---

[14] Paul MIKAT: *Das Verhältnis von Kirche und Staat nach der Lehre der katholischen Kirche.* In: HdbStKirchR² I, 111–155, 111.

[15] Vgl. zum soteriologischen Aspekt dieser Trennung: Karl RAHNER: *Kirche und Welt.* In: *Herders Theologisches Taschenlexikon.* Bd. 4. Hrsg. von Karl RAHNER. Freiburg/Br., 1972, 216–233.

[16] II. VATIKANISCHES KONZIL: *Das Dekret über das Laienapostolat ‚Apostolicam actuositatem',* Nr. 2.

[17] Das Handeln der Laien ist kirchliches Handeln: „Es ist jedoch kein Handeln im Namen der Kirche, sondern es ist … Handeln in eigenem Namen" (Stephan SCHWARZ: *Strukturen von Öffentlichkeit im Handeln der katholischen Kirche. Eine begriffliche, rechtshistorische und kirchenrechtliche Untersuchung.* Paderborn, 2004, 340; vgl. vor allem 193–201).

[18] II. VATIKANISCHES KONZIL: *Die dogmatische Konstitution über die Kirche ‚Lumen gentium',* Nr. 31.

der menschlichen Existenz, also die Fragen nach deren Sinn und Hoffnungsgrund. Nicht zuletzt auch, indem Christen für das Wohl des politischen Gemeinwesens und für dessen Verantwortliche beten. In all diesen Bereichen ist das öffentliche Zeugnis von Christen, ob gelegen oder nicht und differenziert durch die Verschiedenheit der Dienste, unverzichtbar, um der Botschaft Jesu, der *parrēsía* seiner Rede, auch heute treu zu bleiben. Ohne eine solche Korrektivfunktion in der Gesellschaft würde das Christentum den ihm vom Verfassungsstaat eingeräumten Wirkungsbereich aufgeben und sich selbst privatisieren.

Die Pluralität von Sinnangeboten und Lebensdeutungen hat jedoch zur Folge, dass immer mehr Menschen religiöse Bekundungen im Allgemeinen und christliche Verantwortung im Besonderen nicht mehr verstehen oder ihnen gegenüber fremd bis feindlich eingestellt sind. Das verbindende Element in der pluralistischen Gesellschaft ist nicht mehr der religiöse Glaube, sondern die allgemeine Vernunft.[19] Das Misstrauen säkularer Bürger gegenüber manchen – wie Papst Benedikt gesagt hat – *„Pathologien in der Religion“*,[20] also radikalisiertem religiösen Verhalten, schürt wieder den Generalvorbehalt gegen Religionen schlechthin und ihren gesellschaftspolitischen Einfluss. Die Tatsache der Pluralität der Religionen in den westlichen Gesellschaften nährt dabei die alten religionskritischen Forderungen nach einer generellen Relativierung religiöser Wahrheitsansprüche und einer Verbannung religiöser Äußerungen in den Privatbereich. Rortys Rede von der Religion als „conversationstopper" ist dafür ein deutlichies Symptom. Welche Rolle kann die christliche Verantwortung im Kontext des skizzierten Verhältnisses zwischen Staat und Kirche einnehmen? Fordert *de facto* die Pluralität von unvereinbaren Anschauungen und Weltdeutungen im säkularen Staat nicht eine Privatisierung des Glaubens, selbst wenn *de iure* das Christentum in seinem öffentlichen Wirken – zumindest hierzulande – bestärkt wird?

III. Zur philosophischen Debatte um die Rolle religiöser Überzeugungen im säkularen Staat

Um die angesprochenen Fragen hat sich insbesondere in den USA eine Debatte unter Religionsphilosophen, Theologen, Rechtstheoretikern und Moralphilosophen entwickelt, bei der es darum geht, welche Rolle Glaubensüberzeugungen in Prozessen politischer Deliberation, d.h. im öffentlichen Diskurs über politische Fragen, einnehmen können. Sehr vereinfacht kann man drei Grundpositionen unterscheiden:

---

[19] Vgl. Thomas M. Schmidt: *Vernünftiger Pluralismus – gerechtfertigte Überzeugungen. Religiöser Glaube in einer pluralistischen Gesellschaft.* In: Ders.; Matthias Lutz-Bachmann (Hrsg.): *Religion und Kulturkritik.* Darmstadt, 2006, 35–51, 37.
[20] Joseph Kardinal Ratzinger: *Werte in den Zeiten des Umbruchs. Die Herausforderungen der Zukunft bestehen.* Freiburg/Br., 2005, 38.

(a) Religiöse Überzeugungen müssen grundsätzlich aus politischen Diskursen in die Privatsphäre verbannt werden. Diese radikale Position wird jedoch nur von einer Minderheit von Autoren, wie etwa Richard Rorty, getragen.

(b) Religiöse Überzeugungen können ohne Einschränkungen in politischen Diskursen vorkommen. Vertreter dieser Position wie etwa der Religionsphilosoph Nicholas Wolterstorff oder der methodistische Theologe Stanley Hauerwas argumentieren, der säkulare Staat unter der Maßgabe der Religionsfreiheit könne seinen Bürgern keine Pflichten auferlegen, die mit ihren Glaubensüberzeugungen nicht vereinbar sind. Die Forderung, in der politischen Debatte allein säkulare Gründe zuzulassen, wird als unzumutbare Einschränkung für religiöse Bürger gesehen.

(c) Religiöse Überzeugungen können in politischen Diskursen vorkommen, wenn sie sich einschränken auf solche Behauptungen, die glaubensunabhängig, also mit der Vernunft zu verstehen sind. Bedeutsame Vertreter dieser verzweigten inklusiven Auffassung sind – mit internen Unterschieden – der späte John Rawls, Robert Audi und Jürgen Habermas. Rawls stellt in seinem Konzept des politischen Liberalismus heraus, dass der moderne säkulare Staat durch eine Vielzahl umfassender Lehren gekennzeichnet ist, die vernünftig sind und sich doch einander ausschließen. Dazu zählt er auch das Christentum, wogegen irrationale Lehren für ihn grundsätzlich einzudämmen sind. Seine Überlegungen gehen aus von der Frage, wie es angesichts dieser Pluralität möglich ist, dass sowohl säkulare als auch religiöse Bürger die politische Ordnung nicht nur als notwendiges Übel tolerieren, sondern sie in einem übergreifenden Konsens bejahen, selbst dann, wenn die eigene Lehre darin nicht erfolgreich ist oder eingeschränkt wird;[21] beispielsweise dann, wenn die Rechtsprechung dem christlichen Einsatz zum Schutz des ungeborenen Lebens zuwiderläuft. Einschränkende Normen erscheinen nur dann legitim, wenn sie grundsätzlich von *allen* davon Betroffenen akzeptiert werden können. Trotzdem ist es dem späten Rawls zufolge möglich, religiöse Überzeugungen in die politische Diskussion einzubringen, allerdings mit einer wichtigen Einschränkung: Es müssen adäquate politische – und eben nicht religiöse – Gründe vorgebracht werden, die den religiösen Beitrag stützen.[22] Dieser vieldiskutierte und -kritisierte Vorbehalt findet sich in anderer, schärfer reflektierter Form auch bei dem angesehenen Philosophen Robert Audi. Audi hat ein „Prinzip säkularer Rechtfertigung" („*principle of secular rationale*") vorgestellt, dem gemäß eine Politik, die die Freiheit der Bürger berührt, nur dann unterstützt werden kann, wenn dafür angemessene säkulare Gründe vorgebracht werden.[23] Jürgen Habermas versucht, eine vermittelnde Position zwischen den beiden letzten Auffassungen einzunehmen. Zum einen stellt

---

[21] Vgl. John RAWLS: *Politischer Liberalismus.* Frankfurt/M., 2003, 14; DERS.: *Nochmals: Die Idee der öffentlichen Vernunft.* In: DERS.: *Das Recht der Völker.* Berlin u.a., 2002, 165–262, hier 185ff.

[22] Vgl. Rawls: Nochmals (s. Anm. 21), 189, 206f.

[23] Robert AUDI: *Religious Commitment and Secular Reason.* Cambridge, 2000, 86. Das religiöse Plädoyer für ein verbindliches Gebet in öffentlichen Schulen erfordert für Audi beispielsweise allein säkulare Gründe, wie etwa dessen pädagogischen oder psychologischen Nutzen für die Jugendlichen (ebd., 87).

er unmissverständlich die Forderung heraus, dass in der politischen Debatte auf institutioneller Ebene allein säkulare Gründe zählen.[24] Dazu genügt für ihn die epistemische Fähigkeit, die eigene Glaubensüberzeugung auch reflexiv von außen betrachten und mit säkularen Auffassungen verknüpfen zu können.[25] Zum anderen wehrt sich Habermas gegen eine Marginalisierung der Religion, bei deren Verteidigung er im Übrigen stets den christlichen Glauben vor Augen hat.[26] Die Forderung, religiösen Bürgern auch in politischen Debatten unterhalb der institutionellen Ebene eine säkulare Rechtfertigung abzuverlangen, stellt für Habermas eine Überforderung dar.[27] Im Gegensatz zur Debatte in den Vereinigten Staaten spricht er in seinen Überlegungen zur Rolle von religiösen Einstellungen im säkularen Staat nicht von „Einschränkung" („restraint") religiöser Überzeugungen, sondern benutzt den im deutschsprachigen Kontext eher verwendeten und meines Erachtens auch sachlich angemesseneren Begriff „Übersetzung".[28] Dabei führt er seit seinem Vortrag *Glauben und Wissen* von 2001 die *prima facie* überraschende These ins Feld, im säkularen Staat hätten sich nicht nur religiöse, sondern auch nicht-religiöse Bürger an der Übersetzung von Glaubensüberzeugungen zu beteiligen. Die „kooperative Übersetzung" soll die Folgelasten der Übersetzungsforderung für die religiöse Seite mildern und nicht-religiöse Bürger auf die „semantischen Potentiale" des christlichen Glaubens aufmerksam machen.[29] Diese ‚Zumutung' an nicht-religiöse Bürger ist höchst brisant und wäre eigens zu diskutieren.

IV. Resümee

Was ist zu dieser Debatte in Kürze zu sagen? Sicherlich gibt es unterschiedliche Rollen und Verbindlichkeitsformen für die Behauptung christlicher Positionen in der Öffentlichkeit: Man muss unterscheiden zwischen erstens bloßen öffentlichen Bekundungen ohne Rückbezug auf eine bestimmte Kontroverse, zweitens politikrelevanten Diskussionen in Teilöffentlichkeiten und drittens politischen Auseinandersetzungen im Kontext von Legislative, Exekutive und Judikative. Offensichtlich

---

[24] Vgl. Jürgen Habermas: *Zwischen Naturalismus und Religion. Philosophische Aufsätze.* Frankfurt/M., 2005, 136; Ders.: *Ein Bewusstsein von dem, was fehlt. Über Glauben und Wissen und den Defaitismus der modernen Vernunft.* In: NZZ vom 10./11. Februar 2007, 71.

[25] Vgl. Habermas: Naturalismus (s. Anm. 24), 136.

[26] Vgl. Bernd Irlenborn: *Entgleisende Modernisierung und christlicher Glaube. Habermas' Interpretation des Böckenförde-Theorems.* In: ThGl 97 (2007) 12–27.

[27] Vgl. Habermas: Naturalismus (s. Anm. 24), 133f.

[28] Im Hintergrund dieser Begriffsverwendung steht die These: „Eine Säkularisierung, die nicht vernichtet, vollzieht sich im Modus der Übersetzung" (Jürgen Habermas: *Glauben und Wissen.* Frankfurt/M., 2001, 29). Vgl. zu diesem Begriff bei Habermas: Magnus Striet: *Grenzen der Übersetzbarkeit. Theologische Annäherungen an Jürgen Habermas.* In: Rudolf Langthaler; Herta Nagl-Docekal (Hrsg.): *Glauben und Wissen. Ein Symposium mit Jürgen Habermas.* Wien, 2007, 259–282.

[29] Vgl. Habermas (s. Anm. 28), 20f.; Habermas: Naturalismus (s. Anm. 24), 12f.

gilt für die letzte Stufe eine weitaus höhere Verbindlichkeit im Hinblick auf eine uneingeschränkt säkulare Rechtfertigung als im ersten Fall.[30]

Aus katholischer Sicht erscheint die Forderung einer säkularen Rechtfertigung christlicher Prinzipien weithin unproblematisch. Dies resultiert aus der langen Tradition naturrechtlicher Argumentation und des engen Verhältnisses von Glaube und Vernunft, die sich nach katholischem Verständnis aufgrund ihrer göttlichen Einrichtung und unter der Voraussetzung ihrer richtigen Ausprägung nicht widersprechen können. Es gibt unter diesen Prämissen keine doppelte Wahrheit. Zu diskutieren ist aus katholischer Sicht also nicht die Wahrheitsfähigkeit, sondern die Reichweite der Vernunft im Vergleich zu der des Glaubens. Dieser Hinweis sagt etwas aus über die Möglichkeit der Übersetzung christlicher Überzeugungen in eine säkulare Sprache. Offenkundig wird ein christlicher Ethiker in öffentlichen Debatten, konkret etwa als Mitglied einer Ethikkommission mit rechtsberatender Funktion, seine von Glaubensüberzeugungen getragene Position im Kontext säkularer Auffassungen allein mit Vernunftargumenten und nicht durch den Verweis auf Bibelstellen oder religiöse Autoritäten rechtfertigen. Der mögliche Verlust an theologischer Schärfe wird aufgewogen durch den strategischen Gewinn der Anschlussfähigkeit der christlichen Position.

Die Forderung der säkularen Reformulierung religiöser Überzeugungen ist aber nicht allein aus strategischen, politischen und moralischen Gründen von Bedeutung. Sie stellt sich auch und vor allem aus dem erkenntnistheoretischen Referenzrahmen der christlichen Theologie. Dabei gilt es zu achten zum einen auf die Wechselbeziehung von Glaube und Vernunft und zum anderen auf den universalen Wahrheitsanspruch der Gottesrede, den die Kirche in ihrem öffentlichen Agieren theologisch reflektiert zu vertreten hat. Ein solches öffentliches Wirken muss sich über Folgendes im Klaren sein: Die christliche Theologie bedenkt das Ganze der Wirklichkeit im Hinblick auf die Selbstoffenbarung Gottes in Jesus Christus. Fernab von jedem Fideismus geht es der theologischen Reflexion (etwa im Anschluss an 1 Petr 3,15) stets auch um eine Verständigungsabsicht mit einem nicht-christlichen Adressaten. Damit dieser mit Hilfe seiner Vernunft – und eine andere Beurteilungsinstanz hat er nicht – über die konkurrierenden Wahrheitsansprüche selbst entscheiden kann, muss die öffentliche Rechtfertigung des Glaubens mit Vernunftargumenten vortragen werden.[31] Das Forum dieser Rechtfertigung ist also – traditionell ausgedrückt – die vom Glauben „unerleuchtete" Vernunft. Das theologisch reflektierte öffentliche Engagement hat dabei kontextempfindlich zu sein im Hinblick auf das, was in säkularen Diskursen überhaupt als denkmöglich oder konsensfähig verstanden werden kann. Insofern ist eine Übersetzung von Glaubensüberzeugungen in eine

---

[30] Zu einer Differenzierung von Verpflichtungsgraden für religiösen „self-restraint" vgl. Kent GREENAWALT: *Private Consciences and Public Reasons*. New York, 1995, 141–164.

[31] Vgl. dazu Ludger HONNEFELDER: *Weisheit durch den Weg der Wissenschaft. Theologie und Philosophie bei Augustinus und Thomas von Aquin*. In: Willi OELMÜLLER (Hrsg.): *Philosophie und Weisheit*. Paderborn, 1989, 65–77, hier 65.

säkulare Sprache unmittelbar aus dem Öffentlichkeitsanspruch der christlichen Botschaft ableitbar. Das heißt: Sie ist nicht nur möglich, sondern auch notwendig. Ob
und unter welchen Bedingungen sie zudem noch angemessen ist, wäre eigens zu
prüfen.

Die von Habermas erwähnte Kompetenz, seinen Glauben auch reflexiv von
außen betrachten und reformulieren zu können, ist auch in theologischer Hinsicht
bedeutsam, zielt doch das Studium der Theologie im Sinne eines nach Einsicht
suchenden Glaubens auf eine vernunftgemäße Deutung der christlichen Botschaft
im Kontext der jeweiligen Zeit. Wie wir gesehen haben, entspricht die damit ange-
strebte Kompetenz nicht nur dem christlichen Selbstverständnis, sondern auch den
in der deutschen Verfassung verankerten Grundlagen im kooperativen Verhältnis
zwischen säkularem Staat und Kirche. Das öffentliche Eintreten für Glaubensüberzeugungen setzt freilich nicht nur eine zukunftsfähige, gesellschaftlich spürbare und
existenziell überzeugende Bindung an den christlichen Glauben voraus. Auch die
Qualität der öffentlichen Rechtfertigung des Glaubens spielt für dessen Rezeption
eine entscheidende Rolle. Insofern kommt unter anderem Ausbildungsstätten wie
den Theologischen Fakultäten die besondere Verantwortung zu, Menschen intellektuell zu befähigen, ihren Glauben rational verantwortet in säkularen Kontexten
behaupten zu können. Theologische Fakultäten müssen als Institutionen und mit
ihren Wissenschaftlern in unterschiedlichen Foren der Öffentlichkeit präsent und
wahrnehmbar sein. Die Gefahr der Privatisierung des Glaubens droht nicht allein
aufgrund der Verkümmerung des personalen, sondern auch des institutionellen
Eintretens für das Christsein.

Formelhaft gesagt: Der kirchlich gebundene Christ der Zukunft wird vielleicht
weniger – wie Karl Rahner gemeint hat[32] – ein Mystiker sein, sondern ein Intellektueller. Damit meine ich nicht unbedingt: ein Akademiker. Ein Intellektueller,
weil er aus einer Glaubenserfahrung heraus lebt, die immer wieder Einsicht, *intel-
lectus*, suchen wird, und zwar in die eigene christliche Verortung. Ein Intellektueller,
weil er in tiefer Weise wissen muss, warum er Christ ist und nicht Nicht-Christ.
Ein Intellektueller, weil dieses Wissen in einer zunehmend säkularen Gesellschaft
existenz- und nicht bloß konventionsbegründet sein wird. Und weil er stärker in
der Öffentlichkeit nach Rechtfertigung angefragt werden wird für seine dann vielleicht eher unkonventionelle christliche Existenz. Unter diesen Voraussetzungen
wird auch das zukünftige Christsein nicht verdunsten zu einer im säkularen Staat
belanglosen privatreligiösen Existenz, sondern bleiben, was es in der Nachfolge
Jesu immer gewesen ist: ein freimütiges und öffentliches Eintreten für die Wahrheit
des Glaubens.

---

[32] Vgl. Karl RAHNER: *Frömmigkeit früher und heute*. In: DERS.: *Schriften zur Theologie*. Bd. VII. Einsiedeln, 1966, 11–31, 22.

Hans F. Fuhs

Wertevermittlung in der Familie Alt-Israels[*]

Kurzinhalt – Summary:

Die Welt der Bibel ist von unserer heutigen Welt ganz verschieden. Die Texte der Bibel sind meist Jahrhunderte nach den berichteten Ereignissen entstanden und nach theologischen Zielen entworfen und gestaltet worden. Gleichwohl bergen sie eine Fülle von Informationen und Lebenserfahrungen aus ferner Vergangenheit, die erst mühsam zutage gefördert werden müssen in Korrelation mit archäologischen Befunden und Fakten der Geschichte des Alten Orients. Diese „heilsgeschichtliche" Konzeption verleiht der Bibel bleibende Aktualität. Sie gibt der gegenwärtigen Diskussion wegweisende Impulse über Familie, Eltern, Bildung und Erziehung.

The world of the Bible is totally different from our today's world. The texts of the Bible mostly originate from some centuries after the told events and were created and formed for theological aims. Nevertheless they contain plenty of informations and experiences of life from a distant past, which yet have to be brought to light in correlation to archaeological findings and facts of the history of the Ancient Near East. This „salvation historical" conception lends to the Bible permanent actuality. It gives directional impulses to the present discussion about family, parents, and education.

Einleitung: Wiederentdeckung der Familie und anderer Werte

Ehe und Familie stehen wieder hoch im Kurs.[1] Von interessierter Seite über Jahre hin als Auslaufmodell gegenüber „modernen" Lebensentwürfen apostrophiert oder gar als „Gedöns"[2] abgekanzelt sind sie jetzt im Focus medialen und politischen

---

[*] Leicht überarbeitete Fassung eines Vortrages im Rahmen unserer Akademie-Reihe im WS 2006/07 „Hier beginnt die Zukunft: Ehe und Familie" vom 12.2.2007. Der Vortragscharakter ist beibehalten. Die Anmerkungen beschränken sich auf Hinweise zu einer vertiefenden Beschäftigung mit dem Thema.

[1] Vgl. z.B. Andreas LOB-HÜDEPOHL: *Beachtliches Orientierungspotential. Attraktivität und Plausibilität der christlichen Ehe.* In: HK 60 (2006) 307–311; Clemens BREUER: *Für eine neue Kultur der Ehe und Familie.* In: *Die neue Ordnung* 60 (2006) 252–263; Astrid MANNES: *Vom Aufbau einer familienfreundlichen Gesellschaft, die kinderfeindlich ist.* In: *Die neue Ordnung* 60 (2006) 264–269; Hermann GIESECKE: *Familie als soziale Lebensform.* In: RelH 66 (2006) 92–99; Thomas ZIEHE: *Familie kein Erziehungsprogramm, sondern eine Form liberalen Zusammenlebens. Ein Gespräch mit* … In: RelH 65 (2006) 4–11; Michael DOMSGEN: *„Familie ist, wo man nicht rausgeworfen wird".* Zur Bedeutung der Familie für die *Theologie-Überlegungen aus religionspädagogischer Perspektive.* In: ThLZ 131 (2006) 467–486; David L. PETERSEN: *Shaking the World of Family Values.* In: Christine Roy YODER: u.a. (Hrsg.): *Shaking heaven and earth. Essays in honor of Walter Brueggeman and Charles B. Cousar.* Louisville, Ky: Westminster John Knox Press, 2005, 23–32.

[2] So Gerhard Schröder 1998 bei der Vorstellung seines Kabinetts mit Blick auf das betreffende Ressort.

Interesses.[3] Zugleich meldet sich zunehmend das Bedürfnis nach Werteorientie-
rung und Wertevermittlung in Familie, Schule und Gesellschaft. Die in den 70er
und 80er Jahren propagierten Beliebigkeitsmodelle unangestrengten Lernens und
der Spaßpädagogik haben sich als nicht zielführend erweisen. Die „ruinöre Schon-
haltung im Bildungsbereich"[4] hat zu dem desaströsen Ergebnis der PISA-Studie
von 2000 geführt.[5] Seither sind alte Werte wieder gefragt, werden verschollene
Tugenden wiederentdeckt[6]. Damit rückt ein altes Buch neu in den Mittelpunkt des
Interesses, ein Buch, das seine Aktualität durch die Jahrtausende bewahrt hat: die
Bibel. In ihrem ersten Teil Tora und Lebensweisung für Israel und die Juden, in der
Einheit von AT und NT Glaubensbuch der Christenheit. Der hier beabsichtigte
Blick zurück auf das biblische Israel hat nicht den Zweck, dessen Glaubens- und
Kulturgeschichte etwa idealisierend zu rekonstruieren. Er verfolgt vielmehr das Ziel,
die Sicht auf das gegenwärtig Notwendige zu schärfen, um die Herausforderungen
der Zukunft zu bestehen.

---

[3] Keine Talk-Show, kein Print-Medium, keine Debatte auf Länder- oder Bundesebene lassen das Thema
aus. Das ist zu begrüßen. Weniger die aufgeregte und Ideologie geladene Art, wie es behandelt wird.
Divergierende Familienbilder werden gegeneinander in Stellung gebracht. Die Absurdität der politischen Debatte zeigt sich insbesondere im Streit um die Kinderbetreuung. Der pragmatische und
zeitnahe Vorschlag der Familienministerin Ursula von der Leyen, für Mütter, die Familie und Beruf
vereinbaren müssen (oder wollen), das Betreuungsangebot für Kinder unter 3 Jahren um ein Drittel
zu erhöhen, wird von politischen Gegnern als Bestätigung ihrer staatsideologischen Ganzheitserzie-
hung begrüßt, aus den eigenen Reihen als Ausverkauf des christlichen Familienbildes bekämpft. Wenig
hilfreich sind in diesem Zusammenhang die Verbalentgleisungen von Bischof Mixa und seine peinli-
chen Rechtfertigungsversuche etwa bei Sabine Christiansen am 25.2.2007. Vgl. die Dokumentation bei
Focus online/Politik, zuletzt Alexander FOITZIK: *Von Rabenvätern und Gebärmaschinen.* In: HK 61
(2007) 163–165; Ulrike ALTHERR: *Nur Kinder, Küche, Kirche? Katholisches Frauenleben in den 1950er
und 1960er Jahren.* In: *Rottenburger Jahrbuch für Kirchengeschichte* 24 (2005) 149–167; Marianne HEIM-
BACH-STEINS: *Menschenrechte der Frauen. Universaler Anspruch und kontextbezogene Konkretisierung.*
In: StZ 224 (2006) 546–561.

[4] Dietrich VON DER OELSNIK: *Eingeklemmt zwischen Humboldt und McKingsay. Anspruch und Wirklichkeit der deutschen Universität.* In: *Forschung und Lehre* 13 (2006) 692–693, 693.

[5] Getestet wurde international von der OECD die Lesekompetenz von 15-jährigen Schülerinnen und
Schülern. Der Schock darüber hat bei Schul- und Bildungspolitikern hektische Betriebsamkeit aus-
gelöst, die in den nachfolgenden Studien von 2003 (Mathematik) und 2006 (Naturwissenschaften) zu
tatsächlichen Verbesserungen der Ergebnisse geführt hat.

[6] Vgl. z.B. Andreas M. RAUCH: *Christliche Wertevermittlung als Aufgabe Politischer Bildung.* In: *Die neue
Ordnung* 60 (2006) 362–376; Thoma M. DIKOW SMMP: *Werteerziehung als wesentlicher Bestandteil
schulischer Bildung.* In: *Ordenskorrespondenz* 47 (2006) 145–149; Michael WILDBERGER: *Umgang mit
der Identität. Wertefragen sind keine Machtfragen.* In: *evangelische aspekte* 16 (2006) 5–9; Andreas
HÖLSCHER: *Leitlinien zur Orientierung in der Gesellschaft. Ein Wörterbuch zum Thema „Werte".* In:
ebd. 10–14; Alf CHRISTOPHERSEN: *Werte in Zeiten der Bindungslosigkeit. Theologische Ethik und ihr
Anforderungsprofil.* In: ebd. 52–57; Grundlegend: Joseph RATZINGER: *Werte in Zeiten des Umbruchs.
Die Herausforderungen der Zukunft bestehen.* Freiburg i.Br.: Herder, 2005.

I. Das Alte Israel

1. Die ganz andere Welt der Bibel

Unser Wissen über das Alte Israel schöpft aus drei Quellen. Das sind archäologische Befunde, altorientalische Textzeugen; Hauptquelle ist immer noch die Bibel. Der Zugang zu dieser Quelle ist für uns heute nicht ganz einfach.[7] Schlagen wir die Bibel auf, tauchen wir ein in eine ferne, fremde Welt. Sie ist längst erloschen, doch bewahrt in den Texten der Bibel. Sie ist faszinierend und irritierend zugleich, zu unserer heutigen Welt ganz verschieden. Dazu nur ein paar Stichpunkte:

Die Wurzeln unserer Kultur sind die mediterranen Kulturen Griechenlands und Roms. Die Bibel wurzelt in den vorderorientalischen Kulturen Mesopotamiens, Kanaans und Ägyptens. Viele Wege des Denkens und Handelns, die uns selbstverständlich sind, verlaufen im Vorderen Orient völlig anders (Ein Grund für die gegenwärtigen Konflikte zwischen muslimischer und westlicher Welt!). Die Welt der Bibel ist agrarisch geprägt. Menschliches Leben geht synchron mit den Rhythmen der Natur. Das gibt ihm bei aller Veränderung Stabilität und Orientierung. Bauer und Hirt sind grundlegende Metaphern, das alltägliche Geschehen zu beschreiben und zu verstehen. Unsere Welt ist industrialisiert, durchrationalisiert, perfektioniert, Profit maximiert. Laufzeiten von Maschinen bestimmen die Rhythmen unseres Lebens. Atemloser Wechsel, ständig Anderes und Neues – wir nennen das Fortschritt – ist angesagt. Wer stehen bleibt, ist out. Wer nicht mitkommt, kommt unter die Räder. Das Ideal unserer Welt ist der Single – unabhängig, ungebunden, selbstbestimmt, allein erziehend. In der Welt der Bibel zählt die Familie, der Haushalt, die Gemeinschaft. In dieser Welt ist der Einzelne für sich allein nicht

---

[7] Daher sind etliche Forscher gegenwärtig sehr skeptisch gegenüber der Bibel als historische Quelle; etwa Philip R. DAVIES: *In Search of Ancient Israel.* Sheffield, 1992 (JSOT.S 148); Thomas L. THOMPSON: *Das Alte Testament als theologische Disziplin.* In: JBTh 10 (1995) 157–173; Nils Peter LEMCHE: *Warum die Theologie des Alten Testaments einen Irrweg darstellt.* In: JBTh 10 (1995) 79–92. Wenn z.B. Ernst-Axel KNAUF (in: David V. EDELMANN [Hrsg.]: *The Fabric of History.* Sheffield 1991 [JSOT.S 127] 26–64) nur noch auf der Basis von Artefakten vergangene Wirklichkeit rekonstruieren will, übersieht er erstens, daß strenggenommen die Bibel ein Artefakt ist, und zweitens, daß jeder archäologische Befund der Interpretation bedarf und damit häufig auf die Bibel als literarische Quelle verweist. Von einer zeitlichen oder sachlichen Priorität kann keine Rede sein. Zum Problem z.B. Rüdiger LIWAK: „*Wer eine Grube gräbt …*" *Zum Verhältnis von Archäologie und Exegese am Beispiel einer Ausgrabung in Jerusalem.* In: Christl MAIER u.a. (Hrsg.): *Exegese vor Ort.* (FS Peter WELTEN). Leipzig: Evangelische Verlagsanstalt, 2001, 217–247; David MERLING: *The Relationship between Archaeology and the Bible: Expectations and Reality.* In: James K. HOFFMEIER u.a. (Hrsg.): *The Fabric of Biblical Archaeology. Reassessing Methodologies and Assumption.* Grand Rapids, MI; Cambridge, U.K.: William B. Eerdmans Publishing Campany, 2004, 29–42; Volkmar FRITZ: *Vor einem Paradigmenwechsel in der alttestamentlichen Wissenschaft?* In: Bodlarka HARDINGER (Hrsg.): *Mut in Zeiten der Not.* (FS Wolfram KURZ). Tübingen: Verlag Lebenskunst, 2004, 155–166; Joachim SCHAPER: *Auf der Suche nach dem alten Israel? Text, Artefakt und „Geschichte Israels" in der alttestamentlichen Wissenschaft vor dem Hintergrund der Methodendikussion in den Historischen Kulturwissenschaften.* Teil I und II. In: ZAW 118 (2006) 1–21. 181–186; Richard S. HESS: *A New Discussion of Archaeology on the Religion of Ancient Israel.* In: *Bulletin of Biblical Research* 16 (2006) 141–148.

überlebensfähig. Selbstverständnis und Eigenprofil bemessen sich am Gegenüber, an der Gruppe. Unsere Welt setzt – trotz gegenläufiger Demographie – immer noch auf: jung, dynamisch, erfolgreich. Wissen und Erfahrung der Älteren zählen wenig. Ihre Lebensleistung für nachwachsende Generationen bleibt außer acht. Statt dessen redet man einen Generationenkonflikt herbei. Die antike Welt dagegen schätzt das Alter hoch. Der alte Mensch verkörpert Lebenserfahrung und Lebensklugheit – die Bibel nennt das Weisheit. Er lenkt mit Umsicht die Geschicke seiner Großfamilie. Er hat seinen Platz im Rat der Dorf- und Stammesgemeinschaft. Klugheit und Weitblick dieser Ältestenräte garantieren dem Gemeinwesen wirtschaftliches Gedeihen und sozialen Frieden. In der antiken Welt sind Gesellschaft, Kultur und Religion eine integrale Einheit, sind Ausdruck einer ganzheitlichen Lebens- und Weltanschauung, von Generation zu Generation tradiert. Religion bestimmt das Tun des täglichen Lebens. Jede Stunde, jeder Tag hat seine religiöse Relevanz, jede Jahreszeit ihr eigenes Fest. Religion erklärt die gewöhnlichen und außergewöhnlichen Ereignisse in der Natur und im Leben des Menschen und lehrt, mit den begegnenden Herausforderungen umzugehen und sie zu meistern. So schafft Religion Kultur. Wissenschaft und Kunst sind Ausdruck von Religion.

Wir sehen: Das Gottes-, Welt- und Menschenverständnis der Bibel ist von unserem heutigen ganz verschieden. Diese Ganzheitssicht ist uns spätestens mit der Aufklärung zerbrochen. Wir leben in einer fragmentierten Welt. Gleichwohl kann uns die Bibel unter Berücksichtigung der Zugangsschwierigkeiten, die ja allein bei uns liegen, wertvolle Informationen und werthaltige Orientierung für heute geben.

2. Das Alte Israel – zeitgeschichtliche Einordnung

Das AT umfaßt vier verschiedene Lebenswelten des Alten Israels: Das vorstaatliche Israel (ca. 1250–1000), Israel als Monarchie (ca. 1000–587), Israel im Exil (587–537), das nachex. Israel (537–333). Wir beziehen uns auf die beiden ersten Epochen, da hier die grundlegenden und für die weitere Zukunft maßgebenden Prozesse sichtbar werden.[8]

Die ersten hebräischen Dörfer begegnen uns um 1250 im Hochland von Juda, westlich des Jordan und nördlich von Jerusalem. Drei historisch dokumentierte Vorgänge stützen diese Zeitangabe. Der Friedensvertrag zwischen Ägypten und Hethitern nach dem Patt in der Schlacht bei Qadeš am Orontes, der in beiden Fas-

---

[8] Zum Folgenden: Victor H. MATTHEWS und Don C. BENJAMIN: *Social World of Ancient Israel 1250–587 BCE.* Peabody, MAS: Hendrickson Publishers, [2]1995; Philip J. KING and Lawrence E. STAGER: *Life in Biblical Israel.* Louisville, KY: Westminster John Knox Press, 2001; Oded BOROWSKI: *Daily Life in Biblical Times.* Atlanta, GA: Society for Biblical Literature, 2003 (Archaeology and Biblical Studies 5); dazu: Beth A. NAKHAI: *Daily Life in the Ancient Near East: New Thoughts on an old Topic.* In: *Religious Studies Review* 31 (2005) 147–153; Dieter VIEWEGGER: *Wenn Steine reden.* Göttingen: Vandenhoeck & Ruprecht, 2004; DERS.: *Archäologie der biblischen Welt.* Göttingen: Vandenhoeck & Ruprecht, [2]2006 (UTB 2394).

sungen vorliegt, beendet jahrelange Kriege und zugleich die Vorherrschaft der beiden Großmächte im syrisch-palästinischen Raum. Ägypten, das auf seinem Machtanspruch beharrt, sieht sich nunmehr aufständischen Vasallenfürsten der Küstenstädte gegenüber. Eine Stele des *Meremptah* (1224–1204) aus dem 5. Jahr seiner Regierung feiert den Sieg über die Aufständischen, worunter auch *Israel* genannt wird; bislang die einzige Erwähnung aus dieser Zeit. Vielleicht ist es eine Gruppe von Hebräern, die vor 1250 aus dem Machtbereich Ägyptens geflohen war.

Die jahrzehntelangen Kriege haben das ehemals blühende Küstenland ausgeblutet und verwüstet. Die Städte mitsamt ihrem dörflichen Umland zerstört, der lebenswichtige Karawanenhandel versiegt, die Lebensumstände katastrophal. Etwa 60 % derer, die den Krieg überlebt haben, sterben den Hungertod. Es herrscht der pure Kampf ums Überleben. Viele retten sich in das kaum besiedelte, damals noch bewaldete Hochland und nehmen aufgegebene Dörfer in Besitz oder gründen neue. Hier können sie in relativer Ruhe und Sicherheit ein bescheidenes, aber selbstbestimmtes Leben führen.

Da zieht neue Gefahr herauf: Die sog. „Seevölker" – die Philister der Bibel – überfluten das Küstengebiet. Einige lassen sich dort nieder, andere dringen gegen Ägypten vor. Zwischen 1194–1163 versucht *Ramses* III. mit wechselndem Erfolg, die Invasion zu stoppen. Mehr und mehr dringen die Philister in die judäischen Berge vor und bedrohen dort die hebräischen Siedlungsgemeinschaften. Die können dem zunehmenden Druck auf Dauer nicht standhalten. Einer der Gründe für die Errichtung eines feudalen Zentralstaates unter David um 1000.

3. *Zur Siedlungssituation*[9]

Siedlungsgeschichtlich betrachtet führten die geschilderten Ereignisse um 1150 zum endgültigen Zusammenbruch der bronzezeitlichen, kanaanäischen Stadtkultur. Nur in wenigen Küstenstädten wie Aschdod, Ekron oder Gat lebt die Jahrhunderte alte Städtebautradition in Resten fort. Im bescheidenen Maße auch noch in Meggido, Bet-Schean oder Bet-Schemech.

Parallel dazu erblühen allenthalben dörfliche Siedlungen, insbesondere – wie gesagt – in den bislang wenig besiedelten Bergregionen Galiläas, Efraims und Judas, sowie im Ost-Jordanland und im Negev. Die Siedlungsstruktur hat sich völlig verändert. Beherrschten in der Bronzezeit wenige Stadtzentren in konfliktreicher Konkurrenz das Land, indem sie den eigenen Machtbereich ständig auszudehnen suchten, ist das Land jetzt von vielen Gehöften und kleinen Dörfern besiedelt.

---

[9] Zur ersten Orientierung: Volkmar FRITZ: *Die Stadt im alten Israel*. München: Verlag C.A. Beck, 1990; Uta ZWINGENBERGER: *Dorfkultur der frühen Eisenzeit in Mittelpalästina*. Freiburg/CH, Göttingen: Universitätsverlag/Vandenhoeck & Ruprecht, 2001 (OBO 180); Matthews; Benjamin (s. Anm. 8), 3–5; GAL, ZVI: *Die Besiedlung des unteren Galiläa und der Ränder der Jesreel-Ebene durch israelitische Stämme im Licht archäologischer Quellen*. In: ThQ 186 (2006) 80–95; Erasmus GASS: *Das Gebirge Manasse zwischen Bronze- und Eisenzeit*. In: ThQ 186 (2006) 96–117; Jens KAMLAH: *Das Ostjordanland im Zeitalter der Entstehung Israels*. In: ThQ 186 (2006) 118–133.

Deren Bewohner begnügen sich mit Acker- und Weideflächen in der unmittelbaren Umgebung. So gibt es nur hier und da kleinere Streitigkeiten, wie sie unter Nachbarn zu jeder Zeit vorkommen.

Die früheisenzeitlichen Siedlungen bieten ein buntes Bild in Anlage und Größe, je nach den örtlichen Gegebenheiten und den Bedürfnissen der Siedler. Die kleinste Einheit ist das Gehöft. Es besteht aus einem oder mehreren Gebäuden, manchmal von einer Einfriedung für die Tierhaltung umgeben. Hier lebt **eine** Großfamilie. Mehrere Großfamilien bewohnen ein Dorf. Diese Dörfer sind recht klein (0,5–1 km²). Ihnen allen gemeinsam ist:

1. Es gibt weder Kult- noch Residenzbauten, Kernstück jeder kanaanäischen Siedlung, d.h. es gibt keinen offiziellen Kult und keine zentrale Verwaltung. Ob es außerhalb der Siedlungen heilige Plätze oder Heiligtümer gab, ist möglich, gefunden wurde bislang nichts.
2. Es fehlen Befestigungsanlagen. Gelegentliche Einfriedungen dienen der Tierhaltung. Erst mit zunehmender Philisterbedrohung gegen Ende des 11. Jh.s trifft man vereinzelt Befestigungswälle zum Schutz der Siedlung an.

Die Anordnung der Häuser erscheint auf den ersten Blick zumeist „völlig planlos",[10] als eine willkürliche Ansammlung von Häusern mit Sträßchen, die nirgendwo hinführen, irgendwo dazwischen Silos und Zisternen. Sie macht aber für die Bewohner damals guten Sinn. Sie folgt weder antiker noch moderner Städteplanung. Sie basiert allein auf den Bedürfnissen der dort lebenden sozialen Gruppen; der Familie, des Familienverbandes, der dörflichen Gemeinschaft.

II. Israel als dörfliche Gesellschaft

1. Verwandtschaftsgesellschaft

Die dörfliche Gesellschaft, die sich in den Bergregionen formiert hat, ist soziologisch eine segmentäre oder Verwandtschaftsgesellschaft.[11] Diese besondere Gesellschaftsform hat es einmal weltweit gegeben, ist für Afrika gut erforscht und in

---

[10] Fritz (s. Anm. 9), 55; dagegen King; Stager (s. Anm. 8), 14f.

[11] Vgl. Hans F. FUHS: *Struktur und Strukturwandel in der altisraelitischen Jahwegemeinde.* In: Elmar KLINGER; Rolf ZERFASS (Hrsg.): Die Basisgemeinden – ein Schritt auf dem Weg zur Kirche des Konzils. Würzburg: Echter Verlag, 1984, 127–140 (Lit.); DERS.: *Volk Gottes – JHWHs Verwandtschaft. Basiskirchliche Strukturen im Alten Testament.* In: Josef ERNST (Hrsg.): *Kirche im Übergang.* Paderborn: Bonifatius-Verlag, 2003, 21–42, 31–34; DERS.: *Kirche wächst von der Basis. Anmerkungen zum Volk-Gottes-Paradigma des Vaticanum II aus der Sicht eines Alttestamentlers.* In: ThGl 94 (2004) 1–21. Dagegen halten King; Stager (s. Anm. 8) eine Konfliktlage zwischen Verwandtschafts- und Feudalgesellschaft für Phantasie und für Marx'sche Dialektik im modernen Gewand (4f.). Zur neueren Diskussion der sozialen Struktur des alten Israels und der Schwierigkeiten, Strukturelemente sicher zu identifizieren vgl. Paula M. MCNATT,: *Reconstructing The Society of Ancient Israel.* Louisville, K.Y.: Westminster John Knox Press, 1999; Gunnar LEHMANN; Herrmann Michael NIEMANN: *Klanstruktur und charismatische Herrschaft: Juda und Jerusalem 1200–900 v.Chr.* In: ThQ 186 (2006) 134–159; Robert B. COOTE:

wenigen Resten bis heute erhalten. In diesem System ist jeder mit jedem verwandt, blutsverwandt oder verwandt durch Vertrag, Adoption oder Bündnis. Verwandtschaftsgerade bezeichnen in erster Linie die unterschiedliche Stellung und Autorität des Einzelnen in seiner Gruppe.

Das System basiert auf einer gestuften Gruppensolidarität des einzelnen Mitglieds. Kerngruppe und Lebenszelle ist die Familie. Sie hat Priorität und verlangt vorrangige Solidarität. Ohne Einbindung in seine Familie ist in der antiken Welt der Einzelne nicht überlebensfähig. Sie besteht in der Regel aus vier Generationen (Lev 18,6–18). Mehrere Familien bilden eine Sippe. Gerät eine der Familien in Not, greift die Sippensolidarität. Mehrere Sippen bilden eine Stammesgemeinschaft, eine eher schon lockere Solidargemeinschaft, die sich nur in besonderen Situationen zu gemeinsamem Handeln formiert.

Im übrigen agiert jede Gruppe im System autonom, achtet sorgsam auf ihre Unabhängigkeit und Freiheit und reagiert empfindlich auf jeden Versuch autoritärer Anmaßung. Daher versteht sich jede Gruppe unabhängig von Größe oder Wirtschaftskraft als gleichrangig und gleichberechtigt. Da es übergeordnete Erzwingungsinstanzen nicht gibt, müssen Entscheidungen einvernehmlich herbeigeführt und Leistungen freiwillig, eben auf Grund verwandtschaftlicher Bindung erbracht werden. Verwandten hilft man halt.

Soziale Schieflagen und daraus entstehende soziale Konflikte werden begrenzt durch Teilungsmechanismen auf der jeweiligen Solidarebene. Wer Erfolgt hat, genießt Ansehen. Aber auch: Wer hat, gibt großzügig dem, der weniger hat. Schließlich ist man eine große Familie.

Die Verwandtschaftsgesellschaft ist grundsätzlich eine offene Gesellschaft. Jeder, der die Prinzipien der familiären Solidarität, der Freiheit und Gleichheit akzeptiert – im feudalistischen Europa lange verschüttete Grundwerte, die erst durch die französische Revolution wieder freigelegt wurden –, kann Mitglied dieser Gesellschaft werden. Er wird als Verwandter anerkannt und in den gemeinsamen Stammbaum der Familie und der Sippe eingegliedert. Das ist im übrigen Sinn und Bedeutung der zahlreichen Stammbäume in der Bibel. Jeder hat und jeder kennt seinen unbestreitbaren Platz im Sozialgefüge der israelitischen Gesellschaft.

2. Der Vater

Der Vater des Hauses[12] steht der Großfamilie vor und vertritt ihre Interessen in der Öffentlichkeit der Dorfgemeinschaft bzw. als Ältester im Rat der Sippe oder des Stammes. Er trägt die Hauptverantwortung für Wohl und Gedeihen seines Hauses gemäß dem Schöpfungsauftrag „... seid fruchtbar und mehret euch und

---

Tribalism. Sozial Organization in the Biblical Israel. In: Philip F. ESLER (Hrsg.): *Ancient Israel. The Old Testament in its Social Context.* Miniapolis: Fortress Press, 2006, 35–49.

[12] Vgl. z.B. Jutta HAUSMANN: *Studien zum Menschenbild der älteren Weisheit.* Tübingen: Verlag J.C.B. Mohr (Paul Siebeck), 1995 (FAT 7); Annemarie OHLER: *Väter wie die Bibel sie sieht.* Freiburg i.Br.: Herder-Verlag, 1996; Lothar PERLITT: *Der Vater im Alten Testament.* In: DERS.: *Allein mit dem Wort.*

erfüllet die Erde und geht verantwortungsvoll mit ihr um" (Gen 1,26). Seine Autorität und seine Verfügungsgewalt sind weitreichend, aber keineswegs absolut, vielmehr im komplexen System geteilter Verantwortlichkeiten der Großfamilie kanalisiert. So hat er z. B. keine unmittelbare Entscheidungsbefugnis über seinen Vater, seine Brüder oder Enkel. Er organisiert Ackerbau und Viehzucht seines Hauses, tätigt Geschäfte, verfügt über das Gesinde, stellt Lohnarbeiter ein, schließt Verträge und geht Bündnisse ein. Er entscheidet über Adoptionen, bestimmt den Erben, arrangiert Eheschließungen und gewährt Gastrecht dem Fremden. Er schlichtet Familienstreitigkeiten und ahndet Vergehen gegenüber Familienangehörigen. Im Fall eines Verbrechens vertritt er die Angelegenheit in der Versammlung des Dorfes.

Die Wahrnehmung dieser vielschichtigen Verantwortlichkeiten stellt hohe Anforderungen an einen Hausherrn. Ein Macho oder ein Despot ist hier nicht gefragt. Vielmehr bedarf es eines gereiften Charakters mit klarem Wissen um das, was gut und recht ist, meint: was das Wohl und Gedeihen des Hauses und der Dorfgemeinschaft fördert oder schädigt, ein Wissen, das basiert auf einem fundierten Wertebewußtsein. Das hat sich der Hausherr erworben auf der Grundlage einer gediegenen elterlichen Bildung und Erziehung sowie durch eigene Erfahrungen, die Schritt für Schritt sein Urteilsvermögen geschärft haben. Seine Eltern haben ihm gezeigt, was man tut oder besser läßt, wie man sich verhält in den unterschiedlichsten Lebenssituationen, wie man Krisen besteht, wie man das Überleben der Familie sichert. Sie haben Geschichten erzählt, die die Erfahrungen der Vorfahren bündeln und veranschaulichen, sog. „Vätergeschichten" (Gen 12–50). Frühere Generationen haben daraus Grundverhaltensweisen destilliert und in kurzen Sätzen, die man an zehn Fingern aufzählen konnte, auf den Punkt gebracht, die „Dekaloge": Du tust dieses und tust jenes nicht; Bereite den Eltern einen würdigen Lebensabend, u. a. m. (Z.B. Lev 18,6–18; Ex 20,1–17; Dtn 5,6–21), oder, wenn soziale oder religiöse Tabus berührt waren, solche Sätze mit einer kultischen Deklaration der Fluch- bzw. der Todeswürdigkeit versehen: „Der seinen Vater oder seine Mutter Schlagende ist des Todes (*môt jûmat*)" (Ex 21,15; vgl. 21,16.17, u. a.) bzw. „Verflucht der Mann, der ein Schnitz- oder Gußbild anfertigt, ein Greuel JHWHs, und es im Geheimen aufstellt" (Dtn 27,15; vgl. 27,16–29). Der angehende Hausherr hat erlebt, daß an jedem 7. Tag alle Arbeit ruhte, auch bei den Knechten und Mägden, bei den Lohnarbeitern oder Sklaven, ja selbst beim Vieh, und er hat erfahren, wie es zu dieser in der antiken wie in der modernen Welt einzigartigen sozialen Einrichtung gekommen ist (Dtn 5,12–15), und weshalb dieser Tag für immer heilig zu halten ist (Ex 20,8–11). Er hat erlebt, daß die Familie, manchmal mit dem ganzen Dorf, im Rhythmus der Jahreszeiten große Feste feierte (Ex 23,14–17; vgl. 13,6f.; 34,18–24), darunter eines von besonderem Rang. *Pascha* nannten sie es. Ursprünglich bei halb seßhaften Kleinviehhirten begangen, hatten es die Vorfahren sich zu eigen gemacht und mit ihrer Herkunftslegende verbunden (Ex 12,1–13,16). Gespannt hatte er der schaurig-schönen Geschichte gelauscht, die der Vater erzählte, wie eine Gruppe der weit verzweigten Familie einst in ägyptische Sklaverei geriet, wie ihr Gott auf ihr Elend schaute und ihre Flucht gelingen ließ, wie er die Verfolger in den Fluten versenkte und die Bewahrten auf beschwerlichem Weg in das Land führte, auf dem sie, die Nachgeborenen, jetzt leben. Und er hatte erlebt, wie die ganze Familie den hastigen Aufbruch zur Flucht in liturgischem Spiel vergegenwärtigte (Ex 12,11). Abends zuvor beim gemeinsamen Mahl hatte der Vater über Brot und Wein besondere Dank- und Segensworte gesprochen. Auch sonst erlebte er den Vater als Liturgen der Feste und Feiern, Gebete sprechend und Segen erteilend. Bei all dem hatte der Vater ihn immer wieder aufgefordert, Fragen zu stellen: Warum tun wir das? Was bedeutet das (z.B. Ex 13,14)? Und der Vater hat es erklärt, indem er die Geschichte des Festes oder eines bestimmten Festbrauches erzählte (z.B. Ex 13,8).

Auf diese lebensnahe Weise hat der Sohn allmählich eine ökonomische und soziale, eine kulturelle und religiöse Kompetenz erworben, die ihn in den Stand setzt, jetzt als Herr des Hauses und Vater der Familie die Verantwortung für das Gemeinwesen zu übernehmen.

3. Die Mutter

Neben dem Vater ist die Mutter die wichtigste Autorität im Haus.[13] Die Gesellschaft des Alten Israels ist – wie die meisten Gesellschaften bis heute – patriarchal und patrilinear strukturiert. Das bedeutet: Die Frau verläßt ihr Elternhaus und wird mit der Heirat Mitglied im Familienverband ihres Mannes. Das bedeutet weiterhin: Erbe des Haushalts ist der natürliche oder adoptierte Sohn des Hausvaters – in der Regel jedenfalls. Das bedeutet nicht: Unterwerfung und Diskriminierung der Frau, Benachteiligung, Geringschätzung oder Ausbeutung auf Grund ihres Geschlechts. Sexismus ist ein verbreitetes Übel in jeder Gesellschaft zu jeder Zeit, leider auch in vielen christlichen Gesellschaften und das mit Billigung und Verstärkung durch kirchliche Autoritäten unter fälschlicher Berufung auf die Bibel. Die Bibel weiß freilich davon zu berichten. Aber sie brandmarkt es als Übel und gegen den Schöpferwillen JHWHs gerichtet. In der Welt der Bibel genießt die Frau hohes Ansehen,

---

[13] Dazu u.a. Annemarie OHLER: *Mutterschaft in der Bibel.* Würzburg: Echter-Verlag, 1992; Rachel Monika HERWEG: *Die jüdische Mutter. Das verborgene Matriarchat.* Darmstadt: Wiss. Buchges., 1994; Hans Werner HOFFMANN: *Die Mutter als Erzieherin im alten Israel.* In: Horst F. RUPP u.a. (Hrsg.): *Denk-Würdige Stationen der Religionspädagogik.* (FS Rainer LACHMANN). Jena: Ed. Paideia, 2005, 21–28; Matthews; Benjamin (s. Anm. 8), 22–36.

zumal als Hausherrin und Mutter. Als Mutter hütet sie das Geheimnis des Lebens und sichert den Fortbestand der Familie. Als Hausherrin sichert sie zusammen mit dem Hausherrn arbeitsteilig die Zukunft der Familie in Wohlstand und Sicherheit. Sie ist keineswegs reduziert auf ihre Rolle als Hausfrau und Mutter – schon gar nicht als Hausmütterchen im biedermeier-kleinbürgerlichen Verständnis des 19./20. Jh.s hierzulande. Die Bibel präsentiert selbstbewußte und starke Frauen, die durchaus Einfluß nehmen auf Entscheidungen im öffentlichen Bereich der Dorf- und Stammesgemeinschaft und sie entsprechend umzusetzen wissen. Der gesellschaftliche Status der Hausherrin und Mutter ist in vieler Hinsicht dem des Hausherrn ebenbürtig und allen Männern, die nicht Hausherr werden konnten, sogar überlegen.

Neben den Aufgaben als Mutter und Managerin des Hauses trägt die Hausherrin die Verantwortung für Bildung und Erziehung der Kinder sowie der übrigen Frauen des Haushalts – mit Ausnahme der Mutter und eventuell Großmutter des Mannes. Ihr Status als ehemalige Hausherrinnen bleibt unberührt. Wenn die Jungen zu Jungmännern (*nᵉ ʿârîm*) herangewachsen sind und dem Vater bei den Arbeiten auf dem Feld und bei den Herden zur Hand gehen können – etwa ab 5 Jahren (1 Sam 1,22f.), übernimmt er die weitere Ausbildung und unterweist sie insbesondere in den Pflichten und Verantwortlichkeiten eines künftigen Hausherrn. Die Mädchen verbleiben bis zu ihrer Verheiratung in der Obhut der Mutter. Im Alten Israel bringt die Mutter den Kindern nicht nur die alltäglichen Handgriffe und Fertigkeiten bei. Sie lehrt sie auch lesen und schreiben, Listen zu erstellen und Aufzeichnungen anzufertigen, z.B. über das, was in der Familie geschieht oder was man im Dorf erzählt. Schreiben und Lesen ist in Ägypten und Mesopotamien auf Grund der komplizierten Keil- bzw. Hieroglyphenschrift mit ihren hunderten von Zeichen und Zeichenkombinationen eine hohe Kunst, die nur von wenigen Experten beherrscht wurde. Daher war der Beruf des Schreibers dort hoch angesehen und die Stellung eines Schreibers am Hof exponiert. Das Hebräische mit seinen gerade einmal 22 Zeichen ist dagegen ein einfaches Schriftsystem, das von jedem zu Hause leicht erlernt werden konnte. So erklärt sich die vom AT bezeugte weite Verbreitung von Lesen und Schreiben und damit von Allgemeinbildung unter der dörflichen Bevölkerung bis in abgelegenen Regionen hinein – trotz Fehlens öffentlicher Schulen. Leitet der Vater als Liturge eher die offiziellen Familienfeiern, so vermittelt die Mutter als Lehrerin jeden Tag die konkreten Inhalte und Wertvorstellungen gleich von zwei Familientraditionen, des Hauses ihres Mannes, in das sie eingeheiratet hat und ihres Elternhauses. Beide Traditionslinien konvergieren bei aller Unterschiedlichkeit im einzelnen in den gemeinsamen Grunderfahrungen von Unterdrückung, Not, Entkommen, geschenkter Freiheit durch den Gott der Väter sowie im gemeinsamen Bestreben, das neue Leben in Unabhängigkeit und relativer Sicherheit zu bewahren. Damit gewinnen alle Vollzüge des täglichen Lebens, von Waschungen und Reinheitsvorstellungen über Auswahl und Bereitung von Speisen, Herstellung von Gerätschaften und bestimmter Kleidung bis hin zur Beobachtung fester Zeiten, eine religiöse Dimension und profilieren das Selbstbewußtsein des

Einzelnen und das Wir-Bewußtsein der Familien, zur Großfamilie JHWHs (*ᶜam JHWH*) zu gehören.[14]

4. Hebammen, Kultdiener und andere Experten

Dazu nur so viel:[15] Bereits die dörfliche Siedlungsgemeinschaft kennt neben der Gruppierung nach Familien eine sie ergänzende und bereichernde Gruppierung nach Experten. Das sind Frauen und Männer mit speziellen Begabungen und Fertigkeiten. Sie ziehen umher und bieten ihr Können frei an, oder sie treten in feste Dienste einer Familie, oder man geht zu ihnen und sucht Rat und Hilfe. Zu nennen sind etwa Hebammen, professionelle Kultdiener, Traum- und Orakeldeuter, Geschichtenerzähler, Künstler oder nicht zuletzt charismatische Führungsgestalten in besonderen Notzeiten. Sie alle bewahren wertvolles Wissen, das sie von Generation zu Generation weitergeben und den Wertegehalt der Gemeinschaft fördern.

III. Israel als feudaler Staat

1. Reurbanisierung

Die Errichtung eines Staates unter David und Salomo als Folge wachsender Bedrohung von außen und aufkeimender Machtphantasien interner Kreise – „ein König soll über uns herrschen. Wir wollen sein wie alle anderen Völker" (1 Sam 8,9f.) – verändert die Siedlungsstruktur im Alten Israel. Der archäologische Befund dokumentiert eine Reihe eisenzeitlicher Stadtgründungen.[16] Diese Reurbanisierung des Landes setzt sich im weiteren Verlauf der Königzeit fort und löst das dörfliche Siedlungssystem weitgehend ab. Das entspricht den Erfordernissen eines Staates mit Zentralgewalt und Erzwingungsapparat. Es bedarf einer effizienten Infrastruk-

---

[14] Zur elterlichen Bildung und Erziehung s. auch Beate EGO: *Zwischen Aufgabe und Gabe. Theologische Implikationen des Lernens in der alttestamentlichen und antik-jüdischen Überlieferung.* In: Beate EGO; Helmut MERKEL (Hrsg.): *Religiöses Lernen in der biblischen, frühjüdischen und frühchristlichen Überlieferung.* Tübingen: Verlag Mohr Siebeck, 2005, 1–26; Amram TROPPER: *Children and Childhood in Light of the Demographics of the Jewish Family in late Antiquity.* In: JSJ 37 (2006) 299–343; Ingrid LOHMANN: *Erziehung und Bildung im antiken Israel und im frühen Judentum.* In: Johannes CHRISTES u.a. (Hrsg.): *Handbuch der Erziehung und Bildung in der Antike.* Darmstadt: Wiss. Buchges., 2006, 183–222.

[15] Im Rahmen dieser Betrachtungen müssen sie als integraler Bestandteil der dörflichen Gesellschaft genannt werden, können aber nicht im einzelnen behandelt werden. Dazu etwa Matthews; Benjamin (s. Anm. 8), 67–81; King; Stager (s. Anm. 8), 68–84.

[16] Vgl. Fritz (s. Anm. 9), 61–112; Jürgen v. OORSCHOT: *Die Stadt – Lebensraum und Symbol. Israels Stadtkultur als Spiegel seiner Geschichte und Theologie.* In: Markus WITTE (Hrsg.): *Gott und Mensch im Dialog.* (FS Otto KAISER). Berlin u.a.: Walter de Gruyter, 2004, (BZAW 345/I), 155–179. Immer noch eine wahre Fundgrube: Helga WEIPPERT: *Palästina in vorhellenistischer Zeit.* In: Ulrich HAUSMANN (Hrsg.): *Handbuch der Archäologie. Vorderasien* II. Bd. 1. München: C.H. Beck'sche Verlagsbuchhandlung, 1988; für die Eisen I-Zeit: 344–417, für die Eisen IIA- und IIB-Zeit: 417–559 und für die Eisen IIC-Zeit: 559–682.

tur nach ökonomischen, verkehrs- und verteidigungspolitischen Gesichtspunkten. Die erfüllten die alten kanaanäischen Städte allemal. So kommt es, daß auf etlichen bronzezeitlichen Ruinenhügeln kannanäischer Städte israelitische neu gegründet wurden, z.B. in Dan, Hazor, *Tell el-Fār'a* oder Lachisch. Diese unterscheiden sich von ihren kanaanäischen Vorgängerinnen in einem wesentlichen Punkt. Bis jetzt jedenfalls sind keine Residenzbauten gefunden worden. Das spricht in Verbindung mit biblischen Quellen (z.B. 1 Sam 16,4; 30,26ff.; Ruth 4,1–11) für eine weitgehende Selbstverwaltung durch einen Ältestenrat, gebildet aus den Häuptern der ansässigen Familien und Sippen.

Mit der voranschreitenden Verstädterung einher geht eine Strukturveränderung der Gesellschaft. Zur dörflichen Verwandtschaftsgesellschaft mir ihrer egalitären und subsidiären Emphase tritt in konfliktreicher Konkurrenz die feudale Klassengesellschaft mit dem Monarchen an der Spitze.

2. Der Monarch als pater familias Israels

Das Königtum ist Israel fremd und ein Stück weit vertraut zugleich. Der König ist Herr seines Hauses, so auch im diplomatische Sprachgebrauch: *byt dwd* „Haus Davids" (Stelen in Dan und Moab) oder später für das Nordreich *bît Ḥumrî* „Haus Omris" (in assyrischen Annalen). Zu seinem Haus gehören in hierarchischer Abstufung die Haushalte seiner Familie, die des gesamten Hofstaates und alle Haushalte seines Landes. Als „Landesvater" – diese Metapher ist auch uns bekannt – verlangt er von seinen „Landeskindern" unbedingten Gehorsam und Gefolgschaftstreue. Im Gegenzug verspricht er ihnen Wohlstand nach Recht und Ordnung in gesicherten Grenzen. Allerdings zu hohem Preis: Haus und Hofstaat des Königs sowie der gesamte Staatsapparat müssen von den Untertanen durch Steuern, Abgaben und eventuell Frondienste finanziert werden (vgl. nur 1 Sam 8,11–17).

Der König als Hausvater seiner Großfamilie, das mag angehen. Alles andere am Königtum ist der Verwandtschaftsgesellschaft zutiefst suspekt und zuwider.[17] Wegen eines solchen Unrechts- und Ausbeutungssystems waren doch einst die Vorfahren geflohen, hatten sich auf gefährlichem Weg der Führung ihres Gottes JHWH anvertraut, der ihnen einen neuen Lebensraum und eine neue Lebens-

---

[17] Dagegen vertreten zumal im angelsächsischen Raum gegenwärtig nicht wenige die These, das Königtum in Israel sei keineswegs ein Fremdkörper, sondern – wie in der gesamten antiken Welt – ein organischer Bestandteil seiner patrimonialen Gesellschaftsform und damit logischer Ausdruck seines Selbstverständnisses; z.B. Lawrence E. STAGER: *The Archaeology of the Family in Ancient Israel.* In: BASOR 260 (1985) 25–28; DERS.: *Forging an Identity: The Emergence of Ancient Israel.* In: Michael D. COOGAN (Hrsg.): *The Oxford History of the Biblical World.* New York: Oxford University Press, 1998, 149–151, 171 f.; David J. SCHLOEN: *The House of the Father as Fact and Symbol: Patrimonialism in Ugarit and the Ancient Near East.* Cambridge: Harvard Semitic Museum, 2001. Diese These übergeht allerdings die durchgängige Kritik am Königtum seit dem 9. Jh.; vgl. z.B. Ansgar MOENIKES: *Die grundsätzliche Ablehnung des Königtums in der Hebräischen Bibel. Ein Beitrag zur Religionsgeschichte des Alten Israel.* Weinheim, 1995 (BBB 99); DERS.: *Der sozial-egalitäre Impetus der Bibel Jesu, und das Liebesgebot als Quintessenz der Tora.* Würzburg: Echter-Verlag, 2007, bes. 59–90.

ordnung geschenkt hat. Jetzt das! Leistungen erbringt man freiwillig auf Grund verwandtschaftlicher Bindung. Erzwungene Leistungen und Zwangseintreibung? Nein! Übergeordnete Führungs- und Befehlskompetenz hat man nur in Notzeiten herausragenden Persönlichkeiten, den charismatischen Rettern der Bibel, nur für die Dauer der Not übertragen. Absoluter Machtanspruch auf Dauer, und auch noch vererbbar? Undenkbar! Und dann „Landesvater"? Blasphemie! Herr des Landes ist allein JHWH. Er hat **es** vor Zeiten seiner Familie, seiner Verwandtschaft, seinem Volk, dem ʿam JHWH zum unveräußerlichen Erbanteil gegeben.

Alle Staaten in Israels Umwelt sind ganz selbstverständlich Monarchien. Die antike Staatstheorie, die bis ins 19./20. Jh. auch in Europa Bestand hatte, kann Staat nicht anders denken. Die irdische Welt mit dem König an der Spitze ist Abbild der himmlischen Welt mit dem Götterkönig als Herrscher über das All. Der irdische König in Ausübung seines Amtes ist gezeugter oder adoptierter Sohn Gottes und als solcher Garant der Weltordnung. Aller Hofpropaganda zum Trotz, von der das AT markante Beispiele aufbewahrt hat (z.B. 2 Sam 7,8–17; 19,22; Ps 2; 21; 45; 72; 89,20–30 u.a.), ist die Monarchie mit ihrer Werteordnung in Israel immer ein Fremdkörper geblieben, der Verwandtschaftsgesellschaft und ihren Wertevorstellungen übergestülpt wie ein schlecht sitzendes Kleid.

So beschränkte sich der Einfluß der Monarchie, die bereits nach Salomo in zwei Staaten zerfallen war, auf die Hauptstädte Jerusalem und Samaria, die königlichen Festungsstädte sowie die einverleibten kanaanäischen Städte, die nichts anderes kannten. In den neu gegründeten israelitischen Städten dagegen lebte die Sozialstruktur der dörflichen Gemeinschaft fort. In den verbliebenen Dörfern auf dem Land sowieso. Hier spürte man die Monarchie vor allem durch wachsende Steuer- und Abgabenlast sowie durch Zwangsrekrutierung zu Fron- oder Militärdienst, was ihre Ablehnung nur beförderte.

3. Das Korrektiv der Propheten

Wenn man im Alten Israel von Propheten[18] sprach, dachte man zuerst an eine bestimmte Berufsgruppe, die zum königlichen Hofstaat gehörte (z.B. 1 Kön 18; 22,6–12). Neben Hofschreiber, Kultpersonal und Spezialisten für Verwaltung, Wirtschaft und Militär, für Architektur und Kunst waren sie Experten für Traumdeutung, Vorzeichenschau und Orakelbefragung. Ihre Hauptaufgabe war es, königliche Vor-

---

[18] Vgl. z.B. Martti NISSINEN: *What ist Prophecy? An Ancient Near Eastern Perspective*. In: John KALTNER; Louis STULMAN (Hrsg.): *Inspired Speech. Prophey in Ancient Near East*. London, New York: T & T International, 2004 (JSOT.S 378), 17–37; Daniel E. FLEMING: *Southern Mesopotamian Titles for Temple Personal in the Mari Archives*. Ebd. 72–81; DERS.: *Prophets and Temple Personel in the Mari Archives*. In: Lester L. GRABBE; Alice Ogden BELLIS (Hrsg.): *The Priests in the Prophets. The Portrayal of Priests, Prophets and other Religious Specialists in the Latter Prophets*. London u.a.: T & T International, 2004 (JSOT.S 408), 44–64; Ehud BEN ZVI: *Observations on Prophetic Characters, Prophetic Texts, Priests of Old, Persian Period Priests and Literati*. Ebd. 19–30.

haben und Entscheide abzusegnen und zu sanktionieren (z. B. 1 Kön 22,6.11–12). Unter ihnen gab es durchaus Leute mit Rückgrat, die es wagten, einen königlichen Entschluß in Frage zu stellen, nicht aber die Institution selbst (z. B. 2 Sam 7,4–17; 12,1–14; 22,11–19).

Die klassischen Propheten der Bibel[19] galten dagegen den Damaligen eher als seltsame Randgestalten. Sie stammten aus ganz unterschiedlichen Bevölkerungsschichten. Amos z. B. war ein freier Bauer und Viehzüchter aus Tekoa, einem Dorf südlich von Bethlehem; Jesaja gehörte wohl höfischen Kreisen Jerusalems an; Jeremia entstammte einer in Ungnade gefallenen Priesterfamilie aus Anatot im Gebiet von Benjamin, usw. Einige, wie z. B. Elija oder Elischa, hatten einen kleinen Schülerkreis um sich geschart (z. B. 2 Kön 2,15; 4,38–44). Sie traten mit dem Anspruch auf, unmittelbar von JHWH selbst zu Kündern seiner Tora, seines Bundeswillens, berufen worden zu sein. Auf der Grundlage dieser Tora, auf der Grundlage eines von JHWH gewährten Gemeinschaftslebens in verwandtschaftlicher Solidarität, in Freiheit und Gleichheit der Familien untereinander stellen sie Monarchie und Hierarchie und Klassengesellschaft radikal in Frage, indem sie JHWHs Gericht über sie verhängen.[20] Dabei setzen sie durchaus eigene Akzente. Amos z. B. geißelt vor allem die sozialen Mißstände im Haus Israel: Machtgier und Prunksucht der führenden Kreise, Ausbeutung der Armen und Schwachen, Rechtsbeugung, Bestechung und sexueller Mißbrauch (z. B. 2,6–16*; 3,9–15; 4,1–3; 5,7.10–15). Daher stimmt er über das Haus Israel die Totenklage an (5,1–6). Für Hosea bedeutet das Königtum Abfall von JHWH, Fremdgötterei (3,1–4; 10,1–4), insofern die Könige sich gegenüber JHWH als „Widerspenstige" erwiesen (9,15), das Volk zur kultischen Sünde verführt, Blutschuld auf sich geladen (1,4; 7,3–7) und JHWH als den wahren und einzigen Retter verworfen haben (13,4). Deshalb muß Israel, die untreue Frau, zurück in die Wüste, in die Zeit der heilvollen Anfänge, um JHWHs

---

[19] Einen guten ersten Überblick vermittelt Jörg JEREMIAS: *Das Wesen der alttestamentlichen Prophetie.* In: ThLZ 131 (2006) 3–14; vgl. auch Graeme A. AULD: *What was a biblical Prophet? Why does it matter?* In: Cheryl J. EXUM; Hugh G. M. WILLIAMSON (Hrsg.): *Reading from Right to Left. Essays on the Hebrew Bible in Honour of David I. A. Clines.* London: Sheffield Academic Press, 2003 (JSOT.S 373) 1–12; Hanneliese STEICHELE: *Die Vielfalt biblischer Prophetie.* In: KatBl 129 (2004) 18–22; Robert R. WILSON: *Current Issues in the Study of Old Testament Prophecy.* In: John KALTNER; Louis STULMAN (Hrsg.): *Imperial Speech. Prophecy in Ancient Near East.* London u.a.: T & T Clark International, 2004 (JSOT.S 378), 38–46; Uwe BECKER: *Die Wiederentdeckung des Prophetenbuches. Tendenzen und Aufgaben der gegenwärtigen Prophetenforschung.* In: BThZ 21 (2004) 30–60.

[20] Robert OBERFORCHER: *Die Opposition Gottes. Ringen der Propheten um authentischen Glauben und wahre Humanität.* In: Willibald SANDLER u.a. (Hrsg.): *Der unbequeme Gott. Vorträge der zweiten Innsbrucker Theologischen Sommertage 2001.* Thaur: D & V Thaur, 2002 (Theologische Trends; 11), 11–34; Frank CRÜSEMANN: *Soziales Engagement und soziales Recht im Alten Testament.* In: *Glauben und Lernen* 18 (2003) 24–34; Martti NISSINEN: *Das kritische Potential in der altorientalischen Prophetie.* In: Matthias KÖCKERT; Martti NISSINEN (Hrsg.): *Propheten in Mari, Assyrien und Israel.* Göttingen: Vandenhoeck & Ruprecht, 2003 (FRLANT 201), 1–32; Marianne HEIMBACH-STEINS: *Einmischung und Anwaltschaft: Gesellschaftskritik aus dem Geist der Prophetie.* In: KatBl 129 (2004) 7–12; Franz D. HUBMANN: *Prophetie und Öffentlichkeit.* In: ThPQ 153 (2005) 35–46.

Liebe, ihres treuen Gemahls, wieder zu entdecken und die Liebe zu ihm neu zu lernen (2,16–25; 11,1–11). Während Hos und Am das Königtum rundweg ablehnen – sie nehmen nicht einmal den Begriff in den Mund –, argumentiert Jes, offenbar mit den höfischen Verhältnissen bestens vertraut, offensiv mit dieser Institution. Seine Bilanz: Die Herrschenden – Zitat: „eine Bande von Dieben und Mördern" – lassen sich gerne bestechen, jagen hinter Geschenken her, verweigern den Waisen ihr Recht, lassen die Sache der Witwen nicht an sich heran (1,21–24). In eklatantem Widerspruch dazu ein aufwendiger Tempelkult mit großen Festen, Feiern und Prozessionen, garniert mit zahllosen Schlacht- und Brandopfern. Dieser Ausbund an Verlogenheit und Heuchelei ist JHWH zuwider (1,10–17; vgl. Am 5,21–27). Ebenso eklatant der Unglaube des regierenden Königs, der sich Messias, Gesalbter JHWHs nennt. Ihn kontrastiert der Prophet mit dem Glauben einer jungen Frau, die den Mut hat, in schwerer Zeit einem Kind das Leben zu schenken und ihm im Vertrauen auf JHWH den Verheißungsnamen Immanuel (Gott mit uns) zu geben (7,14). Die Monarchie ist tot. Im Todesjahr des Königs schaut Jesaja *JHWH* als den thronenden Himmelskönig, vor dessen Herrlichkeitserscheinung selbst die höchsten Geistwesen sich verhüllen müssen und in den Jubelruf des Trishagion (Heilig, … etc.) ausbrechen (6,1–4). JHWH allein ist König. Eines irdischen Königs bedarf es nicht. Und wenn schon, dann nach Art der Richter und Ratsherrn der vorstaatlichen Zeit (1,26). Diesen Ansatz greift Jahrhunderte später die sog. dtn Reform auf und präzisiert in ihrem Königsgesetz (Dtn 17,14–20): Königtum und Hierarchie sind nicht von Gott gewollt und nicht von Gott installiert, sondern Menschenwerk; daher für ein Gott gefälliges Leben nicht notwendig. Wenn schon ein König, dann wird er aus seinen Brüdern genommen und darf sich über seine Brüder nicht erheben, d.h. seine Untertanen sind ihm gleichgestellt. Seine Führungsaufgabe besteht darin, in vorbildhafter Weise die Tora JHWHs zu verinnerlichen und im Leben der Familie und Gemeinschaft zu verwirklichen.

4. Das Korrektiv der Weisheit

Unter den Experten am königlichen Hof von Jerusalem und Samaria gab es wohl – wie an anderen Höfen – Fachleute für höfische Lebensart und Etikette, für diplomatische Gepflogenheiten sowie für Literatur und Kultur der bedeutenden Nationen. Sie haben angehende Beamte und Verantwortungsträger darin unterrichtet. Zeugnisse dieser internationalen Weisheit und Bildung sind in den sog. Weisheitsbüchern der Bibel überliefert bei Bewahrung des je eigenen philosophisch-theologischen Profils. Neben den Weisheitslehrern am Hof treten zumal in später Zeit sog. Wandergelehrte auf. Sie ziehen von Stadt zu Stadt und bieten gegen Entgelt auf den belebten Plätzen am Tor oder auf den Straßen der Stadt ihre Lehre an (vgl. Spr 1,20f.; 8,1–5, von der Weisheitsgestalt ausgesagt). Jeder kann hinzutreten und sie anhören. Und jeder, der bereit ist und den der Lehrer auswählt, kann ihm als Jünger folgen.

Ein solcher Wandergelehrter dürfte auch der Verfasser des Spr-Buches gewesen sein, auf das ich mich jetzt beschränke.[21] Der Verf. schreibt um die Wende vom 3./2. Jh. Wieder kämpften Ptolemäer und Seleukiden um die Vorherrschaft in Palästina. In der Jerusalemer Tempelgemeinde wachsen die sozialen Spannungen infolge steigender Steuern und Abgaben und drückender Kriegslasten. Hinzu kommen heftige Auseinandersetzungen zwischen pro-hellenistischen Gruppen und Anhängern einer strengen Tora-Observanz. Der Verf. des Spr-Buches versucht, die konträren Positionen zu überwinden in einer Synthese von altorientalische Weisheit, hellenistischer Popularphilosophie und traditionellem JHWH-Glauben, die er in dem Satz zusammenfaßt: „JHWH-Furcht ist Prinzip und Anfang von Erkenntnis" (1,7) und „Anfang der Weisheit ist die JHWH-Furcht" (9,10); d.h. wahre Weisheit führt zum JHWH-Glauben, jedes Mühen um Erkenntnis ist Suche nach Ihm, dem Geber aller Weisheit (2,5f.); daher ist der JHWH-Glaube die Quintessenz von Weisheit, ihr bester Teil. Weisheit und JHWH-Glaube sind dynamische Größen. Sie bedingen einen lebenslangen Lernprozeß, ein beständiges Suchen und Ringen, im Wandel der Zeiten und der Verhältnisse, das jeweils hier und jetzt „Angemessene" konkret auf den Punkt bzw. auf den Begriff zu bringen (26,7). Auf dieser Grundlage entwickelt Verf. ein umfassendes Erziehungs- und Bildungsprogramm (2,1–22), auf das ich jetzt nicht weiter eingehe.[22] Ort dieser neuen Sozialisation ist die Familie, sei es die leibhaftige oder sei es der Jüngerkreis als die neue Familie im Geiste. Träger und Vermittler sind primär Vater und Mutter oder der Meister, der zu seiner neuen Familie spricht wie Mutter und Vater.

IV. Ausblick: Universale Werte der Bibel in einer fragmentierten Gesellschaft?

Jüdische Identität schöpft bis heute aus zwei Quellen. Die eine ist die Familie (Jude ist, wer eine jüdische Mutter hat) und die Gemeinschaft der Familien, die Synagogengemeinde.[23] Die zweite ist das Sch^{e}ma Israel, das Glaubenbekenntnis, d.h.

[21] Vgl. Hans F. FUHS: *Sprichwörter*. Würzburg: Echter-Verlag, 2001 (NEB 35); DERS.: *Das Buch der Sprichwörter. Ein Kommentar*. Würzburg: Echter-Verlag, 2001 (FzB 95).

[22] Dazu: Hans F. FUHS: *Das Bildungsprogramm des Sprüche-Buches. Beobachtungen zu Spr 1,1–6 und 2,1–22*. In: ThGl 95 (2005) 147–163. Zu weiteren weisheitlichen Konzepten z.B. Jutta HAUSMANN: *Wegweisung zu gelingendem Leben. Zur kommunikativen Struktur weisheitlicher Texte im Alten Testament*. In: Volker ELSENBAST u.a. (Hrsg.): *Die Bibel als Buch der Bildung*. (FS Gottfried ADAM). Münster: LIT, 2004 (*Forum Theologie und Pädagogik*, 12), 119–129; Ludger SCHWIENHORST-SCHÖNBERGER: *Den Ruf der Weisheit hören. Lernkonzepte in der alttestamentlichen Weisheitsliteratur*. In: Ego; Merkel (s. Anm. 14), 69–82.

[23] Vgl. Bea WYLER: *Das jüdische Haus: Von innen und aussen*. In: RL 35 (2006) 32–33; René BUCHHOLZ: *Gottes Mischpoche(n). Zum Familienverständnis von Judentum und Christentum*. In: PASTORALBLATT FÜR DIE DIÖZESEN AACHEN u.a. 58 (2006) 227–234; Annette M. BÖCKLER: *Beten als Lernen – Lernen als Mitzwa. Das Gebetbuch als Lehrbuch im Judentum*. In: Ego; Merkel (s. Anm. 14), 157–173; Haim GORDON: *Martin Bubers weises Lesen der Bibel und die jüdische Erziehung*. In: Jud 62 (2006) 252–261; Jan WOPPOWA: *Zweite Naivität. Eine jüdische Stimme zum Verhältnis von Glauben und Bildung*. In:

eine kultur- und zeitgerechte Auslegung der Tora. Der Jude Jesus von Nazareth verstand sich als die Erfüllung der Tora (Mt 5,17–19) in einer dem Menschen nahen und dem Menschen gemäßen Auslegung: „Der Sabbat ist für den Menschen da, nicht der Mensch für den Sabbat" (Mt 2,27). Nach der ältesten Jesusüberlieferung tritt er als Wandergelehrter auf (Mt 2,17.19.21 f.; 4,22.25), und für Lukas ist er Bote der Wahrheit, ja, die Personifikation der göttlichen Weisheit (7,31–35). Paulus entwickelt auf dieser Grundlage die Antithese: Weisheit dieser Welt, die zunichte wird – Jesus Christus als die Weisheit Gottes (1 Kor 1–3). Für Jesus wie für seinen schriftgelehrten Kollegen ist selbstverständlich das Hauptgebot der Gottes-, Nächsten- und Fremdenliebe die Quintessenz der Tora (Mk 12,28–34) mit etwas anderer Akzentuierung (Mt 22,34–40; Lk 10,25–28).[24] Der Dekalog, die 10 Weisungen zum Leben oder die 10 Worte der Befreiung sind, nach der Konzeption des Buches Dtn wie nach den fälschlich sog. „Antithesen" der Bergpredigt grundlegende Konkretisierungen des Hauptgebotes, die allerdings immer wieder auf der Höhe der Zeit und unter Beachtung der Zeichen der Zeit (*Vaticanum* II) angemessen neu gefaßt und präzisiert werden müssen.

So bietet die biblische Tradition in ihrer jüdischen und christlichen Ausprägung eine grundlegende Orientierung für sinnhaftes Leben des Menschen in der Gemeinschaft. Dieses Angebot ist in sich plausibel und für jedermann zugänglich, gleich welcher Herkunft, Sprache oder Kulturprägung. Kann man daraus aber ein „Weltethos" destilieren, einen moralischen Konsens aller Kulturen herstellen, wie es Hans Küng mit seinem Projekt „Weltethos" seit Jahren in verdienstvoller Arbeit versucht?[25] Das wäre schön, diente es doch der Werte-Verständigung unter den Menschen in einer fragmentierten und zugleich globalisierten Gesellschaft über alle sozialen, ethischen und kulturellen Grenzen hinweg. Leider ist das eine Illusion, der freilich nicht wenige Intellektuelle westlicher Prägung nachhängen. Die ethischen Forderungen des Dekalogs z. B. sowie ihre Präzisierungen in der Bergpredigt verlieren sofort ihre inhaltliche Plausibilität und ihre universale Verbindlichkeit, wenn man sie, wie heute oft genug geschieht, von den ersten drei religiösen Geboten abschneidet. Diese sind eben kein Überbau, auf den der moderne Mensch leicht verzichten könnte. Vielmehr begründen sie die ethischen Forderungen mit göttlicher Autorität. Damit sind sie jeder menschlichen Beliebigkeit entzogen. Beim Hauptgebot sind von vorn-

---

TThZ 115 (2006) 332–343; Philip A. HARLAND: *Familial dimensions of group identity: (2) „mothers"* *and „fathers" in associations and synagogues of the Greek world.* In: JSJ 38 (2007) 57–79.

[24] Dazu jetzt Moenikes (s. Anm. 17); mit anderer Akzentuierung: Richard A. ALLBEE: *Asymmetrical Continuity of Love and Law between the Old and New Testament: Explicating the Implicit Side of a Hermeneutical Bridge. Leviticus 19.11–18.* In: JSOT 31 (2006) 147–166; zur sozialen Situation z. B. Walter BÜHLMANN: *Wohnräume von Arm und Reich zur Zeit Jesu.* In: RL 35 (2006) 17–23.

[25] Z.B. Hans KÜNG; Jürgen HOEREN: *Wozu Weltethos? Religion und Ethik in Zeiten der Globalisierung. Im Gespräch mit Jürgen Hoeren.* Freiburg i.Br.: Herder-Verlag, 2002; DERS. (Hrsg.): *Dokumentation zum Weltethos – Der Weg zur Weltethoserklärung.* München: Piper-Verlag, 2002; DERS. u.a. (Hrsg.): *Friedenspolitik. Ethische Grundlagen internationaler Beziehungen.* München: Piper-Verlag, 2003. Zur Problematik u.a. Ulrich KÖRTNER: *Für uns gestorben – Die Heilsbedeutung des Todes Jesu als religiöse Provokation.* In: *Amt und Gemeinde* 57 (2006) 189–200, bes.196 f.

herein Gottesdienst und Menschendienst zu einer untrennbaren Einheit verwoben. Aber auch der Gottesbezug ist nicht beliebig. Er ist eben nicht egal, wie viele heute meinen, ob es Allah ist oder Wischnu, Schiva oder – biblisch – Baal. Es ist allein der Gott vom Sinai, JHWH von Ägypten, der sich der Versklavten als Befreier und Retter erwiesen hat in einer unverwechselbaren Geschichte durch alle Höhen und Tiefen, durch alle Brüche und Pleiten, aber auch durch alle Neuanfänge hindurch bis in das Jetzt und Heute jüdischen Selbstverständnisses. Und es ist derselbe Gott, der in Jesus von Nazareth buchstäblich Gestalt annahm als Retter und Erlöser für alle Menschen in einer ebenso unverwechselbaren Geschichte von Heil und Unheil, von Schuld und Vergebung und immer wieder Neuanfang. Daher ist Erinnerung und Vergegenwärtigung der Geschichte für Juden selbstverständlich – Kultur der Erinnerung nennt man das. Für uns Christen sollte eine solche Kultur wieder zur Selbstverständlichkeit werden. Dann könnten wir unverkrampft und gelassen einen wichtigen Beitrag leisten zum Aufbau einer Gesellschaft, die auf Grundlage und nach den Prinzipien der Verwandtschaftsgesellschaft JHWHs wie der neuen Familie Jesu (Mt 20,25–28; 23,8–12) die spezifischen Herausforderungen unserer Zeit nicht nur irgendwie besteht, sondern zukunftsorientiert gestaltet.

ThGl 97 (2007) 429–443

Dieter Hattrup

Freiheit als Schattenspiel von Zufall und Notwendigkeit

Viertes Beispiel: Charles Darwin [1]

Kurzinhalt – Summary:

Im Jahr 2009 wird Darwin 200 Jahre alt werden, doch seine Evolutionslehre ist bis heute heftig umstritten. Die eine Seite schlägt mit Darwin auf Gott ein und erklärt jede geistige Regung des Menschen für Wahnsinn, die andere schlägt mit Gott auf Darwin ein, um so den Menschen zu retten. Das Problem ist die Freiheit. Läßt sich die Freiheit Gottes und des Menschen in den Kategorien von Mutation und Selektion denken? Die These hier lautet: Mit Darwin sogar besser als ohne ihn.

The world will celebrate Darwin's 200th anniversary in 2009, but his doctrine of evolution is still in struggle for life. One side detests God and declares any mental attitude as foolish; the other side detests Darwin to save God and humanity. The core of the problem seems to be freedom. Can freedom of God and mankind be understood with means of variation and selection? Here we state simply: With Darwin even better than without him.

1. Besuch in New York

Heute am späten Nachmittag möchte ich Ihnen eine These vorstellen, die Ihnen vielleicht neu erscheinen mag, die aber dennoch oder gerade deswegen interessant sein könnte. Sie haben womöglich in den letzten Tagen vom Europa-Rat gehört. Dort ist eine Initiative einer einflußreichen Gruppe auf den Weg gebracht worden, die dann allerdings vor zwei bis drei Tagen gestoppt worden ist, die besagen sollte: Es dürfe in den europäischen Schulen der Kreationismus oder das Konzept des ‚Intelligent design' nicht gelehrt werden. Es hat ernsthafte Bestrebungen in Richtung auf einen solchen Entscheid gegeben, doch das europäische Parlament hat sich schließlich für nicht zuständig erklärt und die Entscheidung an die einzelnen Länder delegiert.

Das Problem ist mehr amerikanischer Natur, doch auch in Europa gibt es eine gewisse Bewegung, die Darwin ins Unrecht setzen will, die sagt, wenn man ein religiöser oder ein geistiger Mensch sein will, dann darf Darwin mit seiner Abstammungslehre nicht recht haben. Andererseits gibt es eine Menge von Wissenschafts-

---

[1] Vortrag am 1. Juli 2007 in Neversdorf bei Hamburg unter dem Titel ‚Charles Darwin und die Schöpfungslehre'. Eingeladen hatten das Forum Humanum der Udo-Keller-Stiftung und die Carl Friedrich von Weizsäcker-Gesellschaft. Der mündliche Vortragstil ist weitgehend beibehalten worden.

benutzern – Wissenschaftler oder Philosophen will ich sie nicht nennen –, die aus Darwin einen einfach gestrickten Atheismus und Materialismus ableiten. Ich habe dazu als Beispiel einmal etwas mitgebracht, den Umschlag eines Buches, nicht das ganze Buch selbst. Der Autor heißt Dennett. Es beinhaltet eine ganze Weltanschauung, die sich auf Darwin beruft. Das Buch heißt: ‚Darwins gefährliches Erbe‘.[2] Sie sehen, wie virulent unsere Frage ist, ob sich Evolutionslehre und Schöpfungslehre vereinbaren lassen. Seit fast 150 Jahren schwelt der Streit, und wenn wir seinen Beginn auf das Erscheinen von Darwins Hauptwerk ‚The Origin of Species‘ 1859 legen, hat neben Darwin auch der Streit um Darwin im Jahr 2009 sein Jubiläum. Keiner weiß so recht, wie man eigentlich diesen Komplex angehen soll: Was ist das Leben? Woher kommen wir? Ist die Natur alle Wirklichkeit oder ist Gott alle Wirklichkeit? Herr Dr. Redeker hat uns vorhin mit dem Rätselwort in den Vortrag entlassen, das unseres Meisters würdig ist. Immer wieder hat Carl Friedrich von Weizsäcker betont: Keiner könne die Evolutionslehre beweisen, doch sie zu widerlegen sei wahrscheinlich noch schwieriger.[3] Die Schwierigkeiten türmen sich in der Tat, weil zwei sehr verschiedene Sichtweisen hier die Frage nach dem Leben stellen: Einmal nimmt sich die objektivierende Wissenschaft des Lebens an, einmal die subjektive Freiheit. Wie blickt man von zwei Standpunkten aus gleichzeitig auf dieselbe Sache? Oder wie blickt man mit zwei Augen gleichzeitig? Wir müssen unsere Augen koordinieren, wie wir schon als Kind in frühester Zeit diese Koordination lernen mußten.

Ich will vor Ihnen eine These der Koordination entwickeln, die mir vor einem Jahr in New York in den Sinn gekommen ist, und die ich seitdem auszuarbeiten beschäftigt bin. Sie versucht eine Balance zu halten zwischen Subjektivität und Objektivität, zwischen Freiheit und Wissenschaft, wobei sie natürlich in der Gefahr steht, sich zwischen alle Stühle zu setzen.

In New York habe ich im Juni 2006 Kardinal Avery Dulles besucht, den Sohn des ehemaligen US-Außenministers John Foster Dulles. Sein Sohn Avery war von Haus aus protestantischer Christ, legte jedoch als Jugendlicher wenig Wert auf die Religion und wurde Agnostiker und Atheist; schließlich jedoch besann er sich und konvertierte 1940 im Alter von 22 Jahren zur katholischen Kirche. Nach einem langen Leben als Jesuit und Theologe kreierte ihn Papst Johannes Paul II. im Jahr 2001 zum Kardinal. Ein Jahr vorher, im Jahr 2000, hatten wir in Paderborn das richtige Näschen, wenn ich so sagen darf, indem wir Prof. Dulles an der Theologischen Fakultät zum Ehrendoktor gemacht haben. Das war nichts ganz Neues für ihn, es war sein dreißigster ‚doctor honoris causa‘. Wenn man dann als Mitglied der Fakultät in eine fremde Stadt reist, in diesem Fall nach New York,

---

[2] Daniel C. Dennett.: *Darwins gefährliches Erbe. Die Evolution und der Sinn des Lebens* (1995). Hamburg: Hoffmann und Campe, 1997. – 784 S.

[3] Vgl. Carl Friedrich von Weizsäcker: *Wohin gehen wir?* München: Hanser, 1997. – 109 S. Im mündlichen Vortrag ergänzt er zu S. 70: ‚… und so eine fortschreitende Evolution zuwege bringen. Das ist nicht leicht zu beweisen, aber es ist wohl noch schwerer zu widerlegen.‘

besucht man auch seine Ehrendoktoren und macht die Honneurs des Hauses. Beim mittäglichen Lunch in der Fordham University, nördlich von Manhattan, hat er aus seinem Leben erzählt, zumal ich ihn noch einmal nach seiner Jugend befragt habe. Er antwortete: Ich habe damals an nichts geglaubt, nur an Zufall und Notwendigkeit in der Natur. Es schien mir einerseits, sagte er, in der Natur alles materialistisch-notwendig abzulaufen, andererseits schien mir auch alles sinnlos zu sein: ‚Nothing else than chance and necessity.‘[4] Erst ein paar Jahre später habe er sich dann besonnen, als er erkannte, wie in der Natur doch Sinn und Vertrauen möglich ist, weil die letzte Wirklichkeit doch etwas anderes ist als bloße Natur.

Das Stichwort hatte er damit gegeben: ‚Chance and necessity‘. Oder in der französischen Form ‚Le hasard et nécessité‘,[5] das ist der Titel eines berühmten Buches von Jacques Monod aus dem Jahre 1970. Dieser Biologe Jacques Monod kündigt in seinem Werk, das mit Ingrimm geschrieben ist, der Metaphysik, der abendländischen Theologie und allem Leben den Sinn auf, er entzieht ihm den Kredit und sagt: Der Mensch ist reinweg ein Produkt des Zufalls; als Zigeuner vegetiert er am Rande des Universums, wie seine berühmte Formel lautet. Wenn nämlich der Zufall in der Evolution wirklich eine so große Rolle gespielt hat, wie das die Biologie heute lehrt, dann kann da im Weltlauf keiner etwas gewollt oder geplant haben, weder ein Gott noch ein Mensch. Wenn sich jedoch niemand etwas gedacht hat, wo soll dann der Sinn herkommen? Das hatte ich im Kopf, damals im Juni des letzten Jahres beim Gespräch in New York: Dennett, der junge Dulles und Monod, alle katapultieren sie den Sinn aus dem Leben hinaus, weil, wenn Zufall und Notwendigkeit die Natur regieren, alles geistige Leben sinnlos ist.

Erlauben Sie mir bitte, von dem Einfall ein wenig in Form einer Geschichte zu erzählen – das ist unterhaltsamer und auch einprägsamer als die bloß abstrakte These; Gedanken in Fleisch und Blut lassen sich besser anschauen und behalten.

Der nächste Tag brachte einen Besuch im American Museum of Natural History, das westlich des Central Parks in der Nähe der 79. Straße gelegen ist. Besonders eine Schau im Hayden Planetarium des Museums hat mich sehr beeindruckt. Das Thema hieß ‚Cosmic Collisions – Kosmische Zusammenstöße‘ und handelte von dem zumeist katastrophalen, in seltenen Fällen jedoch günstigen Aufprall von Körpern, die aus dem Weltall auf die Erde niederstürzen. Der Niedergang von riesigen Kometen und Meteoren hat beim Aufbau des Planeten Erde eine entscheidende Rolle gespielt. Die Himmelsgeschosse haben mitten in einem lebensfeindlichen Kosmos eine Oase des Lebens geschaffen, einfach durch den Einschlag großer und

---

[4] Avery DULLES SJ: *A testimonial to grace and Reflections on a Theological Journey. 50th Anniversary Edition* (1946). Kansas City: Sheed & Ward, 1996. – 144 S.; 4: ‚Man having been produced by chance, it seemed illusory to hold that he had any ordained end or was subject to any moral structures not of his own making.‘

[5] Jacques MONOD: *Zufall und Notwendigkeit. Philosophische Fragen der modernen Biologie* (frz. 1970). München: Piper, 1971. – 238 S.; 211: ‚Er weiß nun, er hat seinen Platz wie ein Zigeuner am Rande des Universums, das für seine Musik taub ist und gleichgültig gegen seine Hoffnungen, Leiden oder Verbrechen.‘

kleiner Gesteine am rechten Ort zur rechten Zeit. Höheres Leben hängt außerordentlich vom Zufall ab, ohne zahllose Glücksfälle gäbe es kein bewußtes Leben auf der Erde. Ist das nun schön oder schrecklich?

Ich bin Theologe und katholischer Priester. Soll ich zum Beispiel in dem Zwölf-km-Brocken, der sich da im Planetarium vor mir aufbaut und der tatsächlich vor 65 Millionen Jahren auf die Erde zugerast ist, um bei Chicxulub im nördlichen Mexiko einzuschlagen, den Finger Gottes erkennen? Oder ist das unmöglich? Der Asteroid oder Komet hat die ganze Erde in Brand gesetzt: ‚All burnable on earth was burning – Alles Brennbare auf der Erde brannte‘, verkündete die geschulte Stimme von Robert Redford im Hintergrund. Die Dinosaurier hatten 150 Millionen Jahre lang die Erde beherrscht, jetzt verschwanden sie auf einen Schlag und machten Platz für die Säugetiere. Durch dieses eine Ereignis und ein paar ähnliche Geschehnisse war am Ende auch ein Platz für mich dabei, wie in diesem Sessel hier im Planetarium. Kann ich in dem rasenden Brocken das Werk Gottes erkennen? Jedenfalls soll der Schöpfer der Welt am sechsten Tag seinen Plan so angekündigt haben: ‚Laßt uns Menschen machen als unser Abbild, uns ähnlich.‘ (Gen 1,26) Zugespitzt noch einmal gefragt: Reklamiert der Gott der Bibel hier zurecht seine Urheberschaft oder hat bloß der Zufall das Leben geschaffen? Ist dem Zufall das Leben nur eben so mit untergelaufen?

Ich mußte schlucken. In den letzten Jahren ist mir die Rolle immer klarer geworden, die das plötzliche Ereignis beim Aufbau der Natur und des Lebens spielt. Doch der Zufall selbst ist einfach unklar, er ist das Wesen der Unklarheit. Beliebt ist der Zufall bei niemandem, weder bei naturalistischen Atheisten noch bei kreationistischen Bibelanhängern; selbst wer eine gesunde Mitte zwischen Wissenschaft und Glaube einhalten will, kann mit dem Zufall nicht viel anfangen. Alle wissen von seiner flüchtigen und zugleich hartnäckigen Existenz, doch nur wenigen Leuten ist ihr Unwohlsein mit dem Zufall zu Bewußtsein gekommen. Es ist der alte Vorbehalt gegen den Meister der Regellosigkeit, habe ich da im bequemen Polster des American Museum gedacht, der Zufall wird für etwas Negatives gehalten, eine positive Leistung traut ihm keiner zu. Wieso auch? Wie kann das geschehen? Eng verbunden mit der Notwendigkeit treibt er sein Spiel in der Natur, doch auf welche Weise die beiden ihre Rolle ausfüllen, ist schwer zu sagen. Man kann ihre Wirkung geistlos nennen, wie ich gestern gesehen habe, als der Kardinal auf seine Jugend zurückschaute. Doch ich wußte schon: Es ist auch eine andere Sicht möglich.

Schließlich ein dritter Punkt. Vor und bei diesem Besuch in New York habe ich versucht, mein müdes Englisch ein wenig aufzuwecken. Dabei geriet ich an ein Buch, das mir mehr als sprachliche Nachhilfe erteilt hat. Während ich in der Subway fuhr oder am Abend still im Hotelzimmer saß, um mir das laute Manhattan aus den Ohren zu schütteln, las ich in dem vorzüglich geschriebenen Werk des amerikanischen Biologen Kenneth Miller aus Rhode Island. Der Titel lautete vielversprechend: ‚Finding Darwin's God‘, auf Deutsch nicht erhältlich. Der Ton war mir neu und doch in der Tiefe vertraut. Da wollte einer Gott finden oder glaubte ihn schon gefunden zu haben, gerade mit Darwin, der für viele verschreckte Gläubige bis heute der leibhaftige Gott-sei-bei-uns ist und für berufsmäßige Atheisten der Schild ihres Heiles. Die Lektüre bestätigte die Ahnung. Keineswegs schwächt die Evolutionslehre den Glauben an den personal handelnden Gott, sie fördert die Anerkennung des freien Schöpfergottes, von dem die Bibel spricht, der deshalb frei ist, weil er personale Freiheit verschenkt. Das zu verstehen, dafür ist die Evolutionslehre gut geeignet. Vorausgesetzt, man weiß die lebendigen Kräfte in der Natur richtig einzuschätzen. Das schien mir bei diesem Biologen, der im Streit mit den ängstlichen Kreationisten auf der einen Seite und den naiven atheistischen Naturalisten auf der anderen Seite in den USA zu einem Namen gekommen ist, der Fall zu sein. Als nun gerade dieser Miller in einem kleinen Film über Darwin, der im Museum gezeigt wurde, als erste Autorität für die Richtigkeit der Evolutionslehre angeführt wurde, habe ich gedacht: Das ist ein Fingerzeig, da mußt du tätig werden.

2. Das Prinzip von Wissen und Nichtwissen

Ich würde das Paar Zufall und Notwendigkeit gerne die Bausteine der Natur nennen, wenn da nicht eine verstörende Eigenschaft wäre: Die Notwendigkeit ist ein Prinzip des Wissens, der Zufall des Nicht-Wissens. Das verwehrt eine glatte Einordnung. Sie passen irgendwie nicht zusammen und beherrschen doch gemeinsam die gesamte Natur. Oder machen sie vielleicht nicht wirklich die Natur aus? Natur und Notwendigkeit, die passen zusammen, jedenfalls möchte ich diejenige Wirklichkeit mit dem Namen Natur belegen, die sich mit einem Naturgesetz beschreiben läßt. Ich denke, wir sollten der Naturforschung der Neuzeit diese Achtung zollen und ihr die Natur überlassen. Damit erzielen wir Klarheit und Würde in den Begriffen. Doch wie paßt der Zufall in die Natur? Er öffnet irgendwie den Zugang zu einer anderen Wirklichkeit. Ich meine, durch das Paar von Zufall und Notwendigkeit wird der Weg zu einer Schöpfungslehre frei, die mit Hilfe der Evolutionslehre besser verstanden werden kann als ohne sie, so seltsam das auf den ersten Blick klingen mag. Ein jedes Leben lebt vom anderen Leben, lehrt die Evolution. Wie sollte das nicht zugleich der theologische Basissatz sein? Und mit dem Kampf ums Überleben kommt das Leiden in die Welt. Wie sollte das Thema des Leidens nicht ebenfalls urtheologisch sein? Das ist nur erst der Anfang der Gemeinsamkeit. Auf eindringliche Weise beleuchten sich Evolution und Schöpfung gegenseitig, wenn wir sie mit sehenden Augen anschauen.

Von dem amerikanischen Evolutionsbiologen Stephen Jay Gould (1941–2002) habe ich gelernt, was man in den meisten Lehrbüchern nicht lernen kann. Gewöhnlich bieten die Bücher das folgende Bild: Weil die Säugetiere beweglicher sind, weil sie lebend geboren werden, weil sie einen warmen Blut-Kreislauf haben und nicht Kalt-Warm-Blütler sind, waren sie den Dinosauriern im Prinzip überlegen und haben sich am Ende durchgesetzt. Halb richtig ist diese kontinuierliche Sicht, doch eben auch halb falsch! So sehr die Kontinuität in der Natur wichtig ist, eine gleich große Rolle spielt der Zufall.

Die Dinosaurier sind zur gleichen Zeit vor etwa 250 Millionen Jahren mit den Säugetieren entstanden, doch die Säuger waren damals nur etwa fünf bis sieben Zentimeter lang, sie paßten zwischen ausgestreckten Daumen und Zeigfinger. Wir, die Säuger, konnten einfach nicht nach oben kommen; die großen Landfresser waren die Dinos, und die haben allen Konkurrenten den Aufstieg verwehrt. Erst durch einen solchen Zufall wie den Einschlag von Chicxulub vor 65 Millionen Jahren hat das Leben auf der Erde den Weg zum Menschen genommen. Oder war es kein Zufall, war es der Finger der göttlichen Vorsehung? Direkt ist die Antwort schwer zu geben. Wenn die Natur den anderen Weg weiter gegangen wäre, und wenn wir jetzt hier als Bewußtseinswesen säßen, dann hätten wir alle die Gestalt von Dinosauriern. Doch läßt sich ernsthaft die Frage stellen, ob ein Dino in der Lage ist, einen Energieumsatz zu vollziehen, der für geistige Akte notwendig ist.

Dann noch ein drittes Erlebnis: Es gab im New Yorker Museum einen kleinen Film, der einen amerikanischen Biologen zeigte, Kenneth R. Miller, den ich hier gerne namentlich erwähne. Er ist in der amerikanischen Biologenszene gut bekannt, auch in der Kreationistenszene, weil er sich in vielen Gerichtsverfahren als Fachgutachter einen Namen gemacht hat. Zwar einerseits als gläubiger Christ, andererseits als echter Biologe, der sich nicht diese Konstruktionen der Evolutionisten gefallen lassen will, aber ebenso auf Abstand zu den ‚Intelligent-Designern‘ geht. Sein Buch habe ich in New York gelesen: ‚Finding Darwin's God‘.[6] Das war die erste Zündung des Gedankens. Ein interessantes Buch, gut zu lesen; zwei Drittel gehen gegen die Kreationisten, ein Drittel gegen die Materialisten auf der anderen Seite. Was er eigentlich sagen will, steht auf einer einzigen Seite, eigentlich ist es nur ein einziger Satz: ‚In the final analysis He used evolution as a tool to set us free. – Letztlich benutzt Er, Gott, die Evolution, um uns in Freiheit zu setzen.‘[7] Da bin ich stutzig geworden. Miller erklärt seine These kaum, begründet sie nicht, er läßt sie eher als eine Art von Intuition aus sich heraus sprudeln. Weil er seine Einsicht so wenig philosophisch und wissenschaftlich abgesichert vorbringt, habe ich mir gedacht, vielleicht sollte ich mir eine Aufgabe daraus machen, das, was er fühlt, einmal richtig zu durchdenken.

Ob man diesen Satz, Gott benutzt Evolution, um Freiheit zu schaffen‘ begründen kann? Die kreationistische Seite behauptet, die Freiheit des Menschen oder die Freiheit Gottes, überhaupt jede Art von Geistigkeit ist nur möglich, wenn Darwin nicht Recht hat. Die andere Seite hält dagegen, zum Beispiel Dennett, Dawkins und Wilson, Freiheit gebe es sowieso nicht, das ist nur eine Einbildung, es ist alles vorbestimmt. Einige Gehirnforscher haben noch einmal nachgelegt in den letzten Jahren und ebenfalls im Namen der Wissenschaft dem Menschen die Freiheit

---

[6] Kenneth R. MILLER: *Finding Darwin's God: A Scientist's Search for Common Ground Between God and Evolution.* New York: Harper Collins, 1999. – 338 S.

[7] Miller (s. Anm. 6), 253.

abgesprochen. Es muß wohl eine große Lust sein, den Menschen als mechanische Puppe darzustellen, die von nichts anderem als von ihren Genen und Neuronen gesteuert wird. Eine makabre Lust, ich verstehe sie nicht recht, doch offensichtlich gibt es sie.

Wie durchdenkt man das jetzt? Nun, ich war schon etwas vorbereitet auf diesen Einschlag von Chicxulub und diesen Gedanken von Kenneth Miller. Ich habe mir gedacht, dieser Zufall könnte das Werkzeug sein zur Freiheit, man muß die Evolutionslehre gar nicht fürchten: Umgekehrt wird ein Schuh daraus, wenn wir in einer vertieften Einsicht die Evolution als das Werkzeug erkennen, das den Menschen zu einem geistigen Wesen macht. Eine vertiefte Einsicht! Dann ist die Evolutionslehre philosophisch interessant, weil sie etwas zur Freiheit beizutragen hat; natürlich auch theologisch, denn ohne Freiheit kann der Theologe gleich nach Hause gehen. Wenn es keine Freiheit gibt, dann gibt es keinen Anruf Gottes, dann gibt es kein freies Handeln Gottes und kein freies Handeln des Menschen. Jedenfalls in unserer westlichen Gesellschaft, und ich sehe nicht, wo die Weltkultur nicht westlich geprägt ist, braucht es Freiheit, die in den Kategorien der Wissenschaft formuliert ist.

3. Waffen für die Freiheit in der Natur

Aber wie soll man Freiheit denken? Ich will Sie nicht mit Papieren zudecken, es ist nur ein Blatt hier, das ich Ihnen in die Hand gebe, ein Blatt mit drei Sätzen. Das sind meine drei Hauptsätze, die ich diesem Thema zugrunde lege, die meiner Ansicht nach das Feld von Naturwissenschaft, Philosophie und Theologie überspannen. In diesen Rahmen möchte ich das, was ich über die Biologie im Speziellen gesagt habe, einbetten.

Vor allen Dingen habe ich mich mit der Physik beschäftigt, kein Wunder, wenn ich ein wenig Schüler von Carl Friedrich von Weizsäcker bin; erst in den letzten zwei bis drei Jahren habe ich mich der Biologie zugewandt, weil ich meine, dort liegt ein ähnliches Grundmuster zugrunde wie in der Physik. Sie sehen diese drei Sätze, von denen ich vor allem den ersten und den dritten Satz erläutern will; vielleicht gelingt es mir, sie plausibel zu machen, sie sogar stark zu machen und womöglich zu schützen gegen die Angriffe, die Sie in Ihrem Inneren schon planen.

Der erste Satz lautet: Natur ist diejenige Wirklichkeit, die ich ergreifen kann, Gott diejenige Wirklichkeit, die mich ergreift. Ich würde vorschlagen, dies als eine Definition zu benutzen, die gut den Gebrauch des Wortes ‚Gott' und den von ‚Natur' in der Neuzeit abdeckt. Übrigens ist damit noch nichts entschieden. Sie können in dem ersten Satz auch den Atheismus unterbringen, dann nämlich, wenn die Menge der Wirklichkeit, die mich ergreift, leer ist. Gott auf die Natur zu reduzieren, das war die große Lust der Naturforscher gewesen von Descartes über Spinoza bis hin zu Einstein. Einstein hat den Satz Spinozas ‚Deus sive natura – Gott und die Natur sind gleich' oft gebraucht und bejubelt: Ja, rief er aus, Gott ist die

Natur, oder in physikalischer Präzision: ‚Gott würfelt nicht'.[8] Wenn Gott würfelt, wenn die Natur nicht determiniert ist, dann kann die Wirklichkeit nicht vollständig ergriffen werden, dann passiert etwas Eigenes und nicht Vorhergesehenes in der Natur, eine Vorstellung, die Einstein gar nicht mochte. Das Naturgesetz, wie das sehr schön Heidegger gesagt hat, ist die Stillstellung der Bewegung im Gesetz.[9] Die Naturwissenschaft sagt die Bewegung in Raum und Zeit durch das Naturgesetz voraus. Wenn sich da noch etwas ungeordnet bewegt, habe ich sie nicht still gelegt, habe sie nicht vollständig begriffen.

In diesen Rahmen würde ich jetzt auch das, was ich über das Verhältnis von Philosophie und Biologie zu sagen habe, einfügen, obwohl es zunächst einmal etwas ist, was ich im Bereich der Physik aufgefunden habe. Die Gemeinsamkeit von Physik und Biologie drückt sich bei diesen Leuten, etwa bei Dennett, auch bei dem originalen Darwin, in ihrer Meinung aus, sie wüßten, was Natur ist und sie könnten die Natur begreifen. Dann wären sie bei meinem ersten Hauptsatz auf die eine Seite getreten und könnten die andere Wirklichkeit, die mich ergreift, unter den Teppich kehren, weil sie eine Nullmenge ist.

Ich mache auf die zentrale Schwierigkeit aufmerksam, wenn Natur vollständig begreifbar sein soll. Darwin hat 1859 in seinem Buch ‚On the origin of species by means of natural selection' ganz zum Schluß eine Parallele zu Newton gezogen. Darwin sagt, er selbst wolle für die Biologie das tun, was Newton für die Physik geleistet habe. Newton hatte die Schwerkraft als die alle Wirklichkeit bestimmende Kraft ausgerufen und darauf die gesamte Wissenschaft gebaut. Das konnte man um 1700 und für die folgenden 200 Jahre mit guten Gründen meinen. Dann wären die drei Newtonischen Gesetze der Schwerkraft etwas, was die unbelebte Welt bestimmt; und was die belebte Welt bestimmt, das wollte Darwin ausrufen, eben durch ‚variation and selection' durch ‚Mutation und Selektion', wie wir heute sagen. Das steht im letzten Satz auf der letzten Seite der ‚Origins': Darwin will wie Newton sein.[10]

Die Schwierigkeit ist folgende: Darwin hat ein Paar gewählt, das er als sein Grundgesetz ansieht, das ist ‚variation and selection'. Er konnte das zwar 1859 nicht als Grundgesetz, als letzte Wirklichkeit in der belebten Natur beweisen, doch seine Beobachtungsgabe hatte ihn dieses Phänomen in der Natur immer wieder erkennen lassen. Darwin hat dreißig Jahre an seinem Buch gearbeitet, dreißig Jahre darüber nachgedacht und es dann in neun Monaten niedergeschrieben, weil ein

---

[8] Vgl. Dieter HATTRUP: *Einstein und der würfelnde Gott. An den Grenzen des Wissens in Naturwissenschaft und Theologie.* Freiburg: Herder, 2001. – 304 S.; aktualisierte Neuauflage [4]2008.

[9] Martin HEIDEGGER: *Die Zeit des Weltbildes* (1938), 79: ‚Ein Experiment ansetzen heißt: eine Bedingung vorstellen, der gemäß ein bestimmter Bewegungszusammenhang in der Notwendigkeit seines Ablaufes verfolgbar und d. h. für die Berechnung im voraus beherrschbar gemacht werden kann.'

[10] ‚There is grandeur in this view of life, with its several powers, having been originally breathed into a few forms or into one; and that, whilst this planet has gone cycling on according to the fixed law of gravity, from so simple a beginning endless forms most beautiful and most wonderful have been, and are being, evolved.'

gewisser Wallace zur selben Zeit fast auf dieselben Ideen verfallen war. Dieses Prinzip ‚variation and selection‘ ist hundert Jahre später durch die Molekulargenetik bestätigt worden mit der Entdeckung der Doppelhelix durch Watson und Crick im Jahr 1953. Die Genveränderungen bewirken verschiedene Variationen und erzeugen dadurch verschiedene Phänotypen, die dann von der Umwelt bewertet und selektiert werden.

Hier tritt der Unterschied auf. Darwins Prinzip ist etwas anderes als Newtons Prinzip. Newtons Prinzip ist das der Notwendigkeit, der Berechenbarkeit oder genauer des Determinismus. Als Prinzip des Lebens aber muß Darwin ein Doppelprinzip wählen: ‚variation and selection‘. Die Variation ist gegründet auf Zufallsmutationen, die dann von einer auslesenden Umgebung selektiert werden. Das heißt, das Grundprinzip bei Newton sollte das der klassischen Physik sein. Notwendigkeit ist ein Wissensprinzip, nämlich ein Prinzip, mit dem ich aus dieser Ursache, die jetzt vorliegt, auf jene Wirkung dort schließen kann. Das ist die wissenschaftliche Methode. Wissenschaft schließt aus vergangenen Zuständen auf künftige Zustände, d. h. die Bewegung wird stillgelegt, sie kommt in den Überblick.

Gerade das jedoch passiert beim Zufall nicht. Der Zufall ist ein Nicht-Wissensprinzip. An dieser Stelle gibt es prinzipielle Schwierigkeiten. Das ist zur Zeit mein Lieblingsthema, landauf, landab erzähle ich darüber. An dieser Stelle ahnen schon manche die Folgen, wenn der Zufall echt ist. Deshalb möchten sie den Zufall als unecht erweisen, er soll nur ein Schein sein. Ich will jetzt nicht das ganze Arsenal für die Echtheit des Zufalls herausholen. Ich erinnere nur an den großen Streit in der Physik, als Einstein versucht hat, die Quantentheorie zurückzudrängen und den Zufall, der das Radiumatom zerfallen läßt, in einen unechten Anschein zu verwandeln.

Der große Kämpfer gegen den Zufall war Einstein persönlich. Jahrzehntelang hat er nach verborgenen Parametern gesucht, welche die alte Kausalität und Notwendigkeit wieder herstellen sollten. Der Streit endete ohne Kompromiß, Einstein hat eindeutig verloren, und der Indeterminismus hat eindeutig gesiegt. In den 80er und 90er Jahren des 20. Jahrhunderts ist das klar geworden.[11]

Es gibt viel Notwendigkeit in der Natur, doch eben auch viel Zufall. Das wirft man meinem Konzept gelegentlich vor: Wenn Sie vom Zufall reden, dann läuft ja alles durcheinander. Nein, ich behaupte nicht, es gäbe nur den Zufall in der Natur. Es gibt zweifellos sehr viel Notwendigkeit, doch es gibt eben auch den Zufall als echtes Zufallen, sowohl in der Physik wie in der Biologie; ich habe ihn gerade vorgeführt.

In der Kosmologie habe ich den Zufall übrigens zu Anfang auch vorgeführt. Ich habe Ihnen erzählt von der Entstehung des Mondes. Wir haben einen Mond, der

---

11 Paul DAVIES: *Die Unsterblichkeit der Zeit. Die moderne Physik zwischen Rationalität und Gott.* Bern u. a.: Scherz, 1995. – 349 S.; 208: ‚Aus Einsteins Gedankenexperiment sind jedenfalls inzwischen eine Reihe wirklicher Experimente geworden, deren Ergebnisse bestätigt haben, warum Bohr eindeutig recht hatte und Einstein bedauerlicherweise unrecht.‘

fast 1,5 % der Masse unserer Erde hat und deshalb die Erdachse und die Klimazonen stabil hält. Ohne den Mond kein Leben auf der Erde. Auch in der Kosmologie hängen wir vom Zufall ab. Es gibt noch viele andere Bedingungen ähnlicher Art, die auf Planeten mit komplexem Leben erfüllt sein müssen. Es ist in den letzten zehn bis fünfzehn Jahren eine Theorie entstanden, die sich ‚Rare-earth-Theorie' nennt, also ‚Theorie der seltenen Erde'. Das ist eine Reaktion auf die 50er bis 70er Jahre des letzten Jahrhunderts, als die Naturforscher menschenähnliche Intelligenz überall im Universum vermuteten. Das sind diese SETI-Programme gewesen, Search for extraterrestrial intelligence. Das war natürlich auch anti-theologisch gemeint, gegen die Geistigkeit des Menschen. Ein Carl Sagan hat in unserer Milchstraße mit 100 oder 200 Milliarden Sonnen etwa 100 Millionen intelligente Kulturen vermutet, die der unseren ähneln sollten. Seine Gegner von heute, die meistens seine Schüler waren, behaupten jetzt das Gegenteil: Komplexes Leben sei äußerst selten im Weltall, vielleicht sogar einmalig und nur auf der Erde zu finden. Sie haben ihr Buch sogar ihrem verewigten Lehrer gewidmet, weil in der Wissenschaft oft erst der Widerspruch zu neuer großer Erkenntnis führt. [12]

Seit fünfzig Jahren Funkstille für SETI im Weltall! Es war einfach nichts zu finden, und jetzt sind diese Leute in der Rare-earth-Bewegung darauf aus zu zeigen, warum Leben zwar universal verbreitet sein kann, doch komplexes Leben wie das auf der Erde, mit einer solchen Geschichte, nicht. Hier kommt vielleicht sogar die religiöse Ahnung zu ihrer Rechtfertigung, nach welcher der Mensch die Krone der Schöpfung ist, nicht mit Argumenten der Bibel, sondern mit Argumenten aus der Kosmologie. Es ist jedenfalls eine Ahnung, die wir unseren Vorfahren nicht als dumm ankreiden müssen.

Zufall und Notwendigkeit in der Physik, glaube ich, kann man nachweisen in der Biologie, in der Evolutionslehre, in der Kosmologie. Ich erspare Ihnen das vierte Beispiel, die Gehirnforschung oder Neurologie. Damit haben wir uns jetzt das Waffenarsenal aufgebaut, mit dem wir uns in die Freiheit schießen können.

4. Wie läßt sich Freiheit in der Natur denken?

Offensichtlich gibt es in dem, was wir Natur nennen, Notwendigkeit. Doch wir sollten auch von der Existenz des Gegenteils überzeugt sein – vom Zufall in der Natur. Nur, was machen wir jetzt damit? Wir wollten uns auf den Weg zur Freiheit machen: ‚He uses evolution to set us free.' Wenn die Grundlage der Evolution wirklich Zufall und Notwendigkeit ist, dann müßten wir jetzt „freedom" oder Freiheit in der Evolution sehen können. Diese läßt uns Kenneth Miller nicht sehen, er bricht an dieser Stelle ab. Das hat meine Bewunderung für den amerikanischen Biologen nicht gemindert, es hat sie gesteigert, weil er ohne ganz saubere Begrifflichkeit die

---

[12] Peter D. WARD; Donald BROWNLEE: *Unsere einsame Erde. Warum komplexes Leben im Universum unwahrscheinlich ist* (1999). Berlin u.a.: Springer, 2001. – 374 S.

richtige Intuition hat. Das ist vielleicht mehr, als wenn jemand zwar richtige Begriffe hat, sie aber mangels Intuition nicht richtig einsetzen kann.

Bei der Frage, wie Zufall und Notwendigkeit in Verbindung gebracht werden können mit der Freiheit, ist mir Kant eingefallen. Freiheit, meinte er, ist weder beweisbar noch widerlegbar. Das ist seine berühmte Einsicht, über die bisher kein Philosoph hinausgekommen ist. Die klassische Stelle lautet: ‚Ob ich nun gleich meine Seele … mithin auch nicht die Freiheit als Eigenschaft eines Wesens … erkennen kann, darum weil ich ein solches seiner Existenz nach und doch nicht in der Zeit bestimmt erkennen müßte …‘ [13]

Ich will hier nicht versuchen, das Wesen der Freiheit zu ergründen, auch nicht erforschen, wie die Freiheit zu unserem Bewußtsein steht oder was das Bewußtsein überhaupt sei, all das ist schwer zu klären und soll hier nicht aufgeklärt werden. Ich stelle die einfache Frage: Ist Freiheit möglich unter den Bedingungen der Natur? Unter den Bedingungen, wie uns heute die Wissenschaft die Natur zeigt? Kant ist uns da eine große Hilfe, weil er gesagt hat: Freiheit ist weder beweisbar noch widerlegbar. Er sagt das etwas komplizierter, aber wir können seine Ansprache ohne Verlust so einsehen: ‚Liebe Freunde, schaut euch doch an. Was tut ihr, wenn ihr etwas beweisen wollt? Beim Beweisen müßt ihr etwas vor euch bringen, ihr müßt, worüber ihr sprechen wollt, vorher als Gegenstand vor euch stellen und dann diesem Gegenstand eine Eigenschaft zu- oder absprechen. Das heißt, wer eine Aussage beweisen will, muß vorher den Gegenstand verobjektivieren, dann kann er urteilen. Freiheit sollte aber doch auf jeden Fall etwas sein, was zur Subjektivität des Menschen gehört, der zwar auch ein Objekt in der Welt ist, doch wenn über seine Freiheit gesprochen wird, gerade nicht als Objekt angeschaut wird.‘ Damit hat Kant einen großen Schnitt getan: Freiheit läßt sich weder beweisen noch widerlegen. Es gibt Freiheit im Bewußtsein, diese hat er als Tatsache der Vernunft genommen und alle weiteren Reden darüber abgeschnitten. Was eine Tatsache der Vernunft ist, habe ich nie recht verstanden, doch ich verstehe, warum Kant nicht anders reden konnte.

Freiheit ist eine Tatsache der Vernunft und damit ist der Mensch nach Kant frei, weil das Ding an sich nicht objektiviert werden kann. [14] Was wir objektivieren können, ist nur transzendental objektivierbar.

Doch hatte ich einen Einfall, wie wir hier einen Schritt vorwärts gehen könnten. Seit Kant ist das Wissen in der Naturwissenschaft stark angewachsen. Kant lebte ganz und gar unter dem Eindruck newtonischer Physik und versuchte unter den Bedingungen seiner Zeit Freiheit und Würde des Menschen zu retten: ‚Ich mußte also das *Wissen* aufheben, um zum *Glauben* Platz zu bekommen.‘ [15] Wir können einen Schritt über Kant hinaus gehen, indem wir uns dieses gewachsene Wissen

---

[13] Immanuel KANT: *Kritik der reinen Vernunft* (1787); Vorrede; B XXVIII.

[14] Vgl. die große Aussage: ‚Denn sind Erscheinungen Dinge an sich selbst, so ist Freiheit nicht zu retten.‘ (*KrV* B 564)

[15] *KrV* B XXX.

von der Naturverbundenheit des Menschen, von der Eingelassenheit des Menschen in die Natur, genauer ansehen.

Weil Kant so unvermittelt die Freiheit des Menschen in den Raum stellt und jedes weitere Fragen abschneidet, haben sich die Philosophen an dieser Stelle oft über Kant geärgert. Was dieser getan hat, ist nach einem bekannten Wort von Weizsäckers zugleich unwidersprechlich und unerträglich. ,Kants Argumente konnte man nicht widerlegen, aber mit ihren Folgerungen zu leben, war für den klassischen Entwurf der Philosophie unerträglich. So wurde das grandiose Abenteuer des deutschen Idealismus gewagt.'[16]

In der Tat, ein wenig unbefriedigt war ich immer über diese Rettung der Freiheit vor dem Zugriff des Naturalismus. Denn schließlich ist diese Freiheit ja von dieser Welt, mit dieser Natur, in der es Sonne, Mond und Sterne gibt, in einer Welt, die lange Zeit von den Dinosauriern beherrscht war, in der sie durch ein zufälliges Ereignis um ihre Existenz gekommen sind. Müßten wir unsere Freiheit nicht in Verbindung bringen mit der Erscheinungsweise dieser Welt, mit dem, wie sie uns als unbelebte und belebte Natur entgegentritt?

Das wäre jetzt mein dritter Satz, mein Lieblingsstück. Diese Erkenntnis will ich zu erläutern versuchen. Darauf gründe ich mein Leben: ,Die Freiheit Gottes und des Menschen ist direkt nicht anschaubar, sie zeigt sich in der Welt im Schattenspiel von Zufall und Notwendigkeit.'

Zunächst einmal heißt Schattenspiel, was von Kants Einsicht unaufgebbar richtig ist: Direkt ist Freiheit nicht anschaubar. Ich kann Ihnen die Entstehung des Gedankens erzählen. Ich habe Leibniz ein bißchen studiert, ich habe Einstein studiert, Laplace, und eben diesen zeitgenössischen Biologen Kenneth Miller. Es ergibt sich der folgende merkwürdige Befund: Man kann Gott mit der Determination in der Natur beweisen wollen – es scheint, Leibniz wollte so verfahren – einfach dadurch, indem er sagt: Seht euch doch die Zuverlässigkeit der Naturgesetze an, die Gesetze sind nichts anderes als die Sorge Gottes für seine Welt. Andererseits gab es von Laplace bis hin zu dem tragischen Einstein den Gedanken, es müsse in der Welt alles deterministisch zugehen und deshalb gäbe es keinen lebendigen Gott, weil ja alles nach Notwendigkeit abläuft. Das ist die widersprüchliche Folgerung auf der Seite der Notwendigkeit. Auf der anderen Seite hat zum Beispiel Jacques Monod mit dem Zufall, der in seinem Weltbild eine große Rolle spielte und der ihm sein Objektivitätsideal zerstört hat, im Namen dieses Zufalls dem Sinn des Lebens eine Absage erteilt. Monod leugnet mit dem Zufall den Sinn, und dieser Miller findet mit dem Zufall den Sinn. Er preist ihn emphatisch: ,Leider vermögen nur wenige Theologen das Ausmaß zu erfassen, wie sehr die Physik die Religion vor den Gefahren der Newtonischen Vorhersagen gerettet hat. Ich vermute, sie wissen nicht, wenigstens jetzt noch nicht, wer ihre wahren Freunde sind. – I suspect that they do not

---

[16] Carl Friedrich von WEIZSÄCKER: *Zeit und Wissen*. München: Hanser, 1992. – 1184 S.; 531.

know (at least not yet) who their true friends are!'[17] Wie geht das zu? Was ist mit dieser vierfachen Überkreuzwirkung los?

Ein merkwürdiges Ergebnis: Mit der Notwendigkeit kann man Gott beweisen und widerlegen, und mit dem Zufall kann man Gott beweisen und widerlegen. Da ist doch irgend etwas durcheinander geraten, und das seit Jahrhunderten. Läßt sich das in Ordnung bringen?

Wenn in dieser Welt für mich, für Sie, für die Menschen, Freiheit möglich sein soll in einfacher, endlicher Form, dann muß zum Beispiel das Gravitationsgesetz gelten, sonst würden die Regalbretter, die ich hier berühre, nicht liegen bleiben; sie würden anfangen zu schweben, wenn plötzlich die Gravitationskonstante auf Null springt, was uns hindern würde, in den Regalen die dazu bestimmten Bücher unterzubringen. Ich bin sehr glücklich, weil auch hier in Neversdorf das Gravitationsgesetz so verläßlich und in der gleichen Stärke gilt wie in Paderborn. Ich habe mich sehr an das Gravitationsgesetz gewöhnt und könnte ohne seine Zuverlässigkeit nicht leben. Es fördert meine Freiheit und Ihre Freiheit, es erlaubt uns, die Taten zu vollbringen, die wir uns vorgenommen haben. Dazu brauchen wir die kausale Notwendigkeit.

Ich bin zugleich über das Gegenteil glücklich, weil das newtonische Gravitationsgesetz nicht das einzige Gesetz ist, das die Natur beherrscht; es gibt auch das gegenteilige Gesetz, welches das mechanische Gesetz aufhebt, das ist Quantentheorie. Im Modell von Newton soll alles mechanisch notwendig sein, das ist richtig. Aber es ist eben nur ein Modell, ein deterministisches Modell, es hat noch nicht ganz die Wirklichkeit erreicht, die wegen der Heisenbergschen Unbestimmtheit auch gar nicht erreichbar ist. Ich sehe zugleich mit der Notwendigkeit den Zufall in der Natur wirken, der sowohl in der Physik, wie auch noch mehr in der Biologie eine große Rolle spielt. Das heißt, ich bin in dieser Welt sowohl Mitspieler wie auch Zuschauer. Dazu brauche ich beides: Ich muß die Gesetze dieser Welt handhaben können, und ich selbst darf nicht ganz von diesen Gesetzen beherrscht werden.

Als ich den Punkt erreicht hatte, habe ich tief durchgeatmet. In der Welt müssen Gesetze herrschen, notwendige Gesetze, doch sie dürfen nicht vollständig herrschen, und es muß der Zufall herrschen, der noch nicht die Freiheit ist, aber seine Voraussetzung ist, wie auch die Notwendigkeit nicht allein herrschen darf, die ebenfalls eine Voraussetzung der Freiheit ist.

Jetzt fragen mich die Leute immer: Ja, was ist denn mit der Freiheit? Bin ich frei, weil Zufälliges geschieht? Dann bin ich doch nicht frei, das ist doch bloß ein Zufall, dann hat nur ein Neuron in mir gefeuert, dadurch bin ich doch nicht frei! Es ist recht schwierig, die innere Umwandlung zu vollziehen, um das Falsche in dieser Frage zu erkennen. Ich kann nur indirekt sagen: Die Freiheit zeigt sich als Bedingung, genauso wie sie sich zeigt, wenn sie existieren würde, nämlich in den Naturwissenschaften als Zufall und Notwendigkeit. Mehr kann man darüber nicht sagen.

---

[17] Miller (s. Anm. 6), 204.

Jetzt können wir sogar anfangen, mit jedem Gehirnforscher in den Ringkampf zu treten, der die Freiheit meint mit wissenschaftlichen Mitteln bestreiten zu müssen. Nun kann man fragen, welche Freiheit? Es scheint mir, wenn ich mit Leuten darüber spreche, die haben immer den Gedanken des Ausschließlichen: Entweder bin ich unendlich frei oder ich bin überhaupt nicht frei: Aut Caesar aut nihil. Das ist der Wahnsinn, der die Diskussion um die Grundlagen der Freiheit durchzieht. Wir haben endliche Freiheit, wir sind gebunden an die Natur, nur eben nicht vollständig. Ein paar verrückte Philosophen wie Hegel und Nietzsche haben allerdings von endloser Freiheit geträumt; und ihre Schüler haben gemeint, wenn unendliche Freiheit nicht möglich ist, dann lieber gar keine Freiheit. Heute abend müssen Sie alle ins Bett gehen, Sie haben keine Chance, nicht schlafen zu gehen, und wenn Sie mit Gewalt wach bleiben wollen, schlafen Sie morgen umso mehr. Sie können natürlich ein bißchen variieren. Das eben ist das Leben der endlichen Freiheit. Es ist der Wahnsinn der Neuzeit, ihr Titanismus, diese Endlichkeit nicht wahrhaben zu wollen: Wenn man schon nicht unendlich frei sein kann, dann will man eben unendlich unfrei sein – das ist der Witz. Es mag eine unendliche Freiheit geben, aber die, würde ich dann sagen, ist die Bedingung, unter der wir hier stehen. Wir haben endliche Freiheit, das kann man relativ gut sagen, und es mag diese Endlichkeit der Reflex einer unendlichen Freiheit sein, und dann kann man vielleicht sogar das Göttliche so ansprechen, als etwas, das Freiheit nur gebären kann auf diese Weise, wenn es selbst frei ist.

Ich habe jetzt nicht die Welträtsel gelöst, Sie können das von einem Provinzprofessor auch nicht verlangen. Zum Beispiel würde mich sehr interessieren, warum es diese unendliche Vergeudung von Energie da im Kosmos gibt – das fragt mich Herr Dr. Redeker immer wieder, der kann sich gar nicht damit abfinden. Das Weltall ist so wahnsinnig leer, keine menschenähnlichen Wesen darin, welch ungeheure Vergeudung von Raum und Zeit, sagt er dann. Ich weiß auch nicht, warum das so ist. Ich würde sagen, erstaunen können Sie auf jeden Fall, wenn Sie die zeitliche Erstreckung betrachten. Das Universum in den ersten Milliarden Jahren konnte kein Leben und Bewußtsein tragen, weil die entsprechenden chemischen Elemente gar nicht vorhanden waren. Später auf der Erde hat es viereinhalb Milliarden Jahre gedauert, bis zum Schluß das bewußte Leben erschienen ist. Mark Twain gebraucht folgendes Bild – und das Bild ist immer noch richtig: Stellt euch vor, das Alter des Universums – 13,7 Milliarden Jahre – soll jetzt die Höhe des Eiffelturms sein. Wißt ihr, wie lange es Menschen gibt? Die Menschenzeit entspricht der Dicke der Farbe auf dem obersten Knopf des Pariser Turmes. Solange gibt es den Menschen, nicht länger. Er ist eine ungeheuer seltene zeitliche Erscheinung, und da würde es mich nicht wundern, wenn er auch eine ungeheuer seltene räumliche Erscheinung wäre.

Ob dieser gewaltige Aufwand notwendig ist, um Freiheit zu begründen? Ich weiß es nicht. Vielleicht läßt sich meine Methode vereinfachen. Allerdings meine ich, auf gewisse Weise den Freiheitsgedanken des Geistes mit der Naturwissenschaft verbunden zu haben. Im 20. Jahrhundert hat sich viel getan, was eine Versöhnung von Geist und Natur möglich macht, was allerdings erst bei wenigen Leuten ins

Bewußtsein gedrungen ist. Angesichts von Zufall und Notwendigkeit kann man verzweifelt sein und sagen: Alles ist Unsinn. Sie können sich allerdings in Freiheit auch für das Gegenteil entscheiden, für den Sinn, die endliche Freiheit im Horizont unendlicher Freiheit, das ist vielleicht noch sinnvoller, mutiger auf jeden Fall. Ich danke Ihnen.

Frederick Van Fleteren

Augustinus und das *Corpus spirituale*

Übersetzung aus dem Englischen von Oliver Motz und Rebekka Thiel

Kurzinhalt – Summary:

Inkarnation und Auferstehung sind die zwei hauptsächlichen Streitpunkte zwischen Augustinus und den Neuplatonikern. Die Differenzen bezüglich der Inkarnation waren ihm von Anfang an bewusst, während er bzgl. der Auferstehung schrittweise zur Erkenntnis der Unterschiede kam. Im folgenden wird dokumentiert, wie sich Augustins Denken über die Natur des Auferstehungsleibes entwickelte.

Augustine's two chief quarrels with Neoplatonism lie in the incarnation and resurrection. Augustine realized the differences on incarnation from the beginning, but only gradually came to realize the nature of the differences concerning the resurrection. In what follows, Augustine's evolution on the nature of the resurrected body is clearly documented.

Im Jahre 412 n. Chr. bemerkt Augustinus in einem Brief an seinen Freund, den römischen Tribun Marcellinus, dass er beabsichtige, auf sein gesamtes Werk prüfende Rückschau zu halten.[1] Augustinus ist sich sehr deutlich bewusst, dass sein Denken und seine Auffassungen Ergebnisse einer Entwicklung sind, und dass sich seine Meinungen manchmal verändert haben. Er will sein Werk für die Lektüre späterer Generationen vorbereiten.[2] Mit der Durchführung dieses Vorhabens begann Augustinus erst 427 n. Chr. und starb noch während der Durchsicht seiner Briefe. Seine Predigten hat er nie systematisch rezensiert. Die *Retractationes* sind vor kurzem als Augustinus' zweite *Confessiones* bezeichnet worden.[3] In den *Retractationes* überprüft Augustinus seine Werke in der Reihenfolge, in der er sie zu schreiben begonnen hat. Unsere mangelnden Kenntnisse von Anzahl, Zustand und Varianten seiner Manuskripte sowie des antiken Buchwesens überhaupt täuschen oft über den gewaltigen Umfang dieser Aufgabe hinweg. Für jeden einzelnen Fall beschreibt Augustinus die Ausführung, gibt den Zweck der Arbeit an und untersucht einzelne Texte. Anmerkungen, Verbesserungen und Erklärungen finden sich in erster Linie zu solchen Texten, die sich auf Positionen von Pelagius, Caelestius und Julian von Eclanum beziehen. Augustinus ist darum bemüht, seine frühen Arbeiten im Hinblick auf seine letztgültige Haltung zum Verhältnis zwischen Freiheit und Gnade zu berichtigen oder zu erläutern. In zweiter Linie werden Texte zur Bibel im Licht einer verbesserten Wissenschaftlichkeit korrigiert; Exegesen wer-

---

[1] *Epistula*, 143.
[2] Siehe z.B.: M. VESSEY: *Introduction* In: *Augustinian Studies* 2 (1999), 1–26.
[3] Brian STOCK: *Augustine the Reader*. Cambridge, 1996, 11.

den rezensiert und überarbeitet. Zusätzlich zu diesen beiden Schwerpunkten wird noch Texten einer anderen Kategorie Beachtung geschenkt: jenen, welche auf die griechisch-römische Philosophie Bezug nehmen. „Auch das Lob, durch welches ich Platon oder die Platoniker sowie die akademischen Philosophen in einem Maß erhoben habe, wie es ungläubigen Menschen nicht gebührt, missfällt mir nicht zu Unrecht, zumal die kirchliche Lehre gegen deren große Irrtümer zu verteidigen ist."[4] In den Texten dieser dritten Kategorie wird der Erlösung des Menschen besondere Aufmerksamkeit gewidmet. Das Wesen der Auferstehung und des *corpus spirituale* ist Gegenstand dieser Auseinandersetzung.

Augustinus wusste aus der manichäischen Eschatologie nichts über die Auferstehung. Die Manichäer glaubten an Reinkarnation;[5] die materielle Welt werde in einer 1468 Jahre dauernden großen Feuersbrunst enden. Danach würden alle lichthaften Teile in das Königreich des Lichts eingehen. Die stoffliche Welt werde nicht gerettet. Dementsprechend war die manichäische Christologie doketisch: Christus habe keinen echten Leib. Seine Geburt, sein Leiden und sein Tod seien eine Art Magie gewesen, seine Auferstehung eine reine Erfindung.[6]

Im Jahr 386 und noch einige Zeit danach, ja in einem Gewissen Sinne sein ganzes Leben hindurch, hatte Augustinus die Tendenz, in den wichtigsten Punkten eine Übereinstimmung zu sehen zwischen den christlichen Heilsvorstellungen und dem Aufstieg der Seele zu Gott, wie er in den *libri Platonicorum* zu finden ist.[7] Bei diesem Aufstieg ist das Verhältnis zwischen Leib und Seele des Menschen von entscheidender Bedeutung: Im größten Teil der griechischen Philosophie und besonders in der platonischen Tradition hindert die Materie den Geist am Erwerb von Wissen. Der menschliche Leib hindert den menschlichen Geist daran, Wissen über die erkennbare Welt und letztlich die Schau Gottes zu erreichen. Das menschliche Heil besteht in einer Flucht der Seele aus dem Leib. Unter einem biblischen Blickwinkel jedoch – besonders im Neuen Testament – ist die Auferstehung des Leibes integraler Bestandteil der Errettung des Menschen. Nur schrittweise wurde sich Augustinus dieses Unterschiedes und seiner Auswirkungen auf eine christliche Philosophie bewusst. Seine Haltung zu diesem Problem durchlief einen grundlegenden Entwicklungsprozess von seinen frühen Arbeiten bis zu seiner letzten Position in *De civitate dei* XXII. Augustinus vertrat verschiedene Ansichten bezüglich des Wesens des auferstandenen Leibes. Er studierte in dieser Angelegenheit kirchliche Autoren und schob eine abschließende Betrachtung immer wieder hinaus. Seine letzte Position, die er vorläufig und behutsam vorbringt, lässt Raum für zukünftige Spekulationen. In der Tat ist in der Dogmengeschichte nur die bloße Tatsache einer letztendlichen Auferstehung des Leibes festgelegt; die Frage nach

---

[4] *Retractationes*, I,1

[5] *Contra Faustum*, V,10.

[6] *Contra Faustum*, XXIX,2.

[7] *Confessiones*, VII,ix,13.

dessen genauer Gestalt bleibt offen. Augustinus' Aporien bezüglich dieses Themas sind im Anschluss an ihn gerechtfertigt worden.

Man kann die Entwicklung von Augustinus' Haltung zum Auferstehungsleib in den *Retractationes* nachvollziehen. Dabei können fünf Perioden unterschieden werden: Cassiciacum und Mailand (386–387); von Rom über Tagaste bis in die frühen Jahre in Hippo (388–392); Hippo (393–396); Hippo (397–426); Hippo (426–430).

Porphyrius: *omne corpus fugiendum*

In Cassiciacum (vom Herbst 386 bis zum Winter 387) scheint sich Augustinus des Problems der Auferstehung nicht bewusst zu sein – er erwähnt sie an keiner einzigen Stelle. Am ehesten berührt sie noch ein Zitat aus dem ersten Korintherbrief (15,54) *mors absorbetur in uictoriam*, das Teil des Eröffnungsgebetes zu den *Soliloquia* ist.[8] Bei Paulus ist der Kontext die Auferstehung; in den *Soliloquia* geht es um die Unsterblichkeit der Seele. Der Schluss von *De beata vita* (November 386) besagt, dass die menschliche Glückseligkeit in der Anschauung des dreieinen Gottes liege.[9] In seinem Kommentar zu *De beata vita* von 427 kritisiert Augustinus seine frühere Position zu der Frage, wie eine Schau Gottes zu erreichen sei und in welchem Zustand sich der Leib befinde. „Es missfällt mir […], dass ich gesagt habe, es wohne zu Lebzeiten das selige Leben nur in der Geistseele des Weisen, ganz gleich, in welchem Zustand sein Leib sei, während der Apostel die Hoffnung auf vollendetes Wissen von Gott, wie es denn auch für den Menschen kein größeres geben kann, mit dem ewigen Leben verbindet, welches allein ein „seliges Leben" zu nennen ist, wo der unverwesliche Leib seinem unsterblichen Geist ohne jegliche Unstimmigkeit unterstellt ist."[10] 386 war Augustinus der Meinung, der menschliche Geist könne eine abschließende Schau Gottes schon in diesem Leben erreichen.[11] Diese Schau vollzieht sich in der Seele des Weisen, unabhängig vom Zustand des Leibes. Sehr viel später meint er, eine solche Schau sei im Vollsinn erst im nächsten Leben möglich, wenn dem menschlichen Geist ein unvergänglicher Leib unterstellt sein wird.[12] Dieser Text in den *Retractationes* enthält den Kern von Augustinus' Selbstkritik an seinen früheren Positionen zur Schau Gottes und zum Auferstehungsleib.

In seinem Kommentar zu den *Soliloquia* I,xiv,24 revidiert Augustinus den Satz *penitus omnia sensibilia fugienda*.[13] Dieser Satz, der eine Reminiszenz an Porphyrius' *omne corpus fugiendum* ist, könnte in verschiedener Hinsicht bedeutungsvoll sein:

---

[8] *Soliloquia*, I,1,3.
[9] *De beata vita*, IV,35.
[10] *Retractationes*, I,2; vgl. zum Beispiel *De beata vita* II,14; cf 1 Kor 15,44ff.
[11] Siehe auch *Retractationes*, I,iv,3; vgl. *Soliloquia*, I,vii,14.
[12] Vgl. 1 Kor 15,53.
[13] *Retractationes*, I,iv,3.

eschatologisch, verstandesmäßig und asketisch.[14] Augustinus kritisiert Porphyrius häufig dafür, dass dieser die Auferstehung leugnet, – tatsächlich ist Porphyrius Augustinus' Gegner in *De civitate dei* XXII. In den *Soliloquia* arbeitet Augustinus an einem Bild, das an das Höhlengleichnis aus dem siebten Buch der *Politeia* erinnert. Es dient Augustinus zur Rechtfertigung eines Programms intellektueller Läuterung auf dem Weg der freien Künste, durch welches die Schau Gottes erreicht werden soll. Diese Lehre steht in Verbindung mit dem Konzept *omne corpus fugiendum*, welches seinerseits durchweg im Zusammenhang mit der Zurückweisung des Auferstehungsgedankens steht.[15]

Andere Verbesserungen der Dialoge von Cassiciacum in den *Retractationes* heben auf den Platonismus und die Auferstehung ab. Augustinus bedauert seinen früheren Gebrauch des Ausdrucks *sensus corporis* und will ihn durch *sensus corporis mortalis* ersetzt wissen. Der Ausdruck findet derart häufig Verwendung, dass Augustinus eine werkübergreifende Korrektur vornimmt.[16] Wenn der junge Augustinus diesen Ausdruck gebraucht, so geschieht dies nicht unabhängig von der Vorstellung *omne corpus fugiendum*. Während einer beträchtlichen Zeit zögerte Augustinus, dem Auferstehungsleib eine Rolle bei der finalen Schau Gottes zuzugestehen. Schlussendlich entschied Augustinus, dass die menschliche Sinnlichkeit auf irgendeine Weise – wenngleich in eingeschränktem Sinne – an dieser Schau teilhaben und den „neuen Himmel und die neue Erde" sowie Gott als ihren Schöpfer über die Sinne des *corpus spirituale* erkennen werde. Das ist der Grund, weshalb Augustinus seinen Gebrauch der Formel *sensus corporis* in seinen frühen Werken berichtigt.

Später bereut Augustinus seine allzu leichtfertige Angleichung des platonischen *mundus intelligibilis* und des „neuen Himmels und der neuen Erde" aus der Offenbarung des Johannes (21,4).[17] Seit der Zeit seines Übertritts zum Glauben hielt Augustinus an der Existenz ewiger Wahrheiten fest. Den Himmel als eine intelligible Sphäre aufzufassen, in der reine Geistwesen reine Ideen erkennen, führt jedoch zu Schwierigkeiten für den Auferstehungsleib.[18]

Rom, 388 – Hippo, 393

Während seines Romaufenthaltes im Winter 387–388 begann Augustinus seine Schrift *De moribus ecclesiae catholicae et de moribus manichaeorum*, die bei sei-

---

[14] Pierre HADOT: *Citations de Porphyre chez Augustin (à propos d'un ouvrage récent)*. In: REAug 6 (1960) 205–244. Hadot unterscheidet die eschatologische und die asketische Bedeutung. Ich habe die verstandesmäßige hinzugenommen.

[15] Siehe Predigt CCXLI, passim; *De civitate dei*, X,29; XII,27; XIII,17; XIII,19; XXII,12; XXII,26.

[16] *Retractationes*, I,i,2;I,iii,2; I,iv,2; *Contra Academicos*, I,i,3; *De ordine*, I,i,2; *Soliloquia*, I,i,3. In *Retractationes* I,26, hebt Augustinus eigens hervor, dass der Auferstehungsleib das Unveränderliche spüren wird.

[17] vgl. Is 65,17;66,2.

[18] *Retractationes*, I,iii,2; *De ordine*, I,xi,32.

ner Rückkehr nach Afrika (wohl 389) vollendet und redigiert war. Er behandelt dort die vier bürgerlichen Tugenden.[19] Die Tugend der Mäßigung sichert Integrität und Unverdorbenheit. Sie hält den Menschen von Begierden zurück, die ihn von Gott abwenden. Über solche Zurückhaltung erreicht er Glückseligkeit, den Sitz der Wahrheit. Menschliche Glückseligkeit liegt im beständigen Genuss von Wahrheit. Bei Paulus ist das Begehren die Wurzel allen Übels.[20] Im Alten Testament ist die Lüge das Symbol dieser Sünde. Augustinus zitiert dann aus dem ersten Korintherbrief (15,22). „Denn gleichwie in Adam alle sterben, so werden auch in Christus alle lebendig gemacht werden." Das sind große Mysterien. Die Pflicht der Mäßigung besteht darin, den alten Menschen abzustreifen[21] und den neuen anzunehmen, sich des irdischen Leibes zu entledigen und das Bild des himmlischen zu tragen.[22] Augustinus drückt sich weiterhin mit den Worten Porphyrius' aus: Alles Sinnliche ist zu verdammen und hat einen Nutzen nur für das diesseitige Leben.

Als nächste Tugend wird der Mut in den Blick genommen, welcher dem Menschen Stärke verleiht angesichts des Verlustes irdischer Güter. Die stärkste Bindung der Seele ist die Bindung an den Leib. Die Seele fürchtet, diese im Tod zu verlieren. „Durch die Macht der Gewohnheit liebt sie nämlich jenen [den Leib] und verkennt dabei, dass, sofern sie ihn gut und weise gebrauchte, seine Auferstehung und Neugestaltung durch [menschliche] Anstrengung und göttliches Gesetz ihn mühelos der Satzung der Seele unterstellen werden." Hier besteht die Rolle der Tugend darin, den Menschen zur Glückseligkeit in diesem Leben zu führen. Tatsächlich ändert Augustinus in den *Retractationes* (I,vii,4) diese Passagen dahingehend, dass sie nicht auf das diesseitige Leben zielen. Diese erste Erwähnung der Auferstehung bei Augustinus bezieht sich auf die Fähigkeit der Seele, die Leidenschaften des Leibes zu kontrollieren, um Glückseligkeit in diesem Leben zu erlangen.

Ein zweites Mal findet die Auferstehung in *De quantitate animae* Erwähnung,[23] und zwar in einem ähnlichen Zusammenhang. Die Seele hat die höchste Stufe der Kontemplation erreicht, eine Stufe, wie sie von großen und unvergleichlichen Seelen im diesseitigen Leben erreicht wurde und wird. „Wir werden auch Veränderungen und Phasen dieser Leibnatur sehen, wenn sie den göttlichen Gesetzen dient, so dass wir auch die Auferstehung des Fleisches, welche teils säumiger teils überhaupt nicht geglaubt wird, solchermaßen für sicher halten, dass uns auch nicht sicherer ist, dass die Sonne, wenn sie untergeht, auch wieder auftauchen wird." Ein solcher Mensch wird den Tod nicht fürchten. Über das Wesen dieser Auferstehung erfährt man nichts.

Augustinus begann die Arbeit an *de musica* bei seiner Rückkehr nach Mailand aus Cassiciacum und vollendete die Schrift bei seiner Rückkehr nach Afrika.[24] Wie-

---

[19] *De moribus*, I,xix,35–xxv,47.
[20] 1 Tm 6,10.
[21] Kol 3,9–10.
[22] 1 Kor 15,47–49.
[23] XXXIII,76.
[24] *Retractationes*, I,6.

der wird die Auferstehung im Zusammenhang mit dem Aufstieg der Seele angesprochen.[25] „Jene Gesundheit [des Körpers] aber wird denn auch die kräftigste
und sicherste erst dann sein, wenn unser Körper zu der ihm bestimmten Zeit
und Ordnung wiederhergestellt sein wird zur ehemaligen Festigkeit (*pristina sta-
bilitate*), sobald seine Wiederaufrichtung völlig verstanden heilsam geglaubt wird.
Es ist nämlich nötig, dass die Seele sowohl von oben geleitet wird, als auch nach
unten leitet." Bei der Durchsicht seines Werkes bereut Augustinus seinen Verweis
auf die Auferstehung als eine Rückkehr in den Zustand der ersten Menschen im
Paradies.[26] Zuvor dachte Augustinus von der Auferstehung, sie führe zurück in
den paradiesischen Zustand Adams. In *De musica VI* sowie in *De moribus I* hatte
Augustinus die Auferstehung im Hinblick auf die bürgerlichen Tugenden erörtert.
Diese Texte bezüglich der Bedeutung von Tugenden in der geläuterten Seele versteht man am besten, wenn die Seele einen solchen Zustand schon in diesem Leben
erlangen kann.[27] Augustinus' Ziel war es, das Alte und Neue Testament mit der
griechisch- römischen Philosophie in Einklang zu bringen. Zur Entstehungszeit
der *Retractationes* jedoch hatte er die Einsicht gewonnen, dass der Auferstehungsleib kein von einer „anima" bestimmtes „animal" sein würde, sondern ein von
einem „pneuma" beseeltes spirituelles Wesen. Die Auferstehung ist keine Rückkehr
ins Paradies. Zwar wird der „spirituelle" Leib wie Adam weder unter Krankheit
noch Alter leiden. Anders jedoch als Adam wird der Auferstandene keine Nahrung
benötigen. Er wird von einem Geist allein belebt, aufgerichtet in einem lebendigen
Geist. Dieses Verständnis ist direkt beeinflusst von 1 Kor 15,45 und 1 Petr 3,18.[28]
In *De Musica* hatte Augustinus zuvor geschrieben: „Die Seele aber wird in ihrer
Weise besser, je mehr sie die Zahl des Leibes entbehrt, je mehr sie sich von den
körperhaften Sinnen abwendet und verwandelt wird im Sinne göttlicher Weisheit
und ihrer Zahlen."[29] Dies kann als eine weitere Form des *omne corpus fugiendum*
gelesen werden. In den *Retractationes* versichert uns Augustinus, dass in einem
zukünftigen Leben individuelle Körper existieren und wahrnehmbar sein werden.
In diesem Leben lässt seine eigene Schwäche dem Menschen die materielle Sinnlichkeit hinderlich werden bei der Kontemplation des vernünftig Erkennbaren. In
einem zukünftigen Leben jedoch wird die menschliche Seele nicht derart schwach,
sondern der Leib wird ihr untergeordnet sein. Der Mensch wird die materielle Welt
so erfassen, dass er nicht von der Kontemplation der Weisheit abgelenkt sein wird.
Die menschliche Seele wird nicht besser, weil ihr ein Leib fehlt.[30]

De vera religione (390) enthält Verweise auf die historische Auferstehung Christi
und die endgültige Auferstehung des Menschen. Augustinus' Kommentare erhellen

---

[25] *De musica*, VI,v,13.
[26] *Retractationes*, I,xi,3.
[27] *De musica*, VI,xv,50–xvi,55.
[28] *Retractationes*, I,ix.
[29] *De musica*, VI,iv,7.
[30] *Retractationes*, I,ix.

frühere Aussagen und nehmen spätere Positionen vorweg. Im Vorwort[31] finden sich eine Reihe christlicher Lehrsätze, die zunächst Gegenstand des Glaubens und später höchste Gewissheiten sein sollen: Christi Auferstehung von den Toten und die Wiedererweckung der Leiber (*corporum resuscitatio*). Etwas später beschreibt Augustinus einen Zustand in diesem Leben, wo der Mensch, befreit von irdischer Begierde, an Gott Erfüllung finden, ihn auf vollkommene und seinen Nächsten sowie sich selbst auf spirituelle Weise lieben wird. Nach dem Tod wird die ursprüngliche Stabilität des Leibes wiederhergestellt, die er in einer von Gott gefestigten Seele erhalten wird, belebt von der Tätigkeit des dreieinen Gottes.[32] Christi Auferstehung von den Toten zeigt, dass kein Teil des Menschen vergehen soll, und dass Gott alle Dinge bewahrt hat.[33] Alles dient dem Schöpfer, entweder zur Bestrafung der Sünde oder zur Befreiung des Menschen. Ein Leib wird ohne Mühe der Seele unterworfen, wenn diese Untertan Gottes ist. Die Seele, Abbild Gottes und ihm unterstellt, wird ohne Schwierigkeiten über einen unverdorbenen, neu gestalteten Leib herrschen.[34] An späterer Stelle wird unterschieden zwischen einem tugendhaften Leben im Diesseits und dem Leben nach dem Tod. Diejenigen, welche Wissen begehren sowie Handlungsfreiheit und ein Leben frei von Wollust, werden diesen Zustand erreichen und kosten, wie süß der Herr ist.[35]

Nach dem irdischen Leben wird dieser Zustand vollendet. Dort wird das Wissen vollständig und nicht nur partiell sein.[36] Der Friede wird vollkommen sein, und absolut die Gesundheit, da eine Regung der Glieder nicht mehr wider eine Regung des Geistes streiten wird.[37] Bei seiner Nachbearbeitung von *De vera religione*,[38] will Augustinus die Rückkehr zum ursprünglichen Gleichgewicht als eine Rückkehr in den Zustand des ersten Menschen verstanden wissen, als Adam einen fleischlichen Leib hatte, der nicht alterte. Der Auferstehungsleib jedoch wird mehr besitzen. Er wird seine Lebensenergie nicht aus Nahrung, sondern vom Geist beziehen und wird aus diesem Grund „geistig" genannt werden (*corpus spirituale*). Für das Jahr 391 bestehen keine Zweifel bezüglich Augustinus' Haltung zur Auferstehung. Auferstehung bedeutet die Unterordnung des Leibes unter die Seele, die sich in diesem Leben zum Teil, zur Vollendung aber erst im nächsten Leben vollziehen wird.[39]

In *Contra Fortunatum*[40] spricht Augustinus über die Erlösung des Menschen vom Gesetz der Sünde durch Gnade. Eben dieses Fleisch, das uns strafend quält,

---

[31] *De vera religione*, VIII,14.

[32] *De vera religione*, XII, 24–25; cf, Röm 8,11.

[33] *De vera religione*, XVI,32.

[34] *De vera religione*, XLIV,82; vgl. Mt 22,30, 1 Kor 6,13, Röm. 14,17.

[35] Ps 33,9.

[36] 1 Kor 13,9ff.

[37] *De vera religione*, LIII,103; Röm 7,22ff.

[38] *Retractationes*, I,xiii,4.

[39] In *De utilitate credendi* XV,33 führt Augustinus an, dass Christi Tod und Auferstehung uns lehren, keine Angst vor dem Tod zu haben.

[40] *Contra Fortunatum*, XXII.

während wir in Sünde verharren, wird uns in der Auferstehung unterworfen werden und uns nicht feindlich anfallen, solange wir das Gesetz und die Vorschriften Gottes achten. Bei der Nachbearbeitung dieser Passage[41] merkt Augustinus an, dass die göttlichen Gebote nach der Auferstehung nicht länger der Schrift entnommen werden müssen, weil wir sie durch die vollendete Liebe Gottes erhalten werden. Aus diesem Kommentar kann geschlossen werden, dass Augustinus 392 offensichtlich glaubte, der Zustand der Auferstehung, in dem das Fleisch der Seele untertan ist, könne bereits in diesem Leben eintreten.

Während dieser Phase (387–392) ringt Augustinus mit der Frage nach dem Aufstieg der Geistseele zu Gott schon in diesem Leben. Wenn eine solche Gottesschau möglich sein soll, so darf sie vom menschlichen Leib nicht behindert werden. Adam lebte in solcher Ansehung, doch er fiel davon ab.[42] Folglich muss der Auferstehungsleib demjenigen Adams vor dem Fall gleichen. Er ist in einem Zustand der Tugend, in dem er die Seele nicht an ihrer Schau Gottes hindert. Dieser Zustand wird im nächsten Leben vollendet werden. Hierfür gibt es in der Literatur keine Quelle – diese Lehre geht allein auf Augustinus zurück.

Hippo (393–396)

393 war Augustinus, nunmehr Priester, von Aurelius gebeten worden, vor dem Bischofskonzil in Hippo über das Glaubensbekenntnis zu sprechen. Die bloße Tatsache, dass ein Priester vor Bischöfen eine Rede hielt, ganz gleich wo und worüber, wäre revolutionär gewesen. Dies galt natürlich besonders, wenn es vor dem Konzil geschah und das Glaubensbekenntnis betraf. Diese Ansprache ist in *De fide et symbolo* erhalten. Das so entstandene Werk markiert einen Einschnitt in Augustinus' Gedanken bezüglich der Auferstehung des Leibes: Zum ersten Mal beschäftigt er sich mit dem Wesen – weniger mit dem Zustand – des Auferstehungsleibes. Christi Auferstehung findet nur beiläufig Erwähnung,[43] wohingegen die Auferstehung der Menschen am Ende der Zeit beträchtlichen Raum einnimmt. Die natürliche Ordung sähe vor, dass der menschliche Geist (*spiritus*) oder die Geistseele (*mens*) Gott und die Seele dem Geist unterstünde. Diese natürliche Ordnung ist durch den Sündenfall gestört. Bei der Wiederherstellung dieser Ordnung wird auch der Leib in seiner ihm eigenen Natur wiederhergestellt. Diese Neuordnung wird nicht sofort geschehen, doch sie wird am Ende der Zeit stattfinden. Zeitgenössische Einwände gegen den Gedanken an eine Auferstehung von manichäischer bzw. porphyrianischer Seite gründeten auf dem Prinzip des natürlichen Ortes:[44] Ein irdischer Leib kann keinen

---

[41] *Retractationes*, I,xvi,2.

[42] Siehe zum Beispiel *De Genesi contra Manichaeos*, II,iv,5– v,6.

[43] *De fide et symbolo*, V,11f.

[44] Siehe *De civitate dei*, XXII,2ff. Augustinus' Gegner ist hier in erster Linie der Porphyrius aus Kata Chrstianos. In De fide et symbolo X,25, spricht Augustinus von nonnulli philosophi die behaupten, aus dem Prinzip des natürlichen Ortes folge, dass kein irdischer Leib im Himmel existieren könne,

Platz im Himmel einnehmen. Diesem Einwand hält Augustinus eine Auslegung von
1 Kor 15,40 entgegen: *alia caro pecorum, alia volucrum, alia piscium, alia serpentum;
et corpora caelestia et corpora terrestria.* Dies bedeute, dass nach der Auferstehung
kein Fleisch, sondern einfache, lichte Leiber (*corpora simplicia et lucida*) existieren
würden. Paulus nennt diese Leiber „spirituell",[45] andere nennen sie „ätherisch".
Dieser Wandel wird sich *in ictu oculi*[46] vollziehen, nicht stufenweise, sondern eher
so wie eine Flamme zu Rauch wird. Das *corpus spirituale* wird nicht aus Fleisch und
Blut bestehen. In diesem Sinne interpretiert Augustinus 1 Kor 15,50 „Fleisch und
Blut können das Reich Gottes nicht erben".[47] Sobald er von der Zeit befreit ist,
wird der Mensch die Ewigkeit unverfälscht genießen. Augustinus bezeichnet diese
Veränderung als „engelhaft".

In etwa zur gleichen Zeit versucht Augustinus in *De sermone domini in monte,*
die Vorstellung vom Aufstieg der Seele mit der Schrift in Einklang zu bringen. Biblische Verfügungen werden mit den Begriffen der Aufstiegslehre ausgelegt. In diesem
Zusammenhang beschäftigt sich Augustinus mit dem Zustand des menschlichen
Leibes. Die Apostel und andere erlangten die Schau Gottes bereits in diesem Leben.
Daran hat der Leib sie nicht gehindert. „Selig, die ein reines Herz haben; denn
sie werden Gott schauen. Selig, die Frieden stiften; denn sie werden Söhne Gottes
genannt werden."[48] Dieser Vers aus dem Matthäusevangelium bedeutet, dass der
Mensch die Schau Gottes in diesem Leben erreichen kann, solange der Leib nicht
gegen den Geist aufbegehrt, um diese Schau zu stören. Die Apostel waren in solch
einem Zustand,[49] der demjenigen des Auferstehungsleibes vergleichbar ist. Später[50]
legt Augustinus das Vaterunser aus: Bei der Erläuterung der zweiten Bitte *adveniat
regnum tuum,*[51] schlägt Augustinus vor, dass Gott in Wirklichkeit immer herrscht,
der Satz besagt also „zeige dich den Menschen". Bei der Auferstehung wird die
Glückseligkeit in Gänze vollendet werden, durch ein unmittelbares Einfließen des
Lichts, so wie es jetzt bei den Engeln ist.[52] Um diesen Zustand beten wir jetzt.
Mit der Auslegung der dritten Bitte *fiat voluntas tua sicut in coelo et in terra* fährt
Augustinus in mehrfacher Hinsicht fort: Entsprechend seiner zweiten Interpretation[53] kann *coelum* als „Geist" und *terra* als „Fleisch" gelesen werden. Legt man
diese Bedeutungen zu Grunde, kann die dritte Bitte im Licht von Röm 7,25 interpretiert werden: *Mente servio legi Dei, carne legi peccati.* In diesem Fall würden
wir darum bitten, dass sich unser Leib in diesem Leben dem von Gott berührten

---

wenngleich (though) ein Leib in einen anderen verwandelt werden kann. In ‚De civitate dei' werden
Porphyrius ähnliche Einwände zugeschrieben.

[45]   1 Kor 15,44.

[46]   1 Kor 15,52.

[47]   *De fide et symbolo,* X, 24–25.

[48]   Mt 5,8; 5,9.

[49]   *De sermone domini in monte,* I,iv,12.

[50]   *De sermone domini in monte,* II,iv15–xi,39.

[51]   *De sermone domini in monte,* II,vi,20.

[52]   In resurrectione erunt sicut angelis in coelis (Mt 22,30).

[53]   *De sermone domini in monte,* II,vi,23.

Geist nicht widersetzen möge, so wie auch der Auferstehungsleib sich dem von Gott berührten Geist im nächsten Leben nicht widersetzt. Dieser Zustand könnte also offensichtlich in diesem Leben erreicht werden. In den *Retractationes* berichtigt Augustinus diese Position.[54] Seine veränderte und endgültige Auslegung von Röm 7,7–7,25 ist ihm zuvorderst im Sinn.[55] Der Kampf des Fleisches gegen den Geist bleibt im Menschen *sub gratia*. Der Mensch kann den Kampf in diesem Leben erfolgreich führen, einen Sieg jedoch wird es erst in der perfekten Harmonie von Leib und Seele im nächsten Leben geben.[56] Auch die Apostel erreichten den dauerhaften Zustand einer Schau Gottes ohne Behinderung durch den anfälligen Leib erst im nächsten Leben. Augustinus verfeinert seine Vorstellung vom Unterschied zwischen dem Auferstehungsleib und demjenigen Adams im Paradies. Obgleich er unsterblich war, ernährte sich Adam im Paradies. Ernährung ist keine Strafe für Sünde.[57] Der Auferstehungsleib bedarf nicht der Nahrung.

Contra Adimantum (394) repräsentiert eine weitere Phase der Entwicklung von Augustinus' Sicht auf den Auferstehungsleib. Augustinus behandelt das *corpus spirituale* mit einiger Ausführlichkeit. Der Auferstehungsleib Christi wird zu einem Modell für den Auferstehungsleib am Ende der Zeit.[58] Augustinus entwickelt seine Gedanken vor dem Hintergrund von Deuteronomium 12,23, einem Verbot, Blut zu verzehren, da das Blut eines Tieres wie dessen Seele sei. Verschiedene Manichäer hatten aus diesem Text mancherlei Einwände gegen die Auferstehung abgeleitet. Indem sie 1 Kor 15,50 wörtlich nahmen, „Fleisch und Blut können das Reich Gottes nicht erben", kamen sie zu dem Schluss, dass keine Seele in den Himmel eingehen könne. Die Manichäer hatten diese Paulusstelle als biblische Rechtfertigung für ihre Leugnung der Auferstehung herangezogen.[59] Dem hält Augustinus als ein erstes entgegen, dass es in der Bibel keine Beschreibung menschlicher Seelen aus Blut gibt, dies wird lediglich von tierischen Seelen behauptet. Also steht dieser Text nicht im Widerspruch zu einer Auferstehungslehre, ungeachtet der manichäistischen Lehre, nach welcher Menschen in Tieren wiedergeboren werden.[60] Die Vorschrift, kein tierisches Blut zu verzehren, kann als Symbol interpretiert werden, gerade so

---

[54] *Retractationes*, I,xix,1.
[55] Siehe Frederick VAN FLETEREN: *Augustine's Evolving Exegesis of Romans 7,22–23*. In: *Augustinian Studies* 1 (2002) 89–114. Siehe T. MARTIN: *Miser ego sum. Augustine. Paul and the Rhetorical Moment*. Northwestern University, Garrett-Evangelical Theological Seminary, Dissertation (Ann Arbor: University Microfilms, 1994). Die Exegesegeschichte von Röm 7 ist eine Aufgabe für sich. Jeder bedeutendere Vertreter der westlichen Theologie seit Augustinus hat sich mit dieser Stelle befasst. Im Hinblick auf die Entwicklung, die Augustinus Exegesetätigkeit durchläuft, ist anzumerken, dass einer Änderung von Augustinus' theologischer Position nicht zwangsläufig sofort Korrekturen verschiedener Bibelexegesen folgen. Dieser Vorgang vollzieht sich stufenweise und kann Jahre in Anspruch nehmen.
[56] *Retractationes*, I,xix,9; vgl. Augustinus' Kommentar zu Expositio quarundam propositionum ex epistula Apostoli ad Romanos 41–46 in *Retractationes* I, xxiv,2.
[57] *Retractationes*, I.
[58] Vgl. *Epistula*, XCV.
[59] *Contra Adimantum*, XII,5.
[60] Augustinus hebt im Anschluss zu einer Polemik gegen die manichäistische Version der Wiedergeburt an; *Contra Adimantum*, XII,2.

wie Brot ein Symbol für den Leib Christi ist: Die Seele ist im gleichen Sinne Blut, wie der Stein Christus ist.[61] Paulus erklärt einige Symbole aus dem alten Testament, doch lässt er andere Passagen übrig, die noch nach den gleichen Regeln zu interpretieren sind. Augustinus erläutert ein weiteres Mal Kor 15,50.[62] Adimantus – so seine Klage – hat das Pauluszitat aus dem Zusammenhang gerissen. Hinter eine Wiedergabe der gesamten Stelle[63] schreibt Augustinus: „Seit der Leib unseres Herrn nach seiner Auferstehung in den Himmel aufgefahren ist und so eine himmlische Veränderung erfahren hat wie es seinem himmlischen Sitz geziemt, so hoffen wir auf dies für den jüngsten Tag." Nicht nur unsere Seelen, sondern auch unsere Leiber werden unsterblich sein. Der Auferstehungsleib wird nicht deshalb „spirituell" genannt, weil er kein Körper wäre, sondern weil er im Gegensatz zu seinem aktuellen Zustand ohne Verfall und Tod dem Geist unterstellt sein wird. Der Leib wird ein himmlischer sein, ohne Fleisch und Blut. Diese Bemerkungen sind aus wenigstens zwei Gründen bedeutsam: Erstens beschreibt Augustinus das *corpus spirituale* als einen himmlischen Leib. Zweitens wird der Leib Christi zum Modell für den Auferstehungsleib am Ende der Zeit erklärt.

In der *Expositio quarundam propositionum ex epistula ad Romanos* (festgehalten im Jahr 394 in Karthago) schreibt Augustinus in seinem Kommentar zu Röm 1,4, dass die Apostel das Geschenk des Geistes nach der Auferstehung Christi empfingen, und dass alle in ihm gekreuzigt und erhoben worden sind. Viel wichtiger ist jedoch, dass Augustinus – vielleicht zum ersten Mal[64] – bei seinem Kommentar zu Röm 3,20 eine vierfache Einteilung der Menschheitsgeschichte vornimmt: *ante legem, sub lege, sub gratia, in pace.*

Ante legem, vor dem Gesetz, folgt der Mensch der fleischlichen Begierde. Er widersteht ihr nicht, ja billigt gar die Sünde. *Sub lege*, unter dem Gesetz, ist der Mensch zwar den Verlockungen der Fleischeslust ausgesetzt, leistet jedoch Widerstand, wenngleich er überwältigt wird. *Sub gratia* folgt der Mensch weder der Fleischeslust, noch lockt sie ihn. Er widersetzt sich der Fleischeslust und überwindet sie durch göttliche Gnade. *In pace* gibt es keine fleischliche Begierde und so herrscht vollendeter Friede. Bald schon wird sich Augustinus' Verständnis der Stufen zwei und drei ändern: Auch Gottes Gnade zu erflehen ist ein Geschenk Gottes. Späterhin wird sich sein Verständnis der dritten Stufe noch einmal ändern: Das diesseitige Leben des Menschen kann nicht frei von Sünde sein. Die Berichtigungen, die Augustinus in den *Retractationes* (I,23) an der *Expositio* vornimmt, betreffen ausschließlich die initiative Rolle der Gnade bei der Erlösung des Menschen. Was uns hier interessiert, ist jedoch Stufe vier, *in pace*. Die Auferstehung ist die perfekte Vollendung von Stufe drei. Es wird keinen Kampf gegen die Fleischeslust mehr

---

[61] *Contra Adimantum*, XII,3; 1 Kor 10,4; vgl. Num 20,11.

[62] *Contra Adimantum*, XII,4.

[63] 1 Kor 15,39–50.

[64] Diese Einteilung findet sich auch in *Diversis quaestionibus* LXXXIII LXI und LXVI. Die verschiedenen Abschnitte dieses Werkes sind, wenn überhaupt, nur schwierig zu datieren.

geben, sondern vollendeten Frieden; es wird weder Begehren, noch den Willen zur Sünde mehr geben. Der Leib wird in einen himmlischen, ätherischen Zustand gesetzt sein. Es wird keinen Verfall und keine Getriebenheit mehr geben, sondern ewige Ruhe. Ein solcher Zustand ist im diesseitigen Leben nicht erreichbar.[65]

De diversis quaestionibus octoginta tribus (387–395) ist eine Zusammenstellung von Fragen, die über einen Zeitraum von acht Jahren (von Mailand 387 bis Afrika 395) an Augustinus herangetragen wurden. Das Wort *resurrectio* und seine Ableitungen bzw. Flexionsformen kommen in dieser Arbeit 22-mal vor. An einigen Stellen beziehen sie sich auf die Auferstehung Christi, an anderen auf Lazarus; wiederum andere auf die Auferstehung am Ende der Zeit. Augustinus vergleicht den Auferstehungsleib mit demjenigen eines Engels.[66] Ein solcher Leib wäre strahlend und ätherisch. Der spätere Augustinus hält diese Aussage für einen Irrtum. Der Auferstehungsleib wird trotz seiner Unverweslichkeit Glieder aus Fleisch und Blut haben.[67] Später[68] beschreibt Augustinus die Unterschiede zwischen dem Menschen *sub gratia* und dem Menschen *in pace*. *Sub gratia* ist der Mensch in Versuchung, widersteht jedoch der Sünde und besiegt sie; *in pace* finden wir Ruhe und ewigen Frieden. Denn der Leib, der sich uns nicht unterordnete, weil wir uns von Gott abgewendet hatten, wird uns nun in der Auferstehung unterstellt. Der Leib wird verändert sein, doch Augustinus erörtert die Natur des auferweckten Leibes nicht.[69]

In *De agone christiana* (396) behält Augustinus seine Auffassung von der himmlischen, d.h. ätherischen Beschaffenheit des Auferstehungsleibes bei.[70] Er bezeichnet den Leib Christi als wahrhaft menschlich. Es handelt sich um den Körper, der in das Grab gelegt wurde. Christus erschien Thomas in einem menschlichen Leib. Die Tatsache, dass Christus in diesem Leib Dinge tat, welche der Natur des menschlichen Leibes zu widersprechen scheinen, bedeutet nicht, dass der Auferstehungsleib Christi nicht menschlich gewesen sei. Es bedeutet, dass Christus Wunder vollbracht hat. Doch der Auferstehungsleib Christi dient noch nicht als Modell für das *corpus spirituale* am Ende der Zeit.

Augustinus ändert seine Exegese von 1 Kor 15,50 zum ersten Mal in *Contra Faustum* (401 a.d.). „Fleisch und Blut können das Reich Gottes nicht erben" bedeutet nun den Verfall des Fleisches, welches der Gerechte nach der Auferstehung nicht haben wird. In den *Retractationes*[71] kommentiert Augustinus seine veränderte Aus-

---

[65] Vgl. in der *Expositio Epistolae ad Galatas* 46 (394) den Kommentar zu Galater 5,17. Augustinus beschreibt den Zustand des Menschen in pace in der gleichen Weise. In der *Epistola ad Romanos inchoata Expositio* kommt Augustinus nicht über die einleitenden Verse hinaus. Vor dem Hintergrund von Röm 1,4, spricht er von Christus als dem ersten Menschen, der auferstehen wird, als Oberhaupt der Kirche und als die Exemplarursache für viele, die erlöst werden. Diese Arbeiten sind aus einem Guss.

[66] *Quaestio,* XLVII.

[67] *Retractationes,* I,xxvi,.

[68] *De diversis quaestionibus,* LXXXII LXVI.

[69] Vgl. *Retractationes,* I,xxvi.

[70] *De agone christiana,* XXXII,34.

[71] *Retractationes,* I,17; I,xxii,3; II,3

legung von 1 Kor 15,50 *caro et sanguis regnum dei possidere non possunt*. Er habe das Wesen des *corpus spirituale* falsch aufgefasst. Er glaubt nicht länger, der Auferstehungsleib werde ätherisch sein, sondern dass der Auferstehungsleib tatsächlich aus Fleisch und Blut bestehen werde. Sein Vorbild ist der Auferstehungsleib Christi, der betrachtet und berührt werden kann.[72] „Fleisch und Blut" bezeichnen in 1 Kor 15,50 entweder Menschen, die in Fleischeslust leben, oder aber die vergänglichen Leiber des Diesseits. Das Fleisch muss als *secundum corruptionem carnalem* und nicht als *secundum substantiam* verstanden werden. Es wird kein verwesliches Fleisch geben, aber es wird Fleisch geben. Nach einer alternativen Auslegung meint Paulus hier die Werke von Fleisch und Blut. Wer sich an diesen festklammert, wird das Himmelreich nicht erlangen. Für weitere Erläuterungen verweist Augustinus den Leser auf *De civitate dei* XXII.[73] In den *Retractationes* berichtigt Augustinus seine Haltung zur Auferstehungsfrage zum letzten Mal in II,3.

In *De fide et symbolo* hatte Augustinus den Übergang vom irdischen zum himmlischen Leib als engelhaft beschrieben.[74] Dies verweist beiläufig auf Matthäus 22,30 und Lukas 20,36. An späterer Stelle[75] sagt Augustinus, der Auferstehungsleib werde den Engeln hinsichtlich Unsterblichkeit und Glückseligkeit gleichen, nicht jedoch, was das auferstandene Fleisch anbelangt, da die Engel keine Leiber haben.

Hippo (397–426)

Die Schrift *De doctrina christiana* markiert einen klaren Fortschritt in Augustinus' Sicht auf die Auferstehung am Ende der Zeit.[76] Er glaubt noch immer, dass Fleisch und Blut das Himmelreich nicht erben werden, was unmöglich ist, aber er glaubt, dass der Leib nach dem Tod zum Zeitpunkt der Auferstehung in etwas besseres verwandelt werden wird. Augustinus bezieht sich dann auf 1 Kor 15,53: Der vergängliche Leib wird sich mit Unvergänglichkeit bekleiden und dieser sterbliche Leib mit Unsterblichkeit. Er wird weder Unruhe hervorbringen, noch unter Begierden leiden. Er wird sein Leben von einer glücklichen und vollkommenen Seele beziehen, die vollkommene Ruhe hält.[77]

Nach den *Confessiones* verfasst Augustinus eine Fülle antimanichäischer Werke. Das erste von diesen ist *Contra Faustum*. Die Frage der Auferstehung spielt eine gewisse Rolle bei Augustinus' Zurückweisung des Manichäismus – Die Manichäer leugneten die Wirklichkeit von Christi Fleisch und leugneten somit seine Auferstehung sowie jene am Ende der Zeit gleichermaßen. *Contra Faustum* zeigt einen

---

[72] Lk 24,39.
[73] Vgl. *Contra Adimantum*, XII,5.
[74] *De fide et symbolo*, X,24.
[75] *De civitate dei*, XXII,17.
[76] *De doctrina christiana*, I,xix,18–xx,19.
[77] Cf. *De doctrina christiana*, I,xxiv,24–25.

bedeutsamen Wandel in Augustinus' Denken über die Auferstehung.[78] Gemäß dem Evangelium ist Christus von den Toten auferstanden.[79] Zum ersten Mal ist Christus der exemplarische Fall menschlicher Auferstehung – Augustinus bezieht sich auf die ersten Verse des ersten Korintherbriefs.[80] Christus trug noch nach der Auferstehung seine Narben.[81] Unser Fleisch wird einen spirituellen Leib empfangen.[82] Augustinus verändert seine Auslegung von 1 Kor 15,50. Wir werden keinen neuen Leib empfangen, sondern unser diesseitiger wird verwandelt werden – Christi Transfiguration ist Vorbild dieser Verwandlung.[83] Paulus spricht von seinem Leib stellvertretend für alle, wenn er sagt „Dieser vergängliche Leib wird sich mit Unvergänglichkeit bekleiden und dieser sterbliche Leib mit Unsterblichkeit." Später[84] unterscheidet Augustinus zwei Bedeutungen von „Fleisch". In Lk 24,39 spricht Christus vom wirklichen Fleisch (*secundum substantiam*), dass sein auferstandener Leib Fleisch und Knochen habe. Die Substanz des Fleisches wird verändert sein. In 1 Kor 15,50 spricht Paulus vom Fleisch *secundum carnalem qualitatem corruptionis*. Verfall wird im zukünftigen Königreich keinen Platz haben. Die Art von Leib, die Christus nach seiner eigenen Auferstehung *in re* besaß, besitzen wir nun *in spe* und am Ende der Zeit ebenfalls *in re*. Zum ersten Mal wendet Augustinus Paulus' Unterscheidung von *in spe* und *in re* aus dem Römerbrief auf unsere Auferstehung an. Die historische Tatsache der Auferstehung Christi ist Gewähr für unsere eigene Auferstehung. Der jetzt fleischliche Leib setzt seine Hoffnung in spirituelle Dinge.[85]

Zwischen 400 und 426 spekuliert Augustinus oft über die Natur des Auferstehungsleibes Christi und denjenigen des Menschen nach der Auferstehung am Ende der Zeit. Eine abschließende Behandlung des Themas schiebt er jedoch immer wieder hinaus. Augustinus interpretiert das *lucifer* aus Hiob 38,32 vor dem Hintergrund von 2 Petr 1,19, um Christus als den ersten Menschen auszuweisen, der von den Toten auferstanden ist.[86] Die Kirche als sein Leib wird ihm bei der Auferstehung von den Toten nachfolgen.[87] Später behauptet Augustinus, dass alle in ihrem eigenen Leib auferstehen, die Gerechten aber in den engelhaften Zustand der Unvergänglichkeit übergehen werden.[88] In *De trinitate* schreibt Augustinus über die Auferstehung Christi, sie sei ein Zeichen (*sacramentum*) für die Auferstehung des inneren Menschen und ein Modell (*exemplum*) für die Auferstehung des äußeren

[78] *Contra Faustum*, XI,3
[79] 2 Tim 2,8.
[80] Vgl. *De catechizandis rudibus*, XXIII,42.
[81] Lk 24,39, vgl. 1 Kor 15,5.
[82] 1 Kor. 15,44.
[83] Mt 17,2.
[84] *Contra Faustum*, XI,7.
[85] *Contra Faustum*, XI,8.
[86] *Adnotationes in Iob*, 38.
[87] *Adnotationes in Iob*, 38.
[88] *De catechezandis rudibus*, XXVII,54; vgl. Lk 20,36.

Menschen.[89] Durch seinen Tod hat uns Christus die Furcht vor dem Tod genommen. Sein auferstandener Leib ist ein Musterbeispiel für die Auferstehung unserer Leiber. Am Ende der Zeit werden unsere Leiber vollständig und integer sein.[90]

In *De bono coniugali*[91] behandelt Augustinus den Übertritt von diesem Leben in das nächste. Ein solcher Übergang würde einen fleischlichen Leib in einen spirituellen überführen. Augustinus stellt Spekulationen bezüglich der Natur dieses spirituellen Leibes an. In *De Genesi ad litteram* kümmert er sich in gleicher Weise um dieses Thema. Nur sterbliche Leiber bedürfen der Nahrung.[92] Augustinus wusste, dass einige glaubten, Adam habe ursprünglich einen fleischlichen Leib gehabt, im Paradies jedoch einen spirituellen empfangen. Indem er 1 Kor 15,44–15,49 zitiert, äußert Augustinus daran Bedenken.[93] Zuerst kommt, was eine Seele besitzt (*animal* – fleischlich); dann kommt das Spirituelle. Adam hatte ursprünglich ein *corpus animale*; hätte er nicht gesündigt, so hätte er etwas Besseres erlangt, nämlich ein *corpus spirituale*. Im Paradies bedurfte Adam der Nahrung. Hunger ist das deutlichste Kennzeichen eines fleischlichen Leibes. Ein spiritueller Leib hingegen braucht keine Nahrung. Darüber hinaus berichtet die Schrift oft davon, dass Adam im Paradies sterben konnte. Dies kann nur der Wahrheit entsprechen, wenn er einen fleischlichen Leib hatte. Der fleischliche Leib, den der Mensch von Adam geerbt hat, stirbt unweigerlich. Eine endgültige Erneuerung besteht durch den Empfang eines spirituellen Leibes, welcher dem fleischlichen Leib, den Adam im Paradies besaß, bei weitem überlegen ist. Ein derartiger Leib wird den Menschen den Engeln gleich machen und unsterblich sein.[94] Bei der Verhandlung verschiedener Bedeutungen des Wortes „spirituell"[95] äußert sich Augustinus zur Natur des *corpus spirituale*. Dieser Leib wird sich der Seele bei jeder Handlung ohne Widerstand leicht unterordnen und niemals untergehen. Er wird vom Geist allein belebt, ohne jegliches Bedürfnis nach Nahrung; es wird nicht die Seele (*anima*) sein, die ihn belebt, weswegen er jetzt noch fleischlich (*animale*) genannt wird. Vollendete Glückseligkeit wird in der intellektuellen Schau Gottes liegen. Warum ist dann die Auferstehung des Leibes notwendig für die Glückseligkeit? Die menschliche Schau wird nicht rein spiritueller Natur sein, wie sie bei den Engeln rein spirituell ist, was an der natürlichen Anlage der Seele liegen mag, über einen Leib zu verfügen. Bei der Auferstehung erfährt der

---

[89] *De trinitate*, IV,iii,6. 2 Kor 4,6. Diese Analyse ähnelt derjenigen Bultmanns, der meinte, dass Christi Tod und Auferstehung symbolisch für Tode und Auferstehungen im Leben von Menschen stehe. Anders als Bultmann jedoch streitet Augustinus die Geschichtlichkeit von Christi Tod und Auferstehung nicht ab.

[90] Lk 21,18. In *De trinitate* II,xvii,29, verbindet Augustinus zum ersten Mal die Auferstehung Christi mit der Gerechtsprechung, die über uns gehalten werden wird (justification). (vgl. Rom 10,6; 4,25).

[91] II,2.

[92] *De Genesi ad litteram*, III,xxi,33.

[93] *De Genesi ad litteram*, VI,xix,30–xxviii,39.

[94] *De Genesi ad litteram*, VI,xxiv,35; vgl. Mt 22,30.

[95] *De Genesi ad litteram*, XII,vii,18.

spirituelle Leib die Vollendung seiner eigenen Natur: „Was der Seele Last war, wird nunmehr ihr Ruhm sein."[96]

In der *Epistula CII* ist die Auferstehung Christi, nicht jene des Lazarus, das Vorbild für die christliche Auferstehung. Das *corpus spirituale* kann essen, nicht jedoch aus Hunger. Christus erschien den Aposteln mit Narben, nicht Wunden, an seinem auferstandenen Leib, um zu zeigen, dass er der seinige und wirklich ein Leib sei. Diese Narben sind kein Zeichen der Schwäche, sondern seiner Herrlichkeit. In der *Epistula CXLVII* erwähnt Augustinus, dass wir nach diesem Leben den dreieinen Gott entweder mit dem Geist allein oder durch ein unaussprechliches Geschenk göttlicher Gnade, durch den spirituellen Leib schauen werden.

Das Hauptthema der *Epistula CXL* (etwa um 413) ist die Exegese des Psalms 21 und behandelt das Wesen der Gnade. Augustinus erwähnt die Auferstehung oft. Er erklärt teilweise, warum Christus das modellhafte Urbild für die menschliche Auferstehung am Ende der Zeit ist. Durch seine Auferstehung mahnt Christus den gläubigen Christen, Erdenglück zu Gunsten ewiger Glückseligkeit zu verschmähen. Indem er seinen Jüngern seinen auferstandenen Leib zeigte, zeigte er ihnen, was sie zu predigen und zu erwarten hatten. Wer erlöst zu werden wünscht, muss an die Auferstehung glauben. Jene, welche die Auferstehung predigten, erfuhren einen Tod, der dem seinigen glich. Sein Tod und seine Auferstehung sind Zeichen (*sacramentum*) eines Übergangs von der Sterblichkeit zur Unsterblichkeit.[97]

Epistula CXLVII hat die Schau Gottes zum Hauptgegenstand, im Diesseits wie im Jenseits. Augustinus spricht das Wesen der Teilhabe des Auferstehungsleibes an der letzten Schau Gottes an. Eine vollständige Beantwortung der Frage schiebt er auf.[98] Dennoch werden bestimmte Belange der Auferstehung herausgehoben. Für jene, die den auferstandenen Christus mit eigenen Augen gesehen haben, war seine Auferstehung von den Toten Frage des Wissens, nicht des Glaubens. Für spätere Generationen ist sie Gegenstand des Glaubens. Ambrosius zufolge[99] werden nach der Auferstehung des Leibes nur jene, die reinen Herzens sind, Gott schauen.[100] Der Auferstehungsleib wird unvergänglich, unsterblich und geistig sein. Wie Augustinus aus seinen eigenen Überlegungen weiß, denken einige, dass der Auferstehungsleib ein Geist sein werde. Augustinus ist dieser Auffassung abgeneigt, fällt jedoch kein Urteil. Er nimmt diese Position erneut in der *Epistula CXLVIII* ein, die sich an Fortunatianus, den Bischof von Sicca in Ostnumidien, richtet, welcher die Meinung der anthropomorphistischen Bischöfe vertritt. Der Brief ist eine Zusammenfassung von *Epistula CLXLVII*. Abgesehen von Ambrosius[101] hat Augustinus auch Hie-

---

[96] *De Genesi ad litteram*, XII,xxxvii,70.
[97] *Epistula*, CXL 9–10.
[98] *Retractationes*, II,41; *De civitate dei*, XXII.
[99] *Super Lucam*.
[100] *Epistula*, CXLVII XI,24.
[101] *Epistula*, CXLVII VI,18f.; Der Bezug auf *Super Lucam* II ist eindeutig: vgl. Lk 3,22.

ronymus,[102] Athanasius,[103] und Gregor[104] zu Rate gezogen. Augustinus geht der Frage nach, ob Gott durch die Augen des *corpus spirituale* gesehen werden kann, kommt jedoch zu keinem Ergebnis.

De civitate dei XXII (426)

Augustinus' letztes Wort über das *corpus spirituale* findet sich in *De civitate dei* XXII. In der Tat verweist Augustinus seine Leser in den *Retractationes* auf diese Stelle.[105] In *De civitate dei* XXII nimmt Augustinus Einwürfe in den Blick, die von Seiten der zeitgenössischen Wissenschaft gegen die Auferstehung vorgebracht werden.[106] Viele dieser Einwürfe ergeben sich aus Porphyrius' *Über die Philosophie der Orakel* und *Kata Christianos*.[107] Die vier Elemente haben ihren natürlichen Ort.[108] Das Prinzip des natürlichen Ortes gestattet auch den irdischen Leibern lediglich, an ihrem natürlichen Ort zu bleiben: auf der Erde.[109] Augustinus betrachtet mehrere natürliche Ausnahmen vom Prinzip des natürlichen Ortes und führt Gegenbeispiele aus der Natur an, die gegen das Prinzip des natürlichen Ortes als eine ausschließliche Norm in Anschlag gebracht werden können. Die Verbundenheit von Leib und Seele liefert Augustinus weitere Gegenargumente. Seelen (die ja Geister sind) beleben faktisch verschiedene irdische Körper. Könnte dann nicht ein irdischer Körper in den Himmel erhoben werden?[110]

Totgeburten und Todesfälle im frühen Kindesalter lassen Bedenken bezüglich des Zustandes ihrer Auferstehungsleiber laut werden. Mit aller Bestimmtheit schließt Augustinus Totgeburten in die Auferstehung ein. Was für die Leiber von Kindern gilt, sollte auch für die Leiber von Föten gelten. In allen Leibern sind die Kausalursachen ihrer möglichen zukünftigen Existenz angelegt. Der Schöpfer macht aus ihnen augenblicklich, was sie sonst schrittweise geworden wären. Wird die Gestalt des Leibes Christi das Maß eines jeden menschlichen Leibes sein?[111] Eph 4,13, *in virum perfectum, in mensuram aetatis plenitudinis Christi* kann entweder so verstanden werden, dass Christi Statur als junger Mann das Maß für den auferstandenen Leib

---

[102] In Isaiah III,1.

[103] Möglicherweise ,Adversus Arianos'.

[104] Es ist gut möglich, dass Augustinus an den falschen Gregor denkt. Den Mauristen zufolge ist das Wort *orientalis* in den Manuskripten gut bezeugt. Also könnte Augustinus auch Gregor Nazianzen meinen. *Sermo 49* in Gregors Werken ist eine Fälschung, und wird als ein Werk des Gregor von Elvira angesehen.

[105] *Retractationes*, II,xli.

[106] Athenagoras (*De resurrectione*) wendet den Fall ein, dass ein Mensch den anderen verspeist. Augustinus scheint diese Stellungnahme zu kennen, *De civitate dei*, XX,2; XXII,12.

[107] Vgl. *De civitate dei*, XIX,23 (1); XX,24 (1); XXII,25.

[108] *De civitate dei*, XXII,11; siehe auch *De fide et symbolo*, X, 24–25, das oben behandelt wurde.

[109] Cicero: *De re publica*, III, frag. 40.

[110] *De civitate dei*, XXII,4.

[111] Vgl. Eph 4,13; Röm 8,29.

darstellt, oder so, dass die Vollständigkeit Christi erreicht sein wird, wenn all seine Glieder mit ihm vereint sind. Die Größe des Leibes Christi wird nicht das Maß der Auferstehungsleiber sein. Vielmehr wird der Einzelne denjenigen Leib annehmen, den er als junger Mensch hatte (ein *iuventus* ist zwischen 30 und 45 Jahre alt), sofern er als ein älterer Mensch gestorben ist, oder aber denjenigen, den er gehabt hätte, wenn er älter geworden wäre. Röm 8,29, *conformes fieri imaginis filii tui*, muss sich auf den inneren Menschen beziehen.[112] Ganz gleich, in welchem Alter der Leib auferweckt wird, er wird keine Schwäche haben.

Noch interessanter ist das Geschlecht des Auferstehungsleibes. Auf der Grundlage von Eph 4,13 (*virum perfectum*),[113] haben manche gedacht, dass Frauen nicht in ihren eigenen, sondern in männlichen Leibern auferweckt würden.[114] *vir* kann jedoch als *homo* gelesen werden.[115] Augustinus meint, dass beide Geschlechter mit ihrem eigenen Leib auferweckt, dass diese Leiber jedoch keine Wollust kennen werden. Es wird Geschlechtsmerkmale, jedoch keinen Geschlechtsverkehr geben. Nach der Wiederauferstehung wird es keine Ehen, wohl aber Frauen und Männer geben. Da die Menschen mit einem Geschlecht geschaffen wurden, werden sie auch mit einem solchen auferweckt. Alle Mängel werden getilgt – die Natur bleibt erhalten. Das weibliche Geschlecht gehört zur Natur und ist kein Mangel. Jedes Geschlecht wird in seiner eigenen Schönheit wiederhergestellt. Keine Schönheit wird verloren gehen; keine Deformation wird übrig bleiben.[116] Das Problem, welches das Wachstum von Haaren, Fingernägeln und Leibesfülle aufwirft, wird in der gleichen Weise gelöst. Märtyrer werden ihre Narben aller Wahrscheinlichkeit nach behalten, da diese, wie diejenigen Christi, ihren Ruhm ausmachen und Zeichen der Tugend sind, nicht des Mangels. Bei der abschließenden Analyse gibt Augustinus zu – und wir schließen uns ihm an –, weder unmittelbares Wissen noch Erfahrung bezüglich des *corpus spirituale* zu besitzen.

Gegen Ende von *De civitate dei* XXII[117] schneidet Augustinus zu guter Letzt die Funktion des *corpus spirituale* bei der Schau Gottes an. Diese Frage hat ihn schon lange umgetrieben, und er hat sie immer wieder zurückgestellt. Sie ist das zentrale Problem. Die Bestimmung des Menschen ist Verzückung in der Betrachtung Gottes. Doch „Gottes Friede übersteigt jegliches Fassungsvermögen" (Phil 4,7), mit Sicherheit das menschliche und aller Wahrscheinlichkeit nach auch jenes der Engel, wenn freilich nicht das göttliche. Jeder Mensch soll auf seine eigene Weise an Gottes Frieden teilhaben. Elischa dient als ein Prophet der Gottesschau, da er, obwohl abwesend, sah, wie sein Diener Geschenke von Naaman dem Syrer erhielt. Elischa

---

[112] Röm 12,2.
[113] Eph 4,13; Röm 8,29.
[114] S. HIERONYMUS: *Ad Ephesos*, 5,29; *Adversus Iovinianum*, I,36 wo Hieronymus darlegt, dass es keine Geschlechter geben wird. Hieronymus beruft sich auf Origenes. Rufinus widerspricht Hieronymus' Meinung zu Origenes.
[115] Vgl. Ps. 112,1, wo das Gleiche gilt.
[116] *De civitate dei*, XXII,19.
[117] *De civitate dei*, XXII,29.

sah mit dem Herzen. Der Geist wird sich körperlicher Augen mittels des *corpus spirituale* bedienen. Der Erlöste wird durch seinen Geist fortwährend Gott schauen. Hiob sah Gott wahrscheinlich mit dem Auge seines Herzens.[118] Der gläubige Christ wird Gott zweifellos auf diese Weise erblicken.[119] Christus wird in seinem Leib zu sehen sein, wie er über die Lebenden und die Toten richtet. Die vielen Schriften zur Bibel, welche das Thema der Gottesschau zumindest streifen, interpretiert Augustinus so bzw. so könnte er sie interpretieren, dass sie vom Auge des Herzens handeln. Es gibt keinen biblischen Text über die Beteiligung des leiblichen Auges an der Gottesschau, der nicht mehrdeutig wäre. Manche Philosophen lehren, dass Geisthaftes nur Geisthaftes und Materielles nur Materielles erkennen könne. Dies ist jedoch nicht wahr. Der Geist, so auch Gott, vermag alles zu sehen, das Geisthafte wie das Materielle, ohne materieller Augen zu bedürfen. Aller Wahrscheinlichkeit nach wird der Mensch Gott mit den Augen des *corpus spirituale* unmittelbar und klar sehen, nicht *per speculum et in aenigmate*, sondern so, wie Gott in materiellen Dingen anwesend ist und dort waltet. Gott wird mit Sicherheit vom menschlichen Geist so gesehen werden, wie er wirklich ist, und in den Geschöpfen wird er mit dem Auge des *corpus spirituale* betrachtet. Wir werden einander vollkommen klar erkennen.

Als Beweis für die Auferstehung führt Augustinus Wunder an. Das größte Wunder von allen ist der Glaube der ganzen Welt an die Auferstehung. Die Wunder aus dem neuen Testament, welche die Apostel wirkten, bezeugen die Auferstehung.[120] Der Tod so vieler Märtyrer und die Wunder aus Augustinus' eigener Zeit bezeugen ebenfalls die Auferstehung.[121]

Fazit

Es ist offensichtlich, dass sich Augustinus' Position bezüglich des Wesens und der Rolle des Leibes bei der Auferstehung veränderte. Sie entwickelte sich ausgehend vom *omne corpus fugiendum* über die Vorstellung von einer Rückkehr zur ursprünglichen Harmonie, zu jener von einem *corpus spirituale*. In den *Retractationes* zielen Augustinus' Kommentare bezüglich des Auferstehungsleibes auf zwei Probleme: (1) Die Rolle des Leibes bei der Gottesschau (2) das Wesen des Auferstehungsleibes. Diese beiden Fragen sind miteinander verknüpft, Porphyrius ist Augustinus' Hauptgegner. Nach Augustinus besteht die Erlösung des Menschen in der Schau Gottes, bei welcher der Leib eine Funktion haben wird. Die ewige Schau

---

[118] Hiob 43,5–6 LXX.

[119] Mt 5,8, Dieser Text hat eine lange Geschichte in Augustinus' Denken, die bis zu *De sermone domini in monte* zurückreicht.

[120] *De civitate dei*, XXII,5; Acts 2,4–12; 3,1–11;5,15.

[121] *De civitate dei*, XXII,8–9. Augustinus Meinung zu Wundern ändert sich wegen jenen, deren Zeuge er wurde, als die sterblichen Überreste des Heiligen Stephanus, des ersten christlichen Märtyrers, in Hippo aufgenommen wurden.

werden nicht reine Geister in der Kontemplation reiner Ideen vollziehen. Nicht nur wird der Leib der Schau nicht im Wege stehen, sondern sogar an ihr beteiligt sein. Augustinus ist auch der Meinung, dass der Auferstehungsleib ein realer Leib aus Fleisch und Blut sein wird, nur eben belebt von einem *spiritus* anstelle einer *anima*. Der Mensch wird nicht einfachhin in seinen ursprünglichen Zustand vor dem Sündenfall zurückkehren. Obgleich aus Fleisch und Blut, wird der geistige Leib weder Hunger noch Wollust kennen und unvergänglich sein. Das Modell für das Verständnis des Auferstehungsleibes im nächsten Leben ist der Leib Christi nach seiner Auferstehung. Darüber hinaus findet Augustinus weder in der Schrift, noch in der menschlichen Vernunft eine Grundlage für etwaige weitere Spekulationen.

Augustinus überwindet die Leibfeindlichkeit, die sich bei vielen antiken Philosophen und Häretikern findet. [122] Seine Betrachtungen zum auferstandenen Leib, wie er in der Schrift auftaucht, brechen die Tradition des Platonismus. Der Leib ist nicht länger etwas, das überwunden werden muss. Sein Denken durchlief viele Stationen, und er rang sein ganzes Leben lang mit der Frage nach dem Wesen des *corpus spirituale*. Seine Schlussfolgerungen, so bescheiden sie auch sein mögen, sind seither nicht übertroffen worden.

---

[122] In *De haeresibus* betreffen 18 der dort aufgelisteten Häresien die Auferstehung Christi bzw. diejenige des Christen am Ende der Zeit.

Johannes Schelhas

Das Band mit Christus

Zur Aussage des neuen ökumenischen Dokumentes über die Taufe

Kurzinhalt – Summary:

Die Erklärung über die gegenseitige Anerkennung der Taufe, die elf Kirchen und kirchliche Gemeinschaften in Deutschland Ende
April 2007 unterzeichnet haben, bietet Gelegenheit, christologische und ekklesiologische
Aspekte christlicher Tauftheologie neu in den
Blick zu nehmen. Vor allem verdient die
ökumenische Implikation Beachtung, insofern in dem regional gültigen Dokument
gesagt wird, dass die Taufe die notwendige
Voraussetzung für ein nicht näher bestimmtes Grundeinverständnis darstellt, das unbe-
schadet der noch fehlenden Kircheneinheit
schon gegeben ist.

The declaration of the mutual acknowledge-
ment of baptism which eleven churches and
ecclesiastical communities signed in Ger-
many in April 2007 offers the opportunity
to take a look at christological and eccle-
siological aspects of Christian theology of
baptism once again. The ecumenical impli-
cation deserves special attention as far as the
document of regional validity says that baptism is the essential condition of a widely
accepted basic understanding (not particularly defined) although the unity of the
churches has not been realized yet.

Am 29. April 2007 unterzeichneten im Magdeburger Dom die Vertreter von
elf christlichen Kirchen in Deutschland eine Erklärung, in der sie wechselseitig
die Taufe der jeweils anderen Kirchen als gültig anerkennen. Folgende Kirchen
sind dies: Äthiopisch-Orthodoxe Kirche, Arbeitsgemeinschaft Anglikanisch-Epi-
skopaler Gemeinden in Deutschland, Armenisch-Apostolische Orthodoxe Kirche in Deutschland, Evangelisch-altreformierte Kirche in Niedersachsen, Evangelische Brüder-Unität – Herrnhuter Brüdergemeine, Evangelische Kirche in Deutschland, Evangelisch-methodistische Kirche, Katholisches Bistum der Alt-Katholiken
in Deutschland, Orthodoxe Kirche in Deutschland, Römisch-Katholische Kirche
und Selbständige Evangelisch-Lutherische Kirche. Die Initiative zu diesem Schritt
ging 2002 von Walter Kardinal Kasper aus, dem Präsidenten des Päpstlichen Rates
zur Förderung der Einheit der Christen. Für die beiden großen Kirchen in Deutschland bringt die Erklärung substantiell nichts Neues, hervorzuheben ist die Einbindung der zahlenmäßig kleineren Glaubensgemeinschaften in einen grundlegenden
Konsens.[1] Bewusst ausgeklammert wird die Verhältnisbestimmung von unsicht-
barer und sichtbarer Einheit in Jesus Christus. Sie ist ein Desiderat, das nachhaltig

---

[1] Der Text der Taufanerkennung (mit der Einteilung in die drei Absätze) findet sich unter
http://www.dbk.de/imperia/md/content/pressemitteilungen/2007-1/taufanerkennungstext.pdf (letzter Zugriff am 13.07.2007).

zur Lösung ansteht. Das Dokument ermuntert, den ökumenischen Diskurs redlich fortzuführen und die Argumente des Denkens stärker in der Ausrichtung auf Christus (vgl. 2 Kor 10,5) darzulegen.

1. Marginalien zum Wortlaut der Erklärung

Erster Absatz:

Dem Verb ,bedeuten' im dritten Satz ist eine Tendenz zur realsymbolischen Deutung der Taufe inhärent. Dies erstaunt im katholischen und orthodoxen Denken nicht, ist aber für jene Denominationen und Gruppen anzumerken bedeutsam, bei denen das sakramentale Verständnis der Taufe verloren gegangen war: in baptistischen, pietistischen, evangelikalen und pentekostalen Kreisen, in der von Karl Barth beeinflussten Theologie, aber auch in der liberalen protestantischen Theologie.[2] Allerdings haben Baptisten und Mennoniten (beides Freikirchen) diese Erklärung infolge der großen Vorbehalte gegen die Säuglingstaufe nicht unterschrieben. So bleibt konkret nur die vom frühen Pietismus geprägte Herrnhuter Brüdergemeine zu nennen, die in Deutschland eine Freikirche und der EKD assoziiert ist.

Was soeben zu ,bedeutet' gesagt ist, gilt analog für den Terminus ,Ausdruck' im zweiten Satz des zweiten Absatzes. Auch ,Ausdruck' steht in der Tendenz zur realsymbolischen Deutung der Taufe durch alle Unterzeichner des Taufanerkennungstextes.

Zweiter Absatz:

Die theologische Aussage von der Einsetzung des Sakramentes der Taufe durch Jesus Christus kommt zu Beginn des ersten Satzes des zweiten Absatzes in der Formulierung „nach dem Auftrag Jesu" indirekt zum Tragen.

Die Praxis der Wiedertaufe, die bei Einzelnen verbreitet oder auch nur gelegentlich praktiziert wird, ist mit dem Dokument überwunden, wie zu Ende des zweiten Absatzes erklärt wird.

2. „Neugeburt in Jesus Christus"

Die Aussage von der Neugeburt eines Menschen in Jesus Christus, die sich im dritten Satz des ersten Absatzes findet, hebt hervor, dass Jesus Christus selbst Urheber und Ursache der Taufe ist und somit als der eigentliche, der primäre Spender der Taufe angesehen werden kann. Augustin hat diesen Gedanken gegen die Donatisten, jene religiöse Bewegung des 4./5. Jahrhunderts, wonach die Wirksamkeit der

---

[2] Dazu: Walter KASPER: *Ekklesiologische und ökumenische Implikationen der Taufe.* In: Albert RAFFELT (Hrsg.): *Weg und Weite.* Festschrift für Karl LEHMANN. Freiburg i.Br.: Herder, 2001, 581–599, 596.

Sakramente von der persönlichen Heiligkeit des Sakramentenspenders abhängig sein soll, prägnant ausformuliert: „Alle, die ein Trunkenbold taufte, die ein Mörder taufte, die ein Ehebrecher taufte, taufte, wenn es die Taufe Christi war, Christus selbst." [3] Indem das Dokument die christologische Dimension hervorhebt und auf Christi Heilsbedeutung abhebt, tritt die Frage nach dem menschlichen Spender der Taufe und seiner Legitimation in den Hintergrund. Unter den in Deutschland zahlenmäßig großen Kirchen ist das Spektrum der Antworten und Begründungen hinsichtlich der Person, die die Taufe spendet, breit. Gemäß orthodoxer Auffassung – im Hintergrund steht ein epikletisches Verständnis der sieben Sakramente – muss dies der ordinierte Priester sein, [4] nach römisch-katholischer Auffassung braucht der menschliche Spender nicht einmal getauft zu sein, wenn er in der Absicht der Glaubensgemeinschaft tauft – dahinter steht die römische Position im Ketzertaufstreit. [5] Dass normalerweise die Amtsträger die Taufe spenden, bedarf keiner Vertiefung. Die Ablehnung eines besonderen geistlichen Standes in den Freikirchen kann hinsichtlich der Gültigkeit der Taufe übergangen werden, wenn Christus als der wahrhaft Taufende angesehen wird.

Im Hintergrund der Aussage von der neuen Geburt steht deutlich die Nikodemus-Perikope (vgl. Joh 3,3–8). Man wird die Aussage von der Neuschöpfung des Menschen in Christus (vgl. 2 Kor 5,17; Gal 6, 15) als Synonym der Aussage von der Neugeburt ansehen dürfen. Vor dem jüdischen Hintergrund wirft die Aussage von der Geburt in Christus die Frage nach der Beschneidung auf, insofern diese Geburt auch mit dem Volk Israel vereint. Für die in Christus wirksame Einheit „von Juden und Nichtjuden … ist die Beschneidung nicht der archimedische Punkt", [6] wie auch die Taufe allein die Einheit nicht restlos ausschöpft. Die nichtjüdischen Völker werden in Christus mit Israel, dem jüdischen Volk, verbunden. Die Veränderung des Initiationszeichens – Untertauchen im bzw. Übergießen mit Wasser anstelle der Beschneidung – rechtfertigt sich aus dem, was die Zugehörigkeit zum Volk jeweils begründet.

Bei der Deutung der Taufe ist es möglich, sowohl von der Geburt als auch von der Neugeburt eines Menschen in Jesus Christus zu sprechen. Gleichwohl kommt dem Term Neugeburt eine gewisse Präferenz zu, da er im Kontext der neutestamentlichen Rede von der Taufe bezeugt ist (vgl. Joh 3,3.7; 1 Petr 1,3). Demgegenüber ließe sich logisch einwenden, die Rede von der „Neugeburt in Jesus Christus" sei ein Pleonasmus. Formell kann dieser Einwand nicht entkräftet werden,

---

[3] Augustin: *Io. eu. tr.* V, 18 [ad Io I,33] (CC 36, 51f). Vgl. SC 7; vgl. *Formula Concordiae*, Solida Declaratio, VII, 76 (BSLK, 998, 44–46).

[4] Vgl. Hilarion Alfejev: *Geheimnis des Glaubens. Einführung in die orthodoxe dogmatische Theologie.* Fribourg: Academic Press, ²2005, 155.

[5] Vgl. DH 1315 („Dekret für die Armenier" 1439). 1617 (Dekret des Trienter Konzils über die Sakramente 1547).

[6] Hubert Frankemölle: *Frühjudentum und Urchristentum.* Stuttgart: Kohlhammer, 2006, 253; vgl. Georg Braulik: *Gab es „sacramenta veteris legis"?* In: Paul Zulehner; Hansjörg Auf der Maur; Josef Weismayer (Hrsg.): *Zeichen des Lebens. Sakramente im Leben der Kirchen – Rituale im Leben der Menschen.* Ostfildern: Schwabenverlag, 2000, 67–101.

aber der exzeptionelle Wert des Neuen rechtfertigt seinen Ausdruck. Die Taufe bewirkt eine „totale Existenzveränderung"[7] und ist die Innovation des Menschen, die komparativisch angemessen gedacht werden kann: „Jede Innovation kann viele Unterstützung von anderswoher erhalten, aber in der Tiefe ist sie nur möglich als immer größere und fruchtbarere Nähe zum Reichtum Jesu Christi, seiner Person, seines Wortes und seines ganzen Werkes."[8]

Die Formulierung von der Neugeburt des Menschen in Jesus Christus kraft der Taufe stellt innerhalb der katholischen, der orthodoxen und der protestantischen Sakramententheologie kein Novum dar. Sie erlaubt indes die christologische Fokussierung einer tauftheologischen Grundaussage und fügt sich in den christologisch-ekklesiologischen Duktus des Taufanerkennungstextes ein.

3. Das „Grundeinverständnis über die Taufe" „trotz Unterschieden im Verständnis von Kirche"

Die Taufe ist „ein" Zeichen der Einheit aller Christen. Katholischer- und orthodoxerseits kann man nicht sagen, dass die Taufe *das* Zeichen jener Einheit sei. Die Taufe ist als eines der beiden Hauptsakramente zwar die notwendige, aber noch nicht die hinreichende Voraussetzung der sichtbaren Einheit der Christen. Der Wert dieses Zeichens der Einheit wird vom Dokument sehr hoch eingeschätzt. Darin liegt die entscheidende Bedeutung des Taufanerkennungstextes. Diese Aussage kann als Zentralaussage des Textes angesehen werden. Die Taufe bedeutet ein Grundeinverständnis unter allen Getauften.

Man könnte fragen: Wird in der Formulierung „Trotz Unterschieden im Verständnis von Kirche besteht zwischen uns ein Grundeinverständnis über die Taufe" zu Ende des ersten Absatzes nicht eine Paradoxie ausgesagt, nämlich eine Konvergenz hinsichtlich der Sakramentalität der Taufe (oder wie im zweiten Satz des zweiten Absatzes formuliert wird: „des in Jesus Christus gründenden Bandes der Einheit") bei bestehender Divergenz hinsichtlich der intendierten Frucht und der sichtbaren Wirkung der Taufe? Bei der Antwort erweist sich die Blickrichtung als entscheidend. Schaut man der Formulierung der Glaubensbekenntnisse gemäß vom Heiligen Geist auf die Kirche und weiter auf die Taufe, könnte man angesichts der ökumenischen Diskurse einen theologischen Anachronismus konstatieren. Bedenkt man demgegenüber zunächst die christologische Dimension der Taufe, gelangt man sodann zu den ekklesiologischen Implikationen der Taufe. Auf dieser neutestamentlich vorgezeichneten Linie von der Taufe zur Kirche werden auch die Ausführungen des Zweiten Vatikanums verständlich. Im zweiten Kapitel der Dogmatischen Konsti-

---

[7] Ulrich WILCKENS: *Theologie des Neuen Testaments I/3*. Neukirchen-Vluyn: Neukirchener, 2005, 197.
[8] Karl LEHMANN: *Tradition und Innovation aus der Sicht des systematischen Theologen*. In: Wilhelm GEERLINGS; Josef MEYER ZU SCHLOCHTERN (Hrsg.): *Tradition und Innovation. Denkanstöße für Kirche und Theologie* [FS Hermann Josef POTTMEYER zum 65. Geb.]. Paderborn: Schöningh, 2003, 119–132: 124.

tution über die Kirche ‚Lumen gentium', das mit „Das Volk Gottes" überschrieben
ist und das die Kirche als „das neue Gottesvolk" bezeichnet (LG 9a), wird über das
Verhältnis von Taufe und Kirche Folgendes ausgesagt: „Mit jenen, die durch die Taufe
der Ehre des Christennamens teilhaft sind, den vollen Glauben aber nicht bekennen
oder die Einheit der Gemeinschaft unter dem Nachfolger Petri nicht wahren, weiß
sich die Kirche aus mehrfachem Grunde verbunden. Viele nämlich … empfangen
das Zeichen der Taufe, wodurch sie mit Christus verbunden werden" (LG 15). Im
Dekret über den Ökumenismus wird der Nexus zwischen Taufe und Kirche weiter
bedacht. Den nichtkatholischen Christen könne die Trennung von der „katholische[n] Kirche Christi" (UR 3e) nicht als Schuld angelastet werden. „Denn wer an
Christus glaubt und in der rechten Weise die Taufe empfangen hat, steht dadurch in
einer gewissen, wenn auch nicht vollkommenen Gemeinschaft mit der katholischen
Kirche" (UR 3a, vgl. 22). Für das Konzil ist die Taufe die notwendige Bedingung
für die Anerkennung der ekklesialen Qualität der nichtkatholischen Kirchen und
kirchlichen Gemeinschaften. Die Taufe ist die Grundlage dafür, dass die katholische
Kirche sich mit den nichtkatholischen Kirchen und kirchlichen Gemeinschaften in
einer realen, aber nicht vollen Gemeinschaft weiß, in der in Christus das Band der
Einheit wirksam ist. Aus dem Neuen Testament geht hervor, dass die Eingliederung
in das Band mit Christus nicht sofort vollständig erreicht wird.[9] Damit ist jedoch
nicht gesagt, dass sie erst im Eschaton erreichbar sei. Ist das „Endziel" des Lebens
aus der Taufe „das ‚ewige Leben' der endzeitlichen Heilsvollendung",[10] so markiert
das Eintreten in das Band mit Christus das Anfangsziel jenes Lebens aus der Taufe.

   An dieser Stelle muss noch auf ein nicht nur terminologisches Problem aufmerksam gemacht werden: auf die gegenüber dem konziliaren Gebrauch veränderte Rede
von den nichtkatholischen Kirchen und den kirchlichen Gemeinschaften. Inzwischen sollte es keiner Erwähnung mehr bedürfen, dass die aus der Reformation
hervorgegangenen „kirchlichen Gemeinschaften" (LG 15; UR 19) „ein neuer Typ
von Kirchen", „Kirchen eines anderen Typs" sind, „denen aus katholischer Sicht
Elemente, welche für das katholische Kirchenverständnis wesentlich sind, fehlen".[11]

---

[9] Martin Hasitschka: *Zusammenhang zwischen Taufe und Eucharistie. Neutestamentliche Perspektiven.*
   In: Silvia Hell; Lothar Lies (Hrsg.): *Taufe und Eucharistiegemeinschaft. Ökumenische Perspektiven und
   Probleme.* Innsbruck u.a.: Tyrolia, 2002, 9–18; 14 Anm. 8.

[10] Wilckens (s. Anm. 7), 200.

[11] Walter Kasper: *Situation und Zukunft der Ökumene.* In: ThQ 181 (2001) 175–190; 184f; vgl. dazu:
   Kurt Koch: *Dass alle eins seien. Ökumenische Perspektiven.* Augsburg: St. Ulrich, 2006, 48–57. –
   Die Erklärung „Zu einigen Aspekten bezüglich der Lehre über die Kirche" der Kongregation für die
   Glaubenslehre vom 10. Juli 2007 macht nochmals darauf aufmerksam, dass die Verwendung des Begriffs
   Kirche für die aus der Reformation hervorgegangenen „kirchlichen Gemeinschaften" aus *theologischen*
   Gründen nicht möglich ist. Kardinal Kasper hat in einem Statement am 11.07.2007 zu der Erklärung
   angemerkt: „Eine sorgfältige Lektüre des Textes macht deutlich, daß das Dokument nicht sagt, die
   evangelischen Kirchen seien keine Kirchen, sondern sie seien keine Kirchen im eigentlichen Sinn, d.h.
   sie sind nicht in dem Sinn Kirchen wie die katholische Kirche sich als Kirche versteht. … Wenn ich
   nach der Erklärung ‚Dominus Jesus' formulierte, die protestantischen Kirchen seien Kirchen anderen
   Typs, so war dies nicht … ein Gegensatz zu der Formulierung der Glaubenskongregation sondern der

Es wurde schon gesagt, dass die Taufe nur die notwendige, jedoch nicht die hinreichende Voraussetzung der sichtbaren Einheit der Kirche ist. Das Dekret über den Ökumenismus des Zweiten Vatikanums bindet die Überlegungen zu Taufe und Kirche an Christus, also in den christologisch-soteriologischen (und insofern dann auch ekklesiologischen) Kontext zurück. Es führt in dem gewichtigen Artikel 22 dazu aus: „Die Taufe begründet also ein sakramentales Band der Einheit zwischen allen, die durch sie wiedergeboren sind. Dennoch ist die Taufe nur ein Anfang und Ausgangspunkt, da sie ihrem ganzen Wesen nach hinzielt auf die Erlangung der Fülle des Lebens in Christus. Daher ist die Taufe hingeordnet auf das vollständige Bekenntnis des Glaubens, auf die völlige Eingliederung in die Heilsveranstaltung [salutis institutum], wie Christus sie gewollt hat, schließlich auf die vollständige Einfügung in die eucharistische Gemeinschaft" (UR 22b). Die so genannte Lima-Erklärung von 1982 des Ökumenischen Rates der Kirchen[12] argumentiert im Abschnitt Taufe, Nr. 14 Kommentar zu c) in die gleiche Richtung, wenn sie von der Bekräftigung bzw. Bestätigung der Taufe in der Eucharistie spricht. Wenn die Taufe als die notwendige Voraussetzung zum „Grundeinverständnis" zureicht, kann ein derartiges Grundeinverständnis durch die fehlende Kircheneinheit nicht mehr in Frage gestellt werden. Das Band der Taufe auf den Namen des dreifaltigen Gottes ist stärker und umfassender als das verloren gegangene Band der Einheit der Kirche des dreifaltigen Gottes. Für den aktuellen ökumenischen Diskurs aller Beteiligten kann somit gesagt werden, dass ein Rückfall hinter ein derartiges Grundeinverständnis unmöglich ist. Die Erklärung beschränkt sich an dieser Stelle auf ein Minimum, das den theologischen Einsichten der elf unterzeichnenden Kirchen gerecht wird. Die Rede vom Grundeinverständnis hat einen historisch-theologischen Haftpunkt in der neutestamentlichen Theologie. Das Tertium comparationis von Taufe und Kirche ist der Leib Christi. Seine Existenz „liegt allen konfessionellen Bekenntnissen" zu demselben „gewissermaßen voraus".[13] Die sacramenta maiora: Taufe und Eucharistie, deren Empfang ohne die Taufe unmöglich ist, müssen „unter der übergreifenden Thematik der Erfahrung des Geistes und der darin sich ausdrückenden Verbundenheit mit Christus" interpretiert werden.[14]

Im dritten Absatz des Taufanerkennungstextes wird auf die so genannte Lima-Erklärung von 1982 Bezug genommen. Das aus dem Abschnitt Taufe, Nr. 6 aufgenommene Zitat liest sich wie ein Appell, eben als „Ruf an die Kirchen", weitere Mühen auf dem Weg zur sichtbaren Einheit der Kirche in Angriff zu nehmen.

Versuch einer sachgemäßen Interpretation, an der ich festhalte" (www.oecumene.radiovaticana.org/ted/Articolo.asp?c=144081 [Zugriff am 11.07.2007]).

[12] Unter dem Titel: Taufe, Eucharistie und Amt. Konvergenzerklärungen der Kommission für Glauben und Kirchenverfassung des Ökumenischen Rates der Kirchen – veröff. unter demselben Titel: Frankfurt a.M.: Lembeck; Paderborn: Bonifatius, 1982; Nachdr. in: *Dokumente wachsender Übereinstimmung. Bd. I.* Hrsg. v. Harding MEYER u.a.: Frankfurt a.M.: Lembeck; Paderborn: Bonifatius, ²1991, 545–585.

[13] Lothar LIES: *Das Verhältnis von Taufe zu Eucharistie im 2. Vatikanischen Konzil.* In: Hell; Lies (s. Anm. 9), 35–61; 46.

[14] Hasitschka (s. Anm. 9), 18.

Dass die Taufe in den Leib Christi eingliedert, kann als wesentliche christologische Aussage des Taufanerkennungstextes angesehen werden. Die biblische Aussage ist theologisch motiviert, nicht oder nicht nur soziologisch. Dass der Text die Eingliederung in den Leib Christi nirgends als Kirche *bezeichnet* (und damit nicht nur hinter der in der angezeigten Referenz angedeuteten, freilich im Zitat hier ausgesparten christologisch-ekklesiologischen Sachaussage, sondern auch hinter dem neutestamentlichen Befund zurückbleibt[15]), ist als Schwäche anzumerken. Die sichtbare Gemeinschaft mit Jesus Christus „Kirche" zu nennen, bleibt unter den die Taufe wechselseitig anerkennenden Kirchen streitig. Und: Die entscheidende Frage der Einheit der katholischen Kirche Christi (vgl. UR 3e), die in der Eucharistie (im Abendmahl) sichtbar wird, ist mit der Aussage von der Eingliederung in den Leib Christi durch die Taufe indes noch nicht beantwortet.[16]

4. Das Band mit dem Volk Christi

Neben der Feststellung eines Grundeinverständnisses über das Band der Taufe in Christus verdient ein Zweites besonders hervorgehoben zu werden: die diachrone Spezifizierung dieses Bandes. Die Einheit aller Getauften mit Christus impliziert die Hineinnahme in das Volk Jesu Christi „aller Zeiten und Orte". Zunächst fällt auf, dass das Volk höchst ungewöhnlich näher bezeichnet wird, ohne seinen Namen und ohne die ethnischen Bestandteile zu nennen. Sondergleichen ist, dass im gesamten Text die theologische Kategorie „Bund" nicht in Erwähnung kommt.[17] Alle unterzeichnenden Kirchen bekunden die Vernetzung der Taufe nicht nur mit dem Leben,

---

[15] Auch im NT wird die sichtbare Gemeinschaft mit Jesus Christus „Kirche" genannt (vgl. z.B. 1 Kor 11,16; 10,32).

[16] Wie ein „Stachel im Fleisch" des Taufanerkennungstextes liest sich die Problemanzeige von Lothar Lies, der über den Zusammenhang von Taufe, Leib Christi und Eucharistie ausführt: „Das entscheidende Problem stellt sich in der Frage dar, wie sehr der mystische Leib Christi, in den die Taufe eingliedert, schon der wesenhaft hierarchisch strukturierte Leib ist, als der er in der Eucharistie als Volleingliederung in die Kirche sichtbar wird. Und so dreht sich das Problem um: Weil wir heute landauf landab eine minimalistische Tauftheologie vertreten und damit keine präzise Vorstellung von dem bieten, was wir mit ‚mystischem Leib Christi' bezeichnen, in den die Taufe eingliedert, können wir ‚leichtfertig' Taufen anerkennen. Nur haben wir dann bei der Zulassung der von uns durch die Taufe anerkannten Schwestern und Brüder [Korr. J.S.] zur Eucharistie ein Problem. Die grundlegende Verbindung von Taufe und Eucharistie ist nicht die Initiationshandlung, sondern die reale Kirche als mystischer Leib Christi" (s. Anm. 13), 57.

[17] Zur Sache und zum Begriff des Bundes in der Bibel: vgl. Norbert LOHFINK: *Der Begriff „Bund" in der biblischen Theologie*. In: ThPh 66 (1991) 161–176; Rolf RENDTORFF: *Israel, die Völker und die Kirche*. In: KuI 9 (1994) 126–137 – beide Autoren wenden sich gegen die Vorstellung vom Bund als Leitkategorie des biblischen Kanons. Demgegenüber: vgl. Erich ZENGER: *Die Bundestheologie – ein derzeit vernachlässigtes Thema der Bibelwissenschaft und ein wichtiges Thema für das Verhältnis Israel – Kirche*. In: DERS. (Hrsg.): *Der neue Bund im alten. Studien zur Bundestheologie der beiden Testamente*. Freiburg i.Br.: Herder, 1993, 13–49. – Zengers Intention geht aus dem Titel hervor; dazu auch die Rez. von Horst Seebass und die sich an ihr entzündende Gegenrede (Erich Zenger) sowie die Replik (Horst Seebass). In: ThRv 90 (1994) 265-278.

Sterben und Auferstehen Jesu Christi, seinem Wort und Werk, seiner Sendung und
nachösterlichen Gegenwart, sondern auch mit dem Volk Gottes aus Juden und Heiden – wie Paulus und Lukas den Volk-Gottes-Begriff gebrauchen – in der Zeit von
der Erschaffung der Welt bis zu ihrem letzten Tag. Anders als in ‚Lumen gentium‘,
Nr. 9, wo ante Christum Israel als Volk Gottes und post Christum die Kirche als
das neue Volk Gottes bezeichnet wird,[18] wird in diesem Dokument ein offenbar
bewusst nur wenig präzise bestimmter Volk-Begriff gebraucht. Der Sache nach
deckt er sich mit einem Volk-Gottes-Begriff, in dem Israel und die neubundliche
Heilsgemeinde, die Kirche, trotz aller Diskontinuität verbunden sind.[19] Man kann
also sagen: Das Band mit Christus fügt ein in das Band Gottes mit Israel. Die
Theologumena Israel und die Völker, *die* Juden und *die* Heiden, Israel und Kirche,
Judentum und Völkerkirche (aus Juden und Heiden), Abrahamskindschaft, Nicht-
Heil und Heil, Erlösung Israels, Zugehörigkeit zum Leib Christi und die nähere
Bestimmung derselben sowie die Frage nach den Anderen draußen werden damit
zu tieferer Klärung auf den Plan gerufen.

Die Gemeinschaft mit Christus, die durch das Band der Taufe entsteht, fügt die
Getauften in das Volk ein, das Gottes Eigentum ist (vgl. 1 Petr 2,9). Die nähere
Bestimmung als „Volk aller Zeiten und Orte" berührt die diffizil-komplexe Problematik der Kontinuität der um Jesus Christus entstandenen Glaubensgemeinschaft
mit Israel, dem Volk der Erwählung Gottes. Der Term „verpflichtet die christliche
Theologie zu einer Israel bejahenden Christologie".[20] Er impliziert des Weiteren
die Frage nach der Rolle des altbundlichen Israel in Bezug auf die anderen Völker,
nach Israels Stellvertretung, sowie die Frage nach der Kontinuität oder/und Diskontinuität zwischen Israel und der neubundlichen Glaubensgemeinschaft. Insofern
mit der Offenbarung Jesu Christi eine qualitativ neue Zeit der Geschichte Gottes
mit der Welt begonnen hat, wird insbesondere unter soteriologischem Aspekt eine
Verhältnisbestimmung von Neu und Alt virulent.[21] Dass das kurze Dokument

---

[18] Die Volk-Gottes-Aussagen über Israel und die Kirche in LG 9 werden vor dem Hintergrund der bis
zum Zweiten Vatikanum dominierenden Corpus-mysticum-Aussagen über die Kirche verständlich.
In dem späteren Konzilstext NA 4 findet sich eine Bestimmung des Verhältnisses der Kirche zu
Israel. Zum Volk-Gottes-Begriff von LG: vgl. Aloys GRILLMEIER: *Kommentar zum zweiten Kapitel der
Dogmatischen Konstitution über die Kirche.* In: *Das Zweite Vatikanische Konzil. Konstitutionen, Dekrete
und Erklärungen, lat.-dt..* Freiburg u.a.: Herder, 1966; 1986 (LthK² 12), 176–207; 176–180.

[19] Zum Vorzug der Auffassung, den Volk-Gottes-Begriff bei aller Differenzierung auf das alttestament-
liche Israel und auf die neutestamentliche Kirche anzuwenden: vgl. Gerhard LOHFINK: *Wie hat Jesus
Gemeinde gewollt? Zur gesellschaftlichen Dimension des christlichen Glaubens.* Freiburg i.Br.: Herder,
(1982) ³1984, 89–96. Zu der auch von Gerhard Lohfink favorisierten Rede von der Kirche als des
„wahren Israel": vgl. Ernst DASSMANN: *Die Kirche als wahres Israel.* In: ThZ 62 (2006) 174–192. Zur
Grenze der Auffassung, den Volk-Gottes-Begriff auf das ethnische Israel zu applizieren: vgl. Michael
THEOBALD: *Der Römerbrief.* Darmstadt: WBG, 2000, 268–271. Zum generellen Vorbehalt gegenüber
dem Volk-Gottes-Begriff zur Bestimmung des Verhältnisses Israel – Kirche: vgl. Erich ZENGER: *Israel
und Kirche im einen Gottesbund?* In: KuI 6 (1991) 99–114; 104–107.

[20] Helmut HOPING: *Einführung in die Christologie.* Darmstadt: WBG, 2004, 147.

[21] Vgl. Wilhelm GEERLINGS: *Alt und Neu. Kategorien zur Beschreibung des historischen Übergangs.* In:
Ders.; Meyer zu Schlochtern (s. Anm. 8), 57–61. Argumente für eine soteriologisch bedeutsame

diese Fragen nicht einmal stellt, wird man ihm nicht anlasten dürfen. Indirekt wird im ersten Absatz zum Ausdruck gebracht, dass Christi Tod und Auferstehung die universelle Glaubensgemeinschaft vereinen (vgl. Eph 2,11–22). Damit tritt der Gedanke der Kontinuität des Volkes Gottes, der christlichen Kirche „in einer bleibenden Kontinuität mit Israel, und zwar im Sinne der Ausdehnung der Erwählung Israels auf alle Völker",[22] stärker hervor, wird jedoch nicht näher expliziert. Das Neue, das mit Jesus Christus inkarnatorisch fassbar geworden ist, ermöglicht gerade die Universalität des Volkes Jesu Christi „aller Zeiten und Orte".

Dass das auf diese Weise bestimmte Volk nicht uniform ist, steht außer Frage. Das Dokument hat explizit alle Christen im Blick. Zu den Juden und ihren Nachbarn äußert es sich nicht. Somit bleiben auch jüdisch-christliche Differenzen hinsichtlich der Bedeutung Jesu Christi und der Messiasfrage unberücksichtigt. „Christen sind auf Christus bezogen, weil er sich ihnen als Heil der Welt erschließt. Juden sind von ihrem Glauben an Gott aus auf das Warten auf den Messias ausgerichtet."[23] Über das Fortbestehen des Schismas zwischen Christen und Juden im Eschaton ist damit nichts gesagt. Christen dürfen und müssen hoffen, dass Gott/Christus in Ewigkeit den von der Offenbarung im Dunkel gehaltenen „Schwebezustand" überwinden kann, in dem der Rest Israels resp. jenes Judentums, das sich nicht zu Christus bekehrt hat, verharrt. Das Band mit dem Volk Christi macht also eine diachrone Christologie erforderlich, in die die Volk-Gottes-Thematik integriert ist. Es wird zudem ekklesiologisch noch näher bestimmt.

5. Ein mittelbares Band

Das Band der Einheit, das in Jesus Christus gründet, ist ein mittelbares Band, kein unmittelbares. Diese Aussage lässt sich dem Dokument indirekt entnehmen. Sie rechtfertigt sich aus der Überzeugung, dass das Band mit Christus die Getauften zu „etwas" vereint (vgl. Gal 3,28: „einer" in Christus) und sich auf die neu entstandene Gemeinschaft prägend auswirkt, sodass dieses von dem Heil, das Christus in seiner

---

Neubestimmung finden sich bei: Michael BONGARDT: *Am Scheideweg. Christlicher Glaube angesichts des Judentums.* In: KuI 22 (2007) 34–49; 38–44. Beachtung verdient auch der Hinweis von Ulrich H. J. KÖRTNER, das zwischen Judentum und Christentum unterschiedliche Verständnis der Ökonomie, also des Einwirkens Gottes auf die Schöpfung, in die Neubestimmung einzubeziehen (*Einführung in die theologische Hermeneutik.* Darmstadt: WBG, 2006, 90).

22 Kurt KOCH: *Was bedeutet die Hinwendung der Kirchen zu ihren jüdischen Quellen für die christliche Ökumene heute?* In: IKaZ 29 (2000) 160–174; 167. Zur Israel-Dimension der Kirche: vgl. das bilaterale Dokument der DBK und der Kirchenleitung der VELKD ,Communio Sanctorum' (veröff. unter dem Titel: *Communio Sanctorum. Die Kirche als Gemeinschaft der Heiligen.* Paderborn: Bonifatius; Lembeck, ²2000), Nr. 26. Zu den im Hintergrund stehenden Fragen: vgl. Koch, 165–172.

23 Gunda SCHNEIDER-FLUME: *Grundkurs Dogmatik. Nachdenken über Gottes Geschichte.* Göttingen: Vandenhoeck & Ruprecht, 2004, 213. Unbefriedigend bleibt demgegenüber die Beurteilung der Israel-Dimension der Kirche in der orthodoxen Dogmatik Alfejevs, der sie ausschließlich im Schema von Verheißung und Erfüllung denkt und auf Grund der Auffassung von der Substitution Israels durch die Kirche für irrelevant hält (s. Anm. 4), 116f.

Person ist, nicht mehr ohne den Verlust des Heiles losgelöst werden kann. Die Gemeinschaft des Heiles, die Gott in Christus gewährt, ist nämlich keine unmittelbare. Die elf unterzeichnenden Kirchen betonen gemeinsam, dass eine solche Gemeinschaft äußerlich-leibhaft vermittelt ist.[24] Eine nähere Beschreibung bleibt indes offen. Die gemeinsame Auffassung besteht darin, dass die vermittelte Gemeinschaft der an Christus Glaubenden auf dem Fundament des Sakramentes der Taufe steht. Es fällt in diesem Zusammenhang auf, dass von den Vermittlungsinstanzen Wort und Sakrament nicht die Rede ist, an die sich in der Folge gewichtige Aspekte zur Diskussion anschließen, die ökumenisch kontrovers erörtert werden.

Mit der Bestimmung des Bandes als eines mittelbaren stellt sich prinzipiell die Frage nach der Mittelbarkeit oder Unmittelbarkeit der Getauften zu Gott. Lässt sich die Frage nicht in der einen oder der anderen Weise beantworten, so bedarf es weiterer Distinktionen, wie sich Mittelbarkeit und Unmittelbarkeit zueinander und zu Gott/Christus verhalten und wie im Fall der Mittelbarkeit die Glaubensgemeinschaft als Ganze einbezogen ist.[25] Dass diese komplexe Erörterung nicht mehr ausschließlich im Horizont der verschiedenen christlichen Konfessionen, sondern vor dem Hintergrund der „Theorien über den theologischen Bezug von Judenheit und Christenheit"[26] geführt werden muss, liegt inzwischen auf der Hand.

Es sei daran erinnert, dass sich die theologische Problematik von Gottunmittelbarkeit und Gottmittelbarkeit in einer so wirkmächtigen Schrift wie den „Geistlichen Übungen" des Ignatius von Loyola stellt. Einerseits Unmittelbarkeit: „Der die Übungen gibt, soll … in der Mitte stehend wie eine Waage *unmittelbar* den Schöpfer mit dem Geschöpf [mit dem, der die Übungen empfängt J.S.] wirken lassen und das Geschöpf mit seinem Schöpfer und Herrn" (GÜ Nr. 15); andererseits bedingen insbesondere die achtzehn Regeln über das Gespür in der Kirche („Sentire in ecclesia") (GÜ Nrn. 353–370) eine Mittelbarkeit gegenüber Gott, insofern sie reziprok eine scheinbar größere Unmittelbarkeit zur Kirche offenbaren, die am Ende der Aufklärung mehr Fragen aufwirft als sie Antworten zu geben vermag.[27] Die Kirche gelangt als „Mittel" in den Blick.

Die Mittelbarkeit des Bandes mit Christus ist nun aber nicht eingrenzend, sondern entgrenzend wirksam. Das Band gliedert die Getauften in ein räumlich und zeitlich universelles Volk ein. Die ethnischen und sozialen Faktoren der Verbun-

---

[24] Die Rede von dem in Jesus Christus gründenden Band der Einheit (zweiter Absatz des Taufanerkennungstextes) hat eine Affinität zur Rede vom „Leib Christi". Hans WALDENFELS: *In der Nachfolge Jesu.* In: StZ 127 (2002) 23–36; 25, bestimmt diesen näher: „‚Leib' ist keineswegs reine Metapher, sondern bezeichnet eine Wirklichkeit, die zwischen Innen und Außen vermittelt."

[25] Vgl. bes. die klaren Ausführungen des lutherischen Theologen U. Kühn zum Konnex von Sakrament und Kirche: Ulrich KÜHN: *Wortgottesdienst, Eucharistiefeier und der Auftrag des kirchlichen Amtes.* In: KuD 52 (2006) 328–347; 343f.

[26] Norbert LOHFINK; Erich ZENGER: *Der Gott Israels und die Völker. Untersuchungen zum Jesajabuch und zu den Psalmen.* Stuttgart: Kath. Bibelwerk, 1994, 183.

[27] Vgl. etwa GÜ Nr. 353; noch deutlicher Nr. 365: „Wir müssen immer festhalten, um in allem das Rechte zu treffen: Von dem Weißen, das ich sehe, glauben, dass es schwarz ist, wenn die hierarchische Kirche es so bestimmt, indem wir glauben, dass zwischen Christus unserem Herrn, dem Bräutigam,

denheit von Menschen: „die Gleichheit der Rasse, des Volkes, des Geschlechtes, der sozialen Herkunft, der Bildung oder der Sympathie"[28] werden in die Sphäre Christi transformiert. Der Taufanerkennungstext bringt den Aspekt der entgrenzenden Wirkkraft der Glaubensgemeinschaft indirekt zum Ausdruck. Von ihrer „Energie" her kann das „Wesen" der Glaubensgemeinschaft im ökumenischen Dialog der Beteiligten weiter bedacht werden.[29] Das Dokument bietet dafür einen Haftpunkt, hinter den angesichts des bekundeten Grundeinverständnisses über die Taufe nicht mehr zurückgegangen werden darf.

---

und der Kirche, seiner Braut, der gleiche Geist ist, der uns leitet und lenkt zum Heil unserer Seelen." Die „Geistlichen Übungen" (= GÜ) werden zitiert nach: IGNATIUS VON LOYOLA. *Gründungstexte der Gesellschaft Jesu (Deutsche Werkausgabe. Bd. II)*, übers. v. Peter KNAUER. Würzburg: Echter, 1998, 85–269. Die Aussage zielt auf den Geist, der über Schwarz und Weiß urteilt (vgl. 1 Kor 2,10–16); dazu: Michael SCHNEIDER: *„Unterscheidung der Geister". Die ignatianischen Exerzitien in der Deutung von E. Przywara, K. Rahner und G. Fessard*. Innsbruck: Tyrolia, [2]1987, 67; Martha ZECHMEISTER: *Mystik und Sendung*. Würzburg: Echter, 1985, 139–142.

[28] Communio Sanctorum (s. Anm. 22), Nr. 75.

[29] Die Begriffe Energie und Wesen sind in der orthodoxen Theologie fest gefügt. Was unter Energie semantisch zu verstehen ist, kann dessen ungeachtet aus dem NT eruiert werden und vermag auch auf diese Weise zum intendierten Ziel zu führen.

Jürgen Bründl

Das Böse in Person

Der Teufel in der christlichen Theologie

Kurzinhalt – Summary:

Hat die theologische Rede vom Teufel heute noch etwas beizutragen für einen verantwortlichen Umgang mit der Wirklichkeit des Bösen in unserer Welt? Die Beantwortung dieser Frage erfordert eine Charakterisierung der Konzepte vom alttestamentlichen Satan, des neutestamentlichen Diabolus und des mittelalterlichen Höllenfürsten. Im Anschluss an sie entfaltet eine sprachanalytische Reflexion systematisch Bedeutung und Grenzen der Teufelsfigur in ästhetischer, ideologiekritischer und theologischer Perspektive.

Has theological speaking of the Devil today something to contribute to a responsible dealing with the reality of the evil in our world? Answering this question requires a characterization of the conceptions of Satan of the Old Testament, the Devil of the New Testament and the medieval Prince of Darkness. Subsequently a language-analytical reflection developes systematically meaning and limits of the figure of the Devil in an aesthetic, ideology-critical and theological perspective.

1. Satan

Alles beginnt – wie immer – mit einer Geschichte, mit *mindestens* einer. Auch im Folgenden werden derer mehrere zur Darstellung kommen. Also: Es hat einen Aufstand gegeben, der König – David – muss fliehen aus der Stadt Jerusalem, sein eigener Sohn hat gegen ihn geputscht. Auf der Flucht kommt ihm ein Mann entgegen, sein Name ist Schimi. Der entstammt dem Haus Sauls, jenem Geschlecht, das von David zuvor dynastisch beerbt worden war, auch nicht ganz friedlich, wie man weiß. Schimi ergreift die für ihn günstige Gelegenheit zur Rache und verflucht öffentlich den gestürzten König: „Verschwinde, verschwinde, du Mörder, du Niederträchtiger! Der Herr hat all deine Blutschuld am Haus Sauls, an dessen Stelle du König geworden bist, auf dich zurückfallen lassen. Der Herr hat das Königtum in die Hand deines Sohnes Abschalom gegeben. Nun bist du ins Unglück geraten; denn du bist ein Mörder." So zu lesen im 2. Buch *Samuel*, Kapitel 16, Verse 7 und 8. Ein derartiger Fluch ist eine schlimme Sache, Schimi gibt ihm die Form eines Gottesurteils. Es soll David, dem Mörder, nicht nur ideologisch den Rest geben. Vor Gott Verfluchte sind vogelfrei. – Aber das Blatt wird sich wenden. David entkommt, besiegt Abschaloms Heer. Der Usurpator selbst findet den Tod, und David kehrt im Triumphzug nach Jerusalem zurück. Die untreue Stadtbevölkerung zieht ihm vor die Tore entgegen, um Gnade heischend. So macht es auch Schimi, der weiß, dass sein Fluch nicht ungesühnt bleiben kann. Auf Knien fleht er David um Vergebung an. Noch bevor der aber reagiert, schaltet sich Abischai, ein Feldherr in Davids Dienst, ein. „Müsste nicht", fragt er, „Schimi dafür mit dem Tod bestraft werden, dass er den Gesalbten des Herrn verflucht hat?" (2 Sam 19,22) Doch davon will David nichts wissen: „Du sollst nicht sterben", verspricht er Schimi. Dem Abischai aber, ja dem ganzen Brüderpaar aus der Zeruja-Sippe, erteilt David einen aufschlussreichen Verweis: „Was habe ich mit euch zu schaffen, ihr Söhne des Zeruja? Warum benehmt ihr euch plötzlich wie Feinde von mir? Soll jemand in Israel getötet werden, wo ich doch weiß, dass ich ab heute wieder König von Israel bin?" (2 Sam 19,23 f) Die hebräische Originalversion bringt Davids Vorwurf unmissverständlicher zum Ausdruck als die eben gehörte Einheitsübersetzung: „Warum handelt ihr wie ein ‚*schatan*' an mir?" Abischais Anklage, die ja einen berechtigten Vorwurf formuliert, macht ihn zu einem Satan. Wie ist das zu verstehen?

Die Sachlage wird noch dunkler, wenn man auf das Ende von Davids Leben blickt. Seinem Thronerben Salomo erteilt er hinsichtlich Schimis nämlich folgende, den eben ausgesprochenen Gnadenerweis doch deutlich relativierende Weisung: „Da ist auch Schimi […]. Er hat einen bösen Fluch gegen mich ausgesprochen […]. Doch ist er mir am Jordan entgegengekommen, und ich habe ihm beim Herrn geschworen, dass ich ihn nicht mit dem Schwert hinrichten werde. Jetzt aber lass ihn nicht ungestraft! Du bist ein kluger Mann und weißt, was du mit ihm tun sollst. Schick sein graues Haupt blutig in die Unterwelt." (1 Kön 2,8 f) Wieso dann aber die Zurechtweisung Abischais? Straffolgen besitzen offenbar schon damals einen teuflisch langen Atem. Mehr noch, ist Abischais Anklage berechtigt, dann muss der Satan nicht unbedingt ein Teufel sein. Zum wenigsten Letzteres erscheint bemerkenswert. Doch wer ist dieser Satan dann? Er gehört in einen politischen Kontext, näherhin in den öffentlichen Machtraum des Königs. Im alten Israel ist das kein profaner, sondern ein göttlich besetzter Ort. König ist man in Jerusalem als titularischer *Sohn* des „Hochbetagten" (vgl. Dan 7,9), also vor Gott und diesem verantwortlich. Deshalb haben die irdischen Verfehlungen des Königs in der Regel – die Geschichte Davids belegt das häufiger[1] – den zusätzlichen Status der *Sünde* und setzen einen himmlischen Gerichtsprozess in Gang. In seinem Verlauf übernimmt der Satan die Rolle des Feindes der jeweiligen Angeklagten, bekleidet sozusagen das Amt des Oberstaatsanwalts. Ihm obliegt die heilige Pflicht, die Ehre seines Herrn zu schützen. Mit dem Namen Satan treffen wir folglich auf eine Funktionsbeschreibung, die zunächst den Widersacher in juristischem Sinn bezeichnet, den Ankläger vor Gericht.

Historisch hat man im persischen Großreich Belege für ein solches Polizeiamt gefunden. Ihren jeweiligen Agenten nannte man das *Auge des Königs*.[2] Als eine Art

---

[1] Vgl. den Gattenmord um willen Batsebas in 2 Sam 11 und 12.
[2] Vgl. Werner FOERSTER; Gerhard von RAD: *diaballo; diabolos*. In: *ThWNT II*. Hrsg. von Gerhard KITTEL u. a. Stuttgart: Kohlhammer, 1935, 69–80; sowie die umfangreiche Monographie von Herbert HAAG: *Teufelsglaube*. Tübingen: Katzmann, [3]1974.

verdeckter Ermittler spionierte dieses *Auge* die Untertanen aus, um deren revolutionäre Umtriebe vor Gericht zu bringen. Ein ganz ähnliches Schutzamt nimmt Abischai für David wahr.[3] Wer dem Gesalbten des Herrn flucht, begeht Hochverrat und eine solche Majestätsbeleidigung nicht zu bestrafen, wäre fatal. Ein König mit beschädigtem Image überlebt nicht lange – politisch wie physisch. Zugleich erklärt sich daraus der verspätete Tötungsauftrag Davids. Er will Salomo vor dem Davididenhasser Schimi schützen. Warum aber erst jetzt? Weil der König in Israel eben nicht nur einer irdischen Öffentlichkeit verpflichtet ist, sondern als gesalbter Gottessohn vor allem anderen Gott selbst. Dessen Gnadenhandeln an David, seine Rückkehr aus dem Exil, aufgrund irdischer Ranküne zu enttäuschen, würde die Ehre Gottes beschädigen. Von daher erscheint Davids Vorwurf gegen Abischai mit einem Mal sehr präzise. Mit *Satan/Feind* war ja in der Samuelstelle (19,23f) nicht der Amtsträger gemeint, der den König schützt, sondern im Gegenteil einer, der ihm Schaden verursacht vor Gott. Abischai soll gerade nicht als irdischer Satan handeln, weil er damit eine *himmlische* Anklage gegen David auslösen, sozusagen zum Satan *gegen* David würde. Tut er es dennoch, erweist er sich als Feind des Königs, ja Gottes, der bekanntlich Gnade walten lassen will, und handelt damit eher teuflisch denn satanisch bzw. Letzteres nur im Sinn des Ersteren. David wirft Abischai also vor, dass ihn die Sorge um das irdische Machtkalkül jene Verantwortung Gott gegenüber vergessen lasse. Von der Tendenz her ähnlich – „Denn Du hast nicht das im Sinn, was Gott will, sondern was die Menschen wollen" – wird Petrus von Jesus als Satan gemaßregelt werden (vgl. Mk 8,31–33). Daran sieht man, wie nah die satanische Anklagefunktion und ihre Bewertung als widergöttliche und glaubensfeindliche Teufelei von Anfang an beieinander liegen.

Hierzu eine *zweite* Geschichte – noch komplizierter, dunkler – aus dem Buch *Sacharja*. Der Hohepriester Jeschua ist in unpassender, schmutziger Kleidung vor Gott getreten. Sein Dienst hat den Tempel verunreinigt und damit die Beziehung des Volkes zu seinem Gott empfindlich gestört. Die Folge ist ein Gottesgericht, bei dem Satan und – in der Rolle des Verteidigers – der Engel des Herrn auftreten: „Der Satan aber stand rechts von Jeschua, um ihn anzuklagen. Der Engel des Herrn sagte zum Satan: Der Herr weise dich in die Schranken, Satan; ja, der Herr, der Jerusalem auserwählt hat, weise dich in die Schranken. Ist dieser Mann nicht ein Holzscheit, das man aus dem Feuer gerissen hat?" (Sach 3,1f) Ob mit dem Wort des angelischen Verteidigers auf ein Martyrium Jeschuas angespielt wird, das seine Glaubenstreue bewiesen hätte, ist nicht sicher auszumachen. Jedenfalls gelingt die Strategie der Verteidigung: Jeschua wird mit neuen Kleidern ausgestattet und zum hohepriesterlichen Dienst zugelassen, gesetzt, er beachtet von nun an die göttliche Ehrenordnung (vgl. Sach 3,6). Interessanterweise scheint Gott, der sich in dieser Episode von seinem Engel vertreten lässt, dieselbe Position einzunehmen wie

---

[3] Zu Satan als Funktionsbezeichnung des Anklägers vgl. Peggy Lyn DAY: *Abishai the satan in 2 Samuel 19:17–24.* In: CBQ 49 (1987) 1, 543–547; bzw. ausführlicher DIES.: *An Adversary in Heaven. Satan in the Hebrew Bible.* Atlanta: Scholars Pr., 1988 (HSM 43).

vormals David gegenüber Abischai: Der Anklage des Satans wird nicht stattgegeben. Im Gegenteil, der Engel des Herrn verbietet ihm das Wort. Könnte das ein Hinweis auf die Art der Beziehung sein, die Gott zu seinem Satan pflegt?

Eine *dritte* Geschichte legt das nahe. Sie ist die berühmteste von allen, wohl auch deshalb, weil sie in Goethe ihren außergewöhnlichen Propagandisten gefunden hat. Es handelt sich um die Rahmenerzählung des *Hiobbuches* (vgl. Ijob 1,1–2,10 und 42,7–17). Die Dialogteile, welche den eigentlichen Textkorpus ausmachen und die keinen Satan kennen, erzählen, wie Hiob allein über Gottes irdisch nur schwer nachvollziehbare Gerechtigkeit streitet.[4] In der Rahmenerzählung aber fragt Gott, was sein Satan so treibt und der antwortet, er habe als diensteifriges Auge seines Herrn die „Erde durchstreift hin und her" (Ijob 1,7). Was es mit diesen Investigationen auf sich hat, verdeutlichen die nächsten Verse: „Der Herr sprach zum Satan: Hast du auf meinen Knecht Ijob geachtet? Seinesgleichen gibt es nicht auf der Erde, so untadelig und rechtschaffen, er fürchtet Gott und meidet das Böse. Der Satan antwortete dem Herrn und sagte: Geschieht es ohne Grund, dass Ijob Gott fürchtet? Bist du es nicht, der ihn, sein Haus und all das Seine ringsum beschützt? […] Aber streck nur deine Hand gegen ihn aus, und rühr an all das, was sein ist; wahrhaftig, er wird dir ins Angesicht fluchen." (Ijob 1,8–11). Vor allem die Rollenverteilung der Protagonisten ist an dieser Szene aufschlussreich. Gott vertraut Hiob, ja freut sich an dessen Glaubenstreue, der Satan – ganz Funktionär der Anklage – zieht sie in Zweifel. Dahinter steht die Frage, woran man den wahrhaft Gläubigen erkennt. Nicht an Wohlstand und Glück, so gibt der Satan zu bedenken, denn dann wäre Glaube nichts anderes als ein gutes Geschäft. Nein, die Wahrheit über den Wert einer Gottesbeziehung kommt nur im *üblen* Ergehen zutage. D.h. die Dignität der Glaubenstreue ist zu *prüfen*. Hiob wird diese Prüfung bekanntlich bestehen – „Nehmen wir das Gute an von Gott, sollen wir dann nicht auch das Böse annehmen?" (Ijob 2,10) – und für seine Glaubenstreue belohnt werden. In der Rahmenerzählung, wie gesagt. Die Dialogpartien, die Hiob im Streit mit seinen theologischen Freunden und mit Gott selbst zeigen, bieten eine andere Version der Geschichte. Hier klagt Hiob Gott an. Hier ist er kein Dulder, sondern ein Rebell, der nichts gibt auf menschenverachtende Theodizee-Versuche. So wird noch deutlicher, dass man am irdischen Ergehen nicht ablesen kann, ob jemand ein guter oder ein schlechter Mensch war. Wer sich aber ein solches Urteil anmaßt, verdient den Tod vor Gott, wie die drei Theologen, die Hiob in Gottes Namen von seiner Schuld überzeugen wollen. Ihr vermeintlicher Dienst an der göttlichen Ehre erweist sich als teuflischer Anschlag, so dass sie nur auf Hiobs, des einzig Gerechten Fürbitte hin, gerettet werden (vgl. Ijob 42,7–10).

---

[4] Zum exegetischen Hintergrund nur soviel: Die Rahmenerzählung wurde erst später zu den Dialogen hinzugefügt, wohl auch um das kritische Potenzial zu entschärfen, das in jenen angelegt war. In diesem Sinn lässt sich das *Ijob*-Buch als End- und Bruchstelle der klassischen Weisheitsliteratur im alten Israel lesen, insofern es deren Grundprinzip in Frage stellt, nämlich die Kombination eines gottesfürchtigen Lebens mit einem guten Ergehen schon in dieser Welt.

2. Diabolus

Also soll niemand die Rolle des Satans übernehmen. Weder vor Gott noch vor den Menschen. Das gilt bereits im Judentum, genuin jedoch als *christliche* Überzeugung. In der Tat sehen die Evangelien den Ankläger aus dem Himmel verbannt. Lk 10,18 schildert dieses Großereignis als kosmische Reaktion auf die Verbreitung der Frohbotschaft, die Jesus zu dem Jubelruf veranlasst: „Ich sah den Satan wie einen Blitz vom Himmel fallen." Ein Gott, der seine Geschöpfe wie ein Vater liebt, braucht offenbar kein satanisches *Auge*, das sich um seine Ehre gegen die Geliebten sorgt. Ein derartiger Widersacher hat nicht Platz bei ihm. Er wird hinausgeworfen, weil die Liebe Gottes zu seinen Geschöpfen vollkommen und ohne Arg ist. Uns interessiert in diesem Zusammenhang nicht die religionsgeschichtlich bedeutsame Grundlagenklärung, die ein solcher Blitzsturz in das christliche Gottesbild einführt, sondern vielmehr die korrespondierende Ausgrenzung der satanischen Funktion aus dem himmlischen Bereich. Nicht länger wird der Satan ein Dienstmann Gottes sein können. Er schattet sich vielmehr ab zum *diabolos*, zum Teufel, der aus dem Himmel gestürzt, nun gegen Gott zu stehen kommt. Und weil er diesem nichts anhaben kann, wird er stattdessen seine Anhänger verfolgen. Aus dem gottesfürchtigen Ankläger entwickelt sich der widergöttliche und speziell antichristliche Durcheinanderwerfer – das nämlich bedeutet *diabolos* wörtlich –, der Gott sein gläubiges Volk abspenstig machen will. [5]

So zieht die Sturzmetapher metaphysische Kreise. Denn mag den Hörern der Verkündigung Jesu genügt haben, dass Gott unbedingt auf sie zugeht – aber *sicher* ist das nicht, schließlich endet auch Jesus am Kreuz –, die realen Erfahrungen von Verfolgung aus Glaubensgründen oder auch nur der ganz alltäglichen menschlichen Bosheit erzwingen Rückfragen. Was wird aus dem Bösen, wenn Gott uns liebt? Er bzw. es ist entmachtet, gestürzt. Ja, aber *wohin*? Das ist keine abstrakte Frage, sonst wäre sie unsinnig. Doch wie erinnerlich hören wir noch immer Geschichten. Und Geschichten erzählen konkret, also: „Da entbrannte im Himmel ein Kampf; *Michael* und seine Engel erhoben sich, um mit dem Drachen zu *kämpfen*. Der Drache und seine Engel kämpften, aber sie konnten sich nicht halten, und sie verloren ihren Platz im Himmel. Er wurde gestürzt, der große Drache, die alte *Schlange*, die *Teufel* oder *Satan* heißt, und die ganze Welt verführt; der Drache wurde auf die Erde gestürzt, und mit ihm wurden seine Engel hinabgeworfen." (Offb 12,7-9)

---

[5] Diese Entwicklung deutet sich bereits im jüdischen Bereich an, wie ein Vergleich von 2 Sam 24,1 mit der Textdublette in 1 Chr 21,1 zeigt. Erzählt das Samuelbuch, dass Gott selbst in seinem Zorn David zur sündhaften Volkszählung aufstachelt, so übernimmt diese ethisch bedenkliche Rolle in den später verfassten *Chroniken* der Satan. Derartige Versuchung steht zwar noch nicht jenseits des geheimpolizeilichen Dienstes an der Ehre Gottes, doch werden hier die Übergänge zum widergöttlichen Abtrünnigen fließend. Über die juristische Bedeutung des Anklägers hinaus zieht die Satansfigur so jene spezifische Konnotation auf sich, die sie im gläubigen Bewusstsein als besonderen Feind und Widersacher des Gottesvolkes erscheinen lässt. In den christlichen Fortschreibungen tritt diese Pointe dann noch stärker zutage.

Unschwer zu bemerken, wie der Ton sich verschärft hat und die sozusagen diabolischen Konturen der Teufelsgestalt stärker hervortreten. Aus dem Satan ist ein
teuflischer Versucher, ja eine Bestie, ein Drache geworden. Hinter diesen Bildern
steht keine weltabgewandte Spekulation. Wenn das den neutestamentlichen Kanon
beschließende Buch der *Offenbarung* den Teufel als drakonische Bestie inszeniert,
dann geschieht das unter dem Eindruck der ersten großen Christenverfolgungen
im römischen Reich.[6] Derartige Hintergründigkeit begegnet im Zusammenhang
des Teufels öfter, und durchaus nicht immer sind die Christen in der Opferrolle.
Fakt ist, dass sehr irdische Gewalt, Glaubenskriege, am Grund der diabolischen
Figurationen stehen. Zunächst charakterisieren sie Rom als jenes unmenschliche
Tier, das Menschen, sprich Gläubige frisst. Oder anders: Der auf die Erde gestürzte
Teufel führt Krieg gegen die ohnmächtige Christenheit, die im Bild der schutzlosen
„Frau" figuriert, und gegen ihren Sohn, den Kreuzesmessias. Auch darin liegt keine
unschuldige Rollenverteilung. Aus systematischer Perspektive beginnt mit ihr eine
Reihe verhängnisvoller Identifikationen. So ergreift der Teufel z. B. Besitz von Judas
Iskariot, wie schon Lk 22,3 zu wissen vorgibt, damit er Jesus an die Juden ver-
raten kann: *Besessenheit* also. Eine solche Rede vom Bösen klingt unseren Ohren
schon vertrauter als das, was von dem alttestamentarischen Satan zu sagen war.
Erschreckenderweise, wie hinzugefügt werden darf. Und wohl auch deshalb, weil
der antichristliche Teufel mit der Zeit eben nicht nur als Chiffre irdischer Glaubens-
feindlichkeit figuriert, sondern metaphysische Begründungsfunktionen übernimmt.
Warum geriert sich die Welt so militant unchristlich? Weil der Teufel sie dazu aufstachelt. Diese Logik führt eine hochbedeutsame Verschiebung herbei, durch welche
die Teufelsfigur aus dem satanischen Gerichtskontext aus- und in einen urgeschichtli-
chen Legitimationsraum einwandert. Der Sündenfall aus Gen 3 liest sich nun anders,
teuflischer, christlich, wenn Sie so wollen. Denn mag die Schlange ursprünglich nur
ein Tier gewesen sein, raffinierter, schlauer als der Rest,[7] jetzt versteht man sie als
Verkörperung des Teufels. Die Bildkomplexe von *Schlange* und *Drache* passen ja
sehr gut zusammen. Gehaltlich transportieren sie eine theologische Reflexion, der
die spröde Auskunft, dass das Böse in der geschöpflichen Welt unfassbar grundlos
auftaucht, nicht mehr genügt. Vielmehr treffen wir jetzt auf einen Teufel, der in der
Welt und von ihr in böser Weise Besitz ergreift.

So entsteht bereits in jüdischer Zeit, aber dann in mehrfacher christlicher Überarbeitung eine kommentierende Nacherzählung zur *Genesis*, das so genannte *Leben
Adams und Evas*, die mit einer zweiten Versuchung des Urmenschenpaares jene
erste am Baum der Erkenntnis geschehene ins rechte Licht rücken will. Sie zeigt

---

[6] Vgl. Josef ERNST: *Die eschatologischen Gegenspieler in den Schriften des Neuen Testaments*. Regensburg: Pustet, 1967 (BU 3); sowie Hans BIETENHARD: *Die himmlische Welt im Urchristentum und
Spätjudentum*. Tübingen: Mohr, 1951 (WUNT 2).
[7] Historisch könnte ihr bzw. ihm ein kanaanitisches Fruchtbarkeitssymbol und damit der Hinweis auf
ein in der Sicht des Glaubens für den Menschen nicht zuträgliches, magisches Wissen zugrunde liegen,
vgl. Claus WESTERMANN: *Genesis. 1. Teilbd.: Gen 1–11*. Neukirchen-Vluyn: Neukirchener Verlag,
²1976 (BK I,1), 323–327.

uns Adam und Eva, wie sie für 40 Tage in den Flüssen des Jordan bzw. des Tigris Buße tun. Der Teufel tritt auf in Gestalt eines Engels (vgl. VitAd 9) und verleitet Eva – natürlich Eva – dazu, ihren Bußort im Wasser zu verlassen. Nun ist alles verloren. Und die Menschen, überwältigt von der Gemeinheit der Versuchung bzw. des Versuchers, auf den sie bereits das zweite Mal hereingefallen sind, stellen ihn zur Rede. Was zum Teufel haben sie ihm eigentlich getan? *Der* weiß es besser. Und jetzt folgt jener Klassiker unter den Belegstellen, der vor allem die christliche Teufelsmetaphysik und gewisse fundamentalistische Schichten der Volksfrömmigkeit bis heute bestimmt.[8] Nebenbei: eine Belegstelle, die nicht in der kanonischen Literatur des Christentums steht, also keine autoritative Geltung beanspruchen kann und doch eine beeindruckende Rezeptionsgeschichte entfaltet hat. Ihr ist es zu verdanken, dass die Ausführungen des Teufels und die Begründung, die sie für die böse Versuchung in der Welt anbieten, auch gegenwärtig vertraut klingen:

„Als Du [= Adam] gebildet wurdest, ward ich von Gottes Antlitz verstoßen und aus der Gemeinschaft der Engel verbannnt [so!]. Als Gott den Lebensodem in dich blies, und dein Gesicht und Gleichnis nach Gottes Bild geschaffen wurde, brachte dich Michael und gebot, dich anzubeten im Angesichte Gottes [...]. Und ich antwortete: Ich brauche Adam nicht anzubeten. [...] Ich werde doch den nicht anbeten, der geringer und jünger ist als ich! [...] Er sollte *mich* anbeten. Als dies die anderen Engel hörten, die mir unterstanden, wollten sie ihn nicht anbeten. Und Michael sprach: Bete Gottes Ebenbild an! Thust du es aber nicht, so wird Gott der Herr über dich in Zorn geraten. Und ich sprach: Wenn er über mich in Zorn gerät, werde ich meinen Sitz erheben über die Sterne des Himmels und ⟨Gott⟩ dem Höchsten gleich sein. Und der Herr geriet in Zorn über mich und verbannte mich mit meinen Engeln von unserer Herrlichkeit, und so wurden wir um deinetwillen aus unseren Wohnungen in diese Welt getrieben und auf die Erde verstoßen. Und alsbald gerieten wir in Betrübnis, weil wir so großer Herrlichkeit entkleidet waren. Und dich in solcher Freude und Wonne sehen zu müssen, das betrübte uns. Und mit List umgarnte ich dein Weib und brachte es dahin, daß du ihretwegen von deiner Freude und Wonne vertrieben wurdest, gleichwie ich vertrieben ward von meiner Herrlichkeit."[9] (VitAd 13–16)

Als tiefster Grund des Bösen muss also die wegen der Bevorzugung des Menschen verletzte Eitelkeit des Teufels herhalten. Bevor nun die nahe liegende Frage zu stellen ist, ob das Böse damit besser erklärt wird als in der Versuchungsgeschichte der *Genesis*, ja ob hier überhaupt etwas *erklärt* wird, sei ein letzter traditionsgeschichtlicher

---

[8] Dass diese Stelle auch eine fachtheologische Wirkungsgeschichte hat, zeigen die skurrilen Bücher von Egon von PETERSDORFF: *Daemonologie.* 2 Bde. München: Verlag für Kultur und Geschichte, 1956/ 1957; bzw. weniger drastisch: Alois WINKLHOFER: *Traktat über den Teufel.* Frankfurt am Main: Josef Knecht, 1961.

[9] Übersetzung nach Emil KAUTSCH: *Die Apokryphen und Pseudepigraphen des Alten Testaments. 2. Bd.: Die Pseudepigraphen.* Tübingen, 1900, 513f. Eine neue kritische Textausgabe findet sich bei Otto MERK; Martin MEISER (Hrsg.): *Das Leben Adams und Evas.* In: Werner Georg KÜMMEL (Hrsg.): *JSHRZ II,5: Unterweisung in erzählender Form.* Gütersloh: Mohn, 1998.

Ausblick eingefügt. Denn die Figur des neidvollen teuflischen Versuchers trennt nur mehr ein kleiner Schritt von jenem diabolischen Höllenfürsten, der im Mittelalter über ein Totenreich gebieten wird, zunächst allein und als betrogener Betrüger, da – welche Geschichten! – der Gottessohn selbst in seiner nur vermeintlich sterblichen Menschengestalt zu ihm hinabsteigt und die ganze infernalische Belegschaft befreit.[10] Allerdings nur für kurze Zeit, da sich die Hölle schon sehr bald wieder füllen wird. Über einen hermeneutischen *salto mortale* feiert nämlich die satanische Linie des Teufelsverständnisses, die von der antichristlich-widergöttlichen zeitweilig überblendet worden war, ihre paradoxe Auferstehung. In ihr figuriert der Teufel gewissermaßen als Lagerkommandant einer Strafhölle, die zur Entsorgung all jener bösen Menschen dient, die den Ansprüchen vermeintlich rechter Gläubigkeit, seien sie nun Heiden oder Christen, nicht gerecht werden konnten. Dass logisch ein Exekutivbeamter aus dem göttlichen Hofstaat nicht bruchlos zur Rolle des widergöttlichen Apostaten passt, tut dieser Entwicklung keinen Abbruch.[11] Auch nicht der theologische Einwand, dass ein Gott, der die Sünder in der Hölle bei seinem ärgsten Widersacher verrotten lässt, nicht dem liebenden Vater der Verkündigung Jesu, sondern eher dem Teufel selbst ähnelt.

Gerade darin liegt jedoch eine *systematische* Einsicht von Rang: Das diabolische Paradigma erweist sich im Umgang mit der Erfahrung böser Wirklichkeit als gefährlich inkonsistent. Denn nicht nur dieser volksfromme Höllenteufel, kein Teufel überhaupt *erklärt* das Böse, höchstens erklärt er seine Opfer *zu* Bösen. Das sollte zu denken geben, zumindest der Theologie, aber noch mehr jedem, der glaubt, die Rede vom Teufel und der Hölle ohne Schaden in den Mund nehmen zu können. Es ist nicht christlich oder auch nur gottesfürchtig, um eine „Achse des Bösen" zu wissen, ebenso wenig natürlich in Andersdenkenden oder -gläubigen eine diabolische Manifestation zu sehen. Hier heiligt kein Zweck die Mittel und kein noch so guter Grund legitimiert die Gewalt. Das Bewusstsein der rechtschaffenen Gotteskrieger ist vielmehr ein falsches, ein teuflisches Bewusstsein. Dem Text aus dem *Leben Adams und Evas* sieht man die infrage stehende Bruchstelle noch an. Die eigene Erzählung konterkariert jene Schuldzuweisung, welche der Teufel gegen die Menschen anführt. Denn ursächlich für seinen Sturz ist eine wenig angelische Eitelkeit, die Erschaffung des Menschen dagegen höchstens ihr beliebiger Anlass. Nun ist es jedenfalls leichter, die Schuld bei anderen zu suchen als bei sich selbst. Das gilt für einen Teufelsengel ebenso wie auf der irdischen Bühne. Doch zeigen sich die

---

[10] Zum Traditionsstrang des sogenannten *decensus ad inferos*, wie er in den außerkanonischen Evangelien des Bartholomäus und des Nikodemus vorkommt, aber auch in einer davon divergierenden lateinischen Überlieferung vgl. Wilhelm SCHNEEMELCHER (Hrsg.): *Neutestamentliche Apokryphen. 1. Bd.: Evangelien.* Tübingen: Mohr, ⁶1990, 395ff; sowie Raimund SCHWAGER: *Der Sieg über den Teufel.* In: ZKTh 103 (1981) 156–177.

[11] Zur Karriere dieser Teufelsspekulation vgl. die nicht in jeder Hinsicht gelungene Studie von Isabel GRÜBEL: *Die Hierarchie der Teufel. Studien zum christlichen Teufelsbild und zur Allegorisierung des Bösen in Theologie, Literatur und Kunst zwischen Frühmittelalter und Gegenreformation.* München: tuduv, 1991 (Kulturgeschichtliche Forschungen; 13).

Menschen einsichtiger. Eva wird vergeben, als sie ihren Sündenfall nicht länger dem Teufel zuschreibt, sondern persönlich Verantwortung für die Schuld übernimmt. „Da stand Eva auf und ging hinaus, fiel zur Erde und sprach: Gesündigt habe ich, Gott gesündigt, Vater des Alls, gesündigt an dir, gesündigt gegen deine auserwählten Engel, gesündigt gegen die Kerube und Seraphe, gesündigt gegen deinen unerschütterlichen Thron, gesündigt, Herr, viel gesündigt, und alle Sünde ist durch mich in die Schöpfung gekommen."[12] (VitAd 32)

Zu billig, wer aus diesen Sätzen lediglich kulturspezifische Frauenfeindlichkeit heraus hörte. Eva ist die Protagonistin dieses Schuldbekenntnisses als Mutter alles Lebendigen, d. h. als anthropologische, allgemeinmenschliche Figur. An ihr zeigt sich, dass der einzig heilsame Umgang mit Schuld die eigene Verantwortlichkeit entdeckt. Kein Teufel vertritt den Menschen im Bösen, sondern der Mensch, er selbst, ist sein Täter. Die ostentative Wiederholung des Verbs *gesündigt* im Zitat und sein personaler Bezug lassen keinen Zweifel daran: „gesündigt habe ich […], viel gesündigt und alle Sünde ist durch mich in die Schöpfung gekommen". Dieses *mich* meint jeden Menschen, das ist der Punkt. Mit ihm durchbricht die Eva'sche Einsicht einen Gewaltkreislauf, der je nur die anderen zu Teufeln diffamiert. Und das bedeutet, dass die Figur des Teufels nicht allein zur Erklärung des Bösen nicht taugt, sondern im Gegenteil, d. h. wenn man sie in dieser Funktion benutzen will, Gewaltanwendung gegen reale Menschen legitimiert. Es handelt sich um die Logik des *guten Grundes*, der es gefällt, sich immer beleidigt und ihre Aggressivität als *Gegen*gewalt, als Rückschlag zu stilisieren. Denn gegen einen Teufel oder ein Teufelskind ist alles erlaubt, Versuchung, Heimtücke, besonders aber tödliche Gewaltanwendung. Das wissen die selbsternannten Rechtschaffenen aller Zeiten. Unter ihnen bildet der literarische Teufel lediglich den Anfang. Seither legitimiert das diabolische Paradigma des guten Grundes Gewalt gegen alle möglichen Opfer, insofern sie diesen die Möglichkeit nimmt, sich und das ihnen widerfahrende Unrecht auch nur zur Sprache zu bringen. Gilt doch vor allem anderen, den bzw. die Teufel wenn schon nicht tot, so doch zumindest *mundtot* zu machen.

Dass eine solche Logik unmenschlich ist, liegt auf der Hand, dass sie aber auch *unchristlich* ist – und zwar in einem dogmatisch lehrhaften und also strikten Sinn –, ist an dieser Stelle hinzuzufügen. Ein Christ kann aus Glaubensgründen – es gibt andere, uns zur Schande! – niemanden verteufeln. Denn es existiert, so die *einzige* Stelle, an der sich das kirchliche Lehramt mit dem Teufel beschäftigt, nichts *an sich* Böses. Alles Geschaffene, unsere ganze Wirklichkeit, zeichnet aufgrund ihres Ursprungs von Gott eine grundsätzliche Gutheit aus. In diesem Sinn definiert das *IV. Laterankonzil* 1215 gegen jeden, der ein dualistisches Verständnis der Welt verficht, das – mit guten Gründen, versteht sich – zwischen Gut und Böse unterscheiden wollte, dass es nur *einen* Anfang aller Dinge, und zwar im Guten, nämlich bei Gott gibt. Was jedoch die bedrängende Erfahrung des Menschen angeht, nach der wirklich nicht alles gut, sondern vieles bestürzend schlecht und vielleicht

---

[12] Übersetzung wieder nach Kautsch (s. Anm. 9), 524.

sogar zum Verzweifeln böse ist, fährt das Konzil fort: „Der Teufel nämlich und die anderen Dämonen wurden zwar von Gott ihrer Natur nach gut geschaffen, sie wurden aber selbst durch sich böse. Der Mensch aber sündigte aufgrund der Eingebung des Teufels."[13] (DH 800) Um voreilige Kurzschlüsse zu vermeiden: Wir erfahren hier nicht, dass es einen Teufel gibt, der arme, noch dazu unschuldige Menschen verführt. Sondern das Konzil lehrt die schöpfungsmäßige Gutheit des Teufels und jenes Fürchterliche, dass er aus sich heraus böse geworden ist. Ein Grund dafür wird wohlweislich nicht angegeben. Und wenn es im Folgenden heißt, dass der Mensch erst auf Versuchung des Teufels hin sündigte, ist darunter keinesfalls eine schlecht ausgegangene Prüfung des Menschen durch Gott und seinen satanischen Ankläger zu verstehen, so als ob die Menschen mutwillig versagt hätten. Die Ausführungen des IV. Laterankonzils richten sich in diesem Abschnitt gerade gegen Gruppen von Christen, die *Albigenser* und *Katharer*, die ein Christentum der reinen Übermenschen vertreten. Dagegen stellt der Konzilstext fest: Zwar hat der Mensch faktisch immer schon böse gehandelt, aber er geht nicht in seinen Untaten auf. An sich gut geschaffen, darf man ihn nicht so mit seiner gewordenen Bosheit identifizieren, dass die gottgeschaffene Gutheit seines Wesens, profan gesagt seine Menschenwürde, darüber vergessen würde. Wie gesagt, eine solche Weisung spricht sich im Verständnissystem des christlichen Glaubens aus. Nur in ihm gilt auch: Kein Mensch ist ein Teufel, und die unmenschliche Erfindung des Teufels, derer sich die metaphorische Sprache des Konzilstextes hier bedient, soll nicht das Böse von seinem metaphysischen Ursprung her begründen, sondern in seelsorglicher Absicht die Menschen von der Faktizität der bösen Übermacht *distanzieren*. Einer Versuchung zu erliegen, setzt den Menschen nicht an den absoluten Anfang des Bösen, sondern ordnet ihn genealogisch in die Folgenreihe ein. Das bedeutet keine Entschuldigung für seine Taten, die *böse* bleiben, lässt jedoch Raum zur Etablierung einer kritischen Unterscheidung von ihnen. Um nicht falsch verstanden zu werden: die böse Tat des Menschen fordert das Gericht. Und dieses Gericht wird für die Täter und Opfer verschieden sein müssen, für die Täter aber jedenfalls so, dass auch sie Ansprechpartner für Heil und Erlösung bleiben. In diesem Sinn vertritt die Rede des IV. Laterankonzils, die vom Beginn des 13. Jahrhunderts auf uns gekommen ist, keine Gewalt legitimierende Teufelsmetaphysik, sondern eine pastorale Maxime für menschenwürdiges Leben in einer unvollkommenen Welt.

3. Eine Theologie des Teufels?

Schön und gut könnte man sagen, aber ist die Rede vom Teufel zu diesem Zweck auch heute noch nötig? Überwiegt nicht in den meisten Fällen, an denen sie vorkommt, jene andere fundamentalistische Sichtweise, welche die Figur des Teufels

---

[13] Übersetzung nach Heinrich Denzinger: *Kompendium der Glaubensbekenntnisse und kirchlichen Lehrentscheidungen.* Hrsg. von Peter Hünermann. Freiburg i.Br. u.a.: Herder, [37]1991, 357.

gerade zur Entfesselung der Gewalt benutzt, und zwar bereits in der kanonischen Literatur des Christentums selbst? Haben nicht nach der Rede Jesu in Joh 8,43 die Juden, die seiner Botschaft nicht glauben, „den Teufel zum Vater"? Und hat nicht auch das Christentum aus diesem Grund seine ureigene *unchristliche* Gewaltgeschichte? Zwar glauben Theologen aus exegetischen Gründen, eine Stelle wie Lk 10,18, also dass der Satan aus dem Himmel gefallen ist, hinsichtlich ihrer historischen Authentizität höher bewerten zu dürfen als die eben genannte aus dem Evangelium nach Johannes. Das Lukas-Evangelium hat hier nämlich ein sehr altes, vielleicht sogar *originäres* Jesuswort überliefert, während die johanneische Literatur zumindest in diesem Punkt einen viel jüngeren Stand widerspiegelt, in dem christliche Gemeinden sich mit ihrer glaubensfeindlichen Umwelt auseinandersetzen und von daher ihrem Herrn selbst für theologische Verhältnisse sehr harsche Aussagen in den Mund legen.[14] Wer vom Teufel spricht, das gilt damals wie heute, geht daraus eben nicht unbeschädigt hervor. Aber versteckt sich hinter solchen Subtilitäten nicht eine akademische Ausflucht? Wenn bis jetzt eines klar geworden ist, so doch jenes, dass man mit der Figur des Teufels, und sei sie noch so fiktiv, durchaus reale Gewalt entfesseln kann – Pogrome, Hexenverfolgungen, Kreuzzüge und andere unheilige Kriege, eine Blutspur von der Spätantike bis herauf in die Gegenwart. Wäre es da nicht besser, mehr noch *geboten*, und zwar gerade von wissenschaftlich-akademischer Seite, die Figur des Teufels zu verabschieden und dem mythischen Vergessen zu überlassen?

Dieses Argument ist so haltlos nicht, weshalb die *theologische* Geschichte des Teufels in der Neuzeit eine Reihe höchst aufschlussreicher Absagen skandiert. Sie alle treibt das Bedenken um, der Teufel sei Repräsentant eines vormodernen, unkritischen Weltbildes, das einer aufgeklärten Zeit nicht mehr gerecht werde, ja dass er die Glaubensverkündigung in den Misskredit der Vernunft bringe und sie unglaubwürdig mache. In diesem Sinn schreibt bereits Schleiermacher Anfang des 19. Jahrhunderts: „Die Vorstellung vom Teufel, wie sie sich unter uns [= Christen] ausgebildet hat, ist so haltungslos, daß man eine Überzeugung von ihrer Wahrheit niemandem zumuten kann."[15] Und im zurückliegenden 20. schlägt kein geringerer als der berühmte protestantische Exeget Rudolf Bultmann in die nämliche Kerbe: „Man kann nicht elektrisches Licht und Radioapparat benutzen, in Krankheitsfällen moderne medizinische und klinische Mittel in Anspruch nehmen und gleichzeitig an die Geister- und Wunderwelt des Neuen Testaments glauben. Und wer meint, es für seine Person tun zu können, muß sich klar machen, daß er, wenn er das für die Haltung christlichen Glaubens erklärt, damit die christliche Verkündigung in der Gegenwart unverständlich und unmöglich macht."[16]

---

[14] Auf die ideologischen Verteufelungsstrategeme der christlichen Evangelienliteratur hingewiesen zu haben, ist das Verdienst des Buches von Elaine PAGELS: *Satans Ursprung.* Berlin: Berlin-Verlag, 1996.

[15] Friedrich Daniel Ernst SCHLEIERMACHER: *Der christliche Glaube nach den Grundsätzen der evangelischen Kirche im Zusammenhange dargestellt. Bd. 1.* Berlin: Walter de Gruyter, [7]1960, 211.

[16] Rudolf BULTMANN: *Neues Testament und Mythologie. Das Problem der Entmythologisierung der neutestamentlichen Verkündigung.* München: Kaiser, [3]1988, 16. Ein im Hinblick auf den Teufel ähnliches

Ein solches Urteil scheint für sich selbst zu sprechen. Der Teufel trägt nichts aus für einen realitätskritischen Umgang mit dem Bösen, gehört zu einer vormodernen „Geister- und Wunderwelt". Dem lässt sich auch philosophisch leicht beipflichten. Schnell sind Sachgründe bei der Hand, ist die *bessere* Erklärung genannt: „Man muß nicht den Teufel bemühen, um das Böse zu verstehen." So markant Rüdiger Safranski. „Das Böse gehört zum Drama der menschlichen Freiheit. Es ist der Preis der Freiheit."[17] Auch Safranski ruft also den Menschen in die Verantwortung und zwar nicht ohne Dramatik. Denn ein *Drama* ist es – wie spätestens Sartre weiß –, dass der Mensch frei sein muss, ohne dieser Freiheit vernünftig bzw. sinnvoll Herr werden zu können. Damit ist ein Fragezeichen gesetzt hinter das Gelingen des anthropologischen Projekts und das desillusionistische Geschäft der Kritik eröffnet. Mythen wie der Teufel erledigen sich dann von selbst.

Wenn eine bestimmte Richtung gegenwärtiger systematischer Theologie sich einem solchen Urteil dennoch widersetzt und damit nicht nur die Philosophie, sondern – wie zu vernehmen war – das gewichtige Wort der Exegese, ja ihre eigene dogmatische Tradition gegen sich in Stellung bringt, so bedarf das einer Rechtfertigung. Kurz gesagt geht es darum, wie man sich zu den Wahrheitsansprüchen literarischer bzw. mythischer Texte verhalten will. Hat Sprache – insbesondere die dichterische – nur Sinn, wenn sie empirisch Vorhandenes wie unvollkommen auch immer *abbildet*? Oder muss man umgekehrt argumentieren und erkennen, dass Sprache Welt entdeckt und auf diese Weise erst so etwas wie Wirklichkeit *schafft*. Die magische Geste der Besprechung und moderne Erkenntnistheorie bzw. Handlungspragmatik weisen hier in einen gemeinsamen Ursprung. Diese Einsicht hat massive Auswirkungen auf das Selbstverständnis der hermeneutischen Wissenschaften. Die zugehörigen theoretischen Grundlagen sind an dieser Stelle nicht zu entfalten. Auch das eine äußerst schwierige Geschichte, deren philosophische Ahnenreihe in der Moderne von Nietzsche über Heidegger zu Ricoeur und Derrida führt.[18] In aller Verschiedenheit eint diese Denker nämlich die Überzeugung, dass jedes ästhetische Phänomen oder Kunstwerk, allen voran aber das sprachliche, eine konstitutive Arbeit nicht nur am Verständnis von Wirklichkeit, sondern an dieser Wirklichkeit selbst offenbart. Oder spezifischer, wie der Essayist Denis de Rougemont formuliert: „Ein Mythos ist eine Geschichte, die in einer dramatisierten

---

Anliegen verfolgt auf konfessionell katholischer Seite Herbert HAAG in: *Abschied vom Teufel?* Einsiedeln: Benziger, [3]1971 (Theologische Meditationen; 23), sowie in: DERS.: *Vor dem Bösen ratlos?* Zürich u.a.: Pieper, 1978 und in: Ders. (siehe Anm. 2).

[17] Rüdiger SAFRANSKI: *Das Böse oder das Drama der Freiheit.* München u.a.: Hanser, 1997, 13.

[18] Zu verweisen wäre auf Texte wie: Friedrich NIETZSCHE: *Wie die „wahre Welt" endlich zur Fabel wurde.* In: DERS.: *Gesammelte Werke.* Bd. 6: *Der Fall Wagner u.a.* München: dtv, 1999 (KSA 6), 80f; Martin HEIDEGGER: *Unterwegs zur Sprache.* Stuttgart: Neske, [10]1993; Paul RICOEUR: *Die lebendige Metapher.* München: Fink, [2]1991 (Übergänge 12) und DERS.: *Zeit und Erzählung.* 3 Bde. München: Fink, 1988; 1989; 1991 (Übergänge 18); sowie: Jacques DERRIDA: *Grammatologie.* Frankfurt am Main: Suhrkamp, [7]1989 (stw 417).

Form gewisse tiefe Strukturen des Wirklichen beschreibt und illustriert."[19] Aber eben nicht nur beschreibt und illustriert, sondern vielmehr erst *erfindet* als eine Art realeres, ja hyperreales *Surplus*. Paul Ricoeur hat diese weiterführende Einsicht in die bestechend einfache Formel gefasst, dass ein Symbol – er meint natürlich vor allem anderen das sprachliche – zu *denken* gibt, dass also gerade die in der Regel metaphorisch strukturierte Kundgabe mythischer Zeichensysteme kein *l'art pour l'art* betreibt, sondern eine *referenzielle* Funktion ausübt, insofern sie mit sprachlichen Mitteln außersprachliche Wirklichkeit zwar nicht abbildet, aber *entdeckt*, ihren Referenten also erst hervorbringt und sich gerade darin, d. h. über ihre Fiktionalität, als bedeutungsvoll bzw. im strengen Sinn wahr erweist.[20] Dass aber dem Vertrauen auf die Sprach-Bilder des Mythos gerade philosophisch keine Leichtgläubigkeit vorgeworfen werden kann, sondern es im Gegenteil zu einem kritischen Geschäft erst befähigt, hebt Ricoeur ganz besonders hervor: „Nur eine Philosophie, die zuvor aus dem Vollen der Sprache geschöpft hat, kann alsdann indifferent sein gegenüber den Ansätzen ihrer Problematik und den Bedingungen ihrer Ausübung und ständig bedacht bleiben, die universale und rationale Struktur ihrer Option auszuarbeiten."[21]

Gilt solches nicht nur im Bereich der Philosophie, dann darf auch die Theologie den Teufel nicht als weltanschauliches Ideologem vergangener Tage – um es in Bultmanns Terminologie zu sagen – *entmythologisieren* wollen, sondern hat ihn *als* Mythos ernst zu nehmen und d. h. in seiner wirklichkeitsentdeckenden Funktion hinsichtlich der realen Faktizität des Bösen zu interpretieren.[22] Worin aber besteht diese, bzw. anders gefragt: Was enthüllt die mythische Sprachfigur des Teufels über die Wahrheit des Bösen? Nun etwas, das selbst die anthropozentrische Freiheits-Dramatik Safranskis nur unzulänglich zu fassen bekommt und das gleichwohl, wie die Geschichte des Satans Abischai vom Anfang nachdrücklich ins Bewusstsein gerückt hat, die wesentliche Bedrängnis an der Erfahrung des Bösen ausmacht: nämlich dass unter seiner realhistorischen Macht niemand heil bleiben kann. Schimi verflucht, Abischai klagt an und David wird sich rächen, ein einziger unauflöslicher Gewaltkomplex. Keine der Figuren vermag sich von der zwischen ihnen flottierenden Bosheit zu distanzieren. Jede ein überzeugter Satan identifiziert die anderen mit ihr und diese selbst damit jeden. Das aber ist unmenschlich, denn nur ein Teufel

---

[19] Denis DE ROUGEMONT: *Der Anteil des Teufels.* München: Matthes und Seitz, 1999, 24. Das Buch ist bereits in den 40iger Jahren des letzten Jahrhunderts entstanden.

[20] Vgl. Paul RICOEUR: *Symbolik des Bösen.* München: Alber, [2]1988 (Phänomenologie der Schuld; 2), 395–406.

[21] Ricoeur (s. Anm. 20), 406.

[22] Auf katholischer Seite versuchen das etwa: Joseph RATZINGER: *Abschied vom Teufel?* In: DERS.: *Dogma und Verkündigung.* München u.a.: Wewel, 1973, 225–234; Walter KASPER: *Das theologische Problem des Bösen.* In: DERS.; Karl LEHMANN (Hrsg.): *Teufel – Dämonen – Besessenheit. Zur Wirklichkeit des Bösen.* Mainz: Matthias-Grünewald-Verlag, 1978 (Grünewald Reihe), 41–69 oder Hermann HÄRING: *Das Böse in der Welt. Gottes Macht oder Ohnmacht?* Darmstadt: Wissenschaftliche Buchgesellschaft, 1999 und Bernd Jochen CLARET: *Geheimnis des Bösen. Zur Diskussion um den Teufel.* Innsbruck u.a.: Tyrolia, 1997 (IThS 49).

wird mit seiner Bosheit identifiziert. Die christliche Tradition überblendet deshalb die Agenten der bösen Gewalt, Satan und Teufel, grenzt sie aus ihrem Gottesbild aus (vgl. Lk 10,18) und formt sie zu einer Hybridbildung um. Dieser Hybride soll im paradoxen Wechselspiel von Versuchungs- und Strafinstanz das leisten, was dem durchaus irdischen Satan am Anfang *nicht* gelang: den Menschen die eigene Bosheit vom Leib zu halten, damit sie nicht in ihr fortfahren müssen. Denn unter der Macht des Bösen sind alle menschlichen Täter bereits Opfer, Verführte, wie das IV. Laterankonzil ausdrücklich lehrt. Das ist die systematische Wahrheit, der das ganze Theater, das der christliche Glaube um den Teufel bis heute aufführt, dient. Das Festhalten an ihr findet seine Berechtigung darin, dass sie die Position der Opfer privilegiert und – weil alle, Täter wie Opfer, vor der bösen Übermacht nur Opfer sein können – den einzigen Ausweg darin erblickt, wenigstens fortan *niemanden* mehr zu opfern.[23] Dazu gibt es keine Alternative, denn der Mensch hat dem Bösen immer schon nachgegeben. Auch, gerade das, sagt die Figur des Teufels als theologische Figur. Und bewahrt den Menschen damit vor einer im letzten ethischen Überforderung. Nur, ganz, total, ausschließlich *gut* sein wollen, ist ein teuflisches Ansinnen, das in Anarchie oder den Terror der Rechtschaffenen mündet.[24] Positiv formuliert: Die Erlösung des Menschen und seiner Welt ist und bleibt Gottes Sache. Ihm allein steht ein Urteil über das Böse und alle seine Opfer zu.

Das wissenschaftliche, theologische Interesse an der Figur des Teufels hat jedoch nicht nur eine lehrmäßige und sozusagen inhaltistische Dimension, sondern zuerst und vor allem eine ästhetische. Denn die Geschichten um den Teufel *inszenieren* ja jene Wahrheit erst, welche den Menschen und seine bösen Taten auseinander halten soll. Seine Darstellung folgt dabei einer *personalen* und *emotionalen* Dramaturgie. Die erste, *personalistische* Linie enthüllt die Unmenschlichkeit des Täters. Der Teufel ist kein Mensch. Allerdings ist der Mensch faktisch der einzige Täter des Bösen und also der einzig wirkliche Unmensch. Dafür hat jeder Einzelne die Verantwortung zu übernehmen und zwar in dem Bewusstsein, dass er dieser Verantwortung nicht gewachsen ist, da sie die Ebene individueller Zurechenbarkeit *strukturell* überfordert. In diesem Sinn lässt uns der Teufel das Böse als Macht einer Versuchung wahrnehmen, der wir erliegen, ohne dass wir uns deshalb herausreden könnten. Auch die strukturelle Überforderung schließt personal zu verantwortende Schuld in sich. Die böse Wirklichkeit mag noch so unmenschlich sein, nicht-menschlich ist sie keineswegs und steht deshalb zumindest unter der *Forderung* der Zurechenbarkeit. Aus diesem Grund trägt die Gestalt, in welcher die Problematik des Bösen für den Glauben erscheint, ein personales Antlitz. Sie setzt seiner strukturellen Ungreifbarkeit gleichsam eine konkrete Maske, lateinisch *persona* auf, durch die das Böse uns

---

[23] Was das bedeutet, zeigen auf sehr unterschiedlichen Wegen René GIRARD: *Ich sah den Satan vom Himmel fallen wie einen Blitz. Eine kritische Apologie des Christentums*. München u.a.: Hanser, 2002 und Jean-François LYOTARD: *Der Widerstreit*. München: Fink, [2]1989 (Supplemente).

[24] Carl Gustav Jung hat das gesehen. Ob sich das Böse jedoch anthropologisch – oder wie auch immer – integrieren lässt, ist zumindest fraglich. Vgl. dazu Marion BATTKE: *Das Böse bei Sigmund Freud und C.G. Jung*. Düsseldorf: Patmos, 1978 (ppB).

anspricht, zu uns hindurch klingt (*per-sonare*), so dass es selbst an- bzw. besprochen werden kann. Die theologische Erfindung, die Maske, persona *des* Bösen zeigt den Bösen in Person und veranschaulicht damit die christliche Einsicht in die anthropologisch zu verantwortende Tatstruktur böser Wirklichkeit.[25] Und gegen den Einwand, es handle sich dabei um mythisches Theater, wird man geltend machen müssen, dass offenbar nur ein solches Theater dem humanen Anforderungsprofil gerecht zu werden scheint, mit welchem die inhumane Realität des Bösen unsere Welt konfrontiert.

Die andere *emotionale* Linie der Teufelsinszenierung vertieft diese Einsicht. Denn die Figur des Teufels konterfeit das personale Böse ja nicht neutral, sondern ausgesprochen abstoßend, will sagen: als Fratze, als *horror-fiction*.[26] Der Böse ist zum Fürchten. Systematisch interpretiert: Unter seinem Bild und Namen *erschrickt* der Mensch vor dem Abgrund des Faktums der eigenen Bösartigkeit. Denn es ist im Wortsinn *unfassbar*, wie bzw. dass Menschen Böses tun können. So stellt das Entsetzen, das die diabolischen Figurationen auslösen, kein beliebiges Sentiment dar. Die Form der theologischen Darstellung bestimmt – hier wie überall – den Inhalt. Im Entsetzen und Zurückweichen vor dem geschehenen, nicht wieder gut zu machenden Bösen, soll heißen als emotionale Unfassbarkeit post festum, spiegelt sich dessen anthropologisch prinzipiell unbewältigbare Signatur. Das Böse ist nicht beherrschbar und durch nichts und niemanden zu rechtfertigen. Ein namenloser Schrecken überfällt den Menschen vor dieser Einsicht. Besser gesagt, er *wäre* namenlos, gäbe es nicht die Metaphern, die fiktionale Sprache des Teufels. Ihre Inszenierung transportiert seine Wirklichkeit. Sie argumentiert nicht und erklärt nicht, ebenso wenig eröffnet sie eine Handlungsperspektive für immanente Bewältigungsstrategien – ein *guter* Grund wäre, wie gezeigt, hier bereits der schlechteste. Und wenn die Figur des Teufels neben jenem abstoßenden auch diesen verlogenen Zug am Bösen manifestiert, entfesselt sie damit einen gnoseologischen Schrecken, der alle philosophischen und pragmatischen Lösungsversuche in kritisches Zwielicht taucht. Der Teufel figuriert als Horrorgestalt, ist fürchterlich, weil das Böse zum Fürchten Anlass gibt. Wer nicht vor ihm flieht, sondern mit ihm umgehen will – urteilend, erklärend oder wie auch immer – hat den Schaden davon. So auch Safranskis Freiheitsdramatik, die den vom Bösen infizierten Menschen nur mehr und wider besseren Wissens die „Pflicht zur Zuversicht" anzuraten vermag[27] und damit den teuflischen Zug an der die menschliche Behandlungshoheit irritierenden Wirklichkeit des Bösen eher noch deutlicher hervortreten lässt: seine unfassbare Grundlosigkeit.

---

[25] Dass sich daraus der Ansatzpunkt für eine spezifisch theologische und als solche verantwortliche, d.h. im interdisziplinären Kreis der Wissenschaften kritikfähige Auseinandersetzung mit dem Unfassbaren böser Wirklicht ergibt, habe ich selbst zu zeigen versucht in: Jürgen BRÜNDL: *Masken des Bösen. Eine Theologie des Teufels.* Würzburg: Echter, 2002 (BDS 34).

[26] Als kunstgeschichtlicher Hinweis sei hier auf das Werk Hieronymus Boschs verwiesen. Weitere Belege wären Legion, zumal aus den populären Unterhaltungsmedien der Gegenwart. Vgl. auch Luther LINK: *Der Teufel. Eine Maske ohne Gesicht.* München: Link, 1997 (Bild und Text).

[27] Vgl. Safranski (s. Anm. 17), 330.

Aber die Figur des Teufels enthüllt abgesehen von den genannten realitätskritischen und gewalttheoretischen Aspekten auch einen spezifischen *Glaubenssinn*. Denn verkörpert sie das Böse in Person, also den absoluten Untäter, so wird doch diese Untat selbst nicht durch einen innerweltlichen Gegenstand bestimmt. Vor allem anderen figuriert der Teufel nämlich als *Apostat*, d. h. als Abtrünniger, der sich mutwillig von Gott abkehrt, und damit als Symbolfigur des Unglaubens schlechthin. Seine moderne Ausprägung – und natürlich verkürzt diese These unzulässig – charakterisiert unter anderem jener betont säkularistische Zug, nach dem nicht Gott, sondern der Mensch alles zu richten habe. Es folgen die guten Gründe, nicht zuletzt jene der Vernunft. Mit ihnen richtet der Unglaube seine Welt ein – und sich selbst oft genug zugrunde. Ironie der Geschichte? Eher Dialektik der Aufklärung, die entdeckt, dass nicht allein der gläubige, sondern auch der ungläubige Mensch im Wirkungsfeld des Bösen ein Rechtschaffener mit falschem Bewusstsein, ein Satan nach der Vergeltungslogik des guten Grundes sein kann. Dasselbe besagt übrigens bereits die oben genannte Stelle aus dem Johannesevangelium. Sie bringt den Unglauben mit Teufelskindschaft und der Verblendungs- bzw. Lügenmacht einer falschen, ja *mörderischen* Selbstgerechtigkeit zusammen und erweist sich damit als Spielart gläubiger Ideologiekritik. Ihre problematische Seite, die Feindbilder, die sie freisetzt, liegt auf der Hand. Den Teufel nimmt, wie gesagt, niemand ungestraft in den Mund. Deshalb bedarf die Rede von ihm der Deutung, Interpretation. Die Distanzierungsfunktion ihrer Bilder offenbart sich ja nicht von selbst, sie muss erst *verstanden* werden. Und wenn der christliche Glaube mit Hilfe der Figur des Teufels am Ende tatsächlich sagen will, dass Unglaube anthropologisch böse wirkt,[28] so bedarf es um so mehr der Sprachkritik der Theologie, damit weder der Glaube noch sonst jemand diese Wahrheit dazu missbraucht, Un- oder Andersgläubige oder gar den Menschen als solchen zu einem Teufel zu machen. Eine nichtchristliche, vielleicht gänzlich areligiöse Anthropologie mag das anders sehen und der theologischen Kritik widersprechen. Hoffentlich zum Besten des Menschen. Doch das ist eine andere Geschichte.

---

[28] Eugen Drewermann hat das über eine theologische Deutung der menschlichen Grundbestimmung der Angst zu zeigen versucht, vgl. DERS.: *Strukturen des Bösen. Die jahwistische Urgeschichte in exegetischer, psychoanalytischer und philosophischer Sicht.* Paderborn u.a.: Schöningh, 1988.

Aus der Theologie der Gegenwart

Philosophie

SPAEMANN, Robert; SCHÖNBERGER, Rolf: *Der letzte Gottesbeweis.* Düsseldorf: Pattloch, 2007. – geb., 127 S., ISBN 978-3-629-02178-6, EUR 12,95

1. Zur Seitenzahl bei dem gewichtigen Thema tragen der bekannte Philosoph Spaemann und sein weniger bekannter Schüler Schönberger im Verhältnis eins zu drei bei, in der Gewichtung des Inhalts ist es dann wohl umgekehrt. Der Schüler tritt als Scholiast der Ideengeschichte auf, die er als Dreischritt von Anselm von Canterbury über Thomas von Aquin zu Robert Spaemann vorstellt. Es geht also wirklich um den einen Gedanken, der hier als neu präsentiert wird: ‚Wahrheit kann es nur geben, wenn es Gott gibt.' Das stärkste Argument, das Spaemann für seine Idee anführt, ist das Futurum exactum. Mit diesem Futur II, auch vollendete Zukunft oder Vorzukunft genannt, soll die Kraft des Gedankens verdeutlicht werden, nach dem jedwede Wahrheit immer Gott zur Voraussetzung hat. Als Beispiel: Spaemann hat sein Argument am 12. Oktober 2006 in der ‚Katholischen Akademie in München' (31) vorgetragen, nicht gerade zum ersten Mal, doch eben auch dort. Also wird das Ereignis in zehn Jahren wahr sein, denn es hat ja stattgefunden, und in tausend Jahren und in Milliarden von Jahren auch, selbst wenn keine materielle Spur davon mehr im Bewußtsein, auf Papier oder im Internet zu finden sein wird. Endgültig wird das zweite Futur zur einzigen grammatischen Form geworden sein, wenn die Sonne die Erde in etwa fünf Milliarden Jahren verschluckt haben wird. Daraus folgt: ‚Wir müssen ein Bewußtsein denken, in dem alles, was geschieht, aufgehoben ist, ein absolutes Bewußtsein.' (32) Denn, so Spaemann, das Münchener Ereignis bleibt nun einmal

geschehen und deshalb wahr für alle Zeit und Ewigkeit.

Daneben tritt ein zweites Argument für die Existenz Gottes, das ist die Idee der Doppelcodierung der Welt. So kann man Bachs Violinsonate in g-moll (BW 1001) rein musikalisch hören, aber auch völlig anders ansehen, denn Bach hat dem Stück einen Rosenkreuzertext mit dem Bekenntnis zum dreieinen Gott unterlegt. Man muß sich nicht für diese andere Codierung interessieren, doch sie existiert. Eben deshalb dürfen Evolutionsphilosophen die Welt nicht von Bedeutung und Sinn leersprechen, nur weil sie ausschließlich an der evolutionistischen Codierung interessiert sind. Spaemann ist wütend auf solche reduktionistischen Blindgänger und raubt dem Pseudophilosophen Daniel Dennett (25) gleich einen Buchstaben aus seinem Namen, um so dessen Reductio mentis darzustellen.

2. Spaemann ist seit Jahren und Jahrzehnten vom Kampf gegen den szientifischen Naturalismus erfüllt. Er tut recht daran, denn nicht nur die Existenz Gottes steht mit der Wegerklärung des Geistes auf dem Spiel, sondern auch die des Menschen. Wenn es bloß die Kräfte der Natur geben darf, wird alle Bewegung in der Welt zu Schein, Anschein und Widerschein eines kosmischen Unsinns, und jedes humane Streben endet im ‚banalen Nihilismus der Spaßgesellschaft' (28). Den Hauptgegner erblickt Spaemann in Nietzsche, weshalb er nach einem ‚nietzsche-resistenten' (31) Argument sucht. Dieser Schriftsteller des vorvorigen Jahrhunderts hat ihm auch gleich die Idee eingegeben, wie das anzustellen sei. In einem seiner Scherze beschwört Nietzsche seine Befürchtung, wir würden Gott nicht los, solange ‚wir noch an

die Grammatik glauben'. Wer Worte wagt und seine Gedanken der Sprache anvertraut, so Spaemann und Nietzsche gemeinsam, der vertraut auf Gott. Warum? Weil nur in einem absoluten Bewußtsein die Rede für immer aufbewahrt werden kann, so Spaemann jetzt alleine.

3. Unser Urteil über Spaemanns Versuch kann nur günstig ausfallen, eventuell mit einem kleinen Vorschlag zur Ergänzung. In Nietzsche den Vorkämpfer der Entgeistigung des Menschen zu sehen, ist folgerichtig. Eigentlich ist Nietzsche doch nur ein Reaktionär mit geölter Zunge. Er will alles rückgängig machen, was Sokrates, Jesus, Augustinus und Kant in die Welt gebracht haben, weshalb er diesen vier Leuten am liebsten in den Bauch tritt. Es ist bekannt, wie sehr Nietzsche von Darwin abhängig ist, ohne dessen Züchtungsidee er selbst gar keine Idee hätte. Alles kommt darauf an, die Evolutionslehre richtig zu verstehen. Hier habe ich den Eindruck, hat Spaemann leider nur externe Argumente zur Hand. Auch das Argument der vollbrachten Zukunft leidet an der Externität zur Wissenschaft. Spaemann will der Naturforschung nämlich ‚strukturelle Regelmäßigkeit' (11) zugestehen, wodurch er wohl auf die Idee mit der doppelten Codierung gekommen ist, die eine zusätzliche Regel wäre. Schließlich kann man immer fragen, woher denn die erste Regel kommt, die Antwort wäre eine Art von zweiter Regel. Spaemann führt zur Bekräftigung Einstein an, um in dessen Staunen einen ‚Hinweis auf einen göttlichen Ursprung' (11) des Kosmos zu sehen. Ja, schon recht, doch vor dem gesichtslosen Gott Einsteins, der nicht soll würfeln können, würde ich nicht gerne das Knie beugen. Einstein will trotz seiner Gottesreden so atheistisch sein wie Nietzsche, vielleicht nur mit etwas weniger Naivität als Nietzsche, denn Einstein konnte mit verstörten Augen sehen, wohin die Wissenschaft läuft.

Ich meine, erst wenn wir ein internes Argument haben, können wir dem geistlosen Naturalismus ein Ende setzen; schließlich geht Einsteins Unruhe von den internen Schwierigkeiten der Quantentheorie aus, weil es im 20. Jahrhundert nicht mehr gelingen will, die Natur mit voller Regelmäßigkeit zu beschreiben. Die Unbestimmtheitsrelation von Heisenberg gerade beschreibt die strukturelle Unregelmäßigkeit der Natur. Das Würfeln Gottes gibt uns den Wink, und fast wäre Spaemann selbst darauf gekommen, leider hakt sein Gedanke am Ende fest. Er sagt: ‚Gott wirkt ebenso durch Zufall wie durch Naturgesetze.' (30) Das ist gut gesehen, das ‚ebenso' ist jedenfalls ausgezeichnet. Doch dieses Pluszeichen sollte zwischen Zufall *und* Notwendigkeit zu stehen kommen. Wie man in der Physik und in der Biologie lernen kann, sind dies die beiden Grundprinzipien der Natur, nicht die Notwendigkeit allein. Trotzdem, und das wäre jetzt der entscheidende Gedanke, kann man nicht sagen, alle Wirklichkeit in der Natur werde regiert durch Zufall und Notwendigkeit. Denn Notwendigkeit ist ein Wissensprinzip und Zufall ein Nichtwissensprinzip. Man kann nicht beide vermischen und ausrufen: Jetzt haben wir alles verstanden, alles in der Natur läuft nach dem einen Prinzip von Zufall und Notwendigkeit ab. Vielmehr sollten wir umgekehrt sagen: Nicht alle Wirklichkeit ist Natur, und das sagt sogar die Naturwissenschaft selbst.

Damit sind wir durch das Tor getreten und stehen in einer neuen Welt, in der Geist, Personalität und Freiheit zu denken möglich ist. Das jedoch ist nicht mehr das Thema des Buches und der Rezension.

Dieter Hattrup

Geschichte der Philosophie

SIGER von Brabant: *Quaestiones in tertium De anima. Über die Lehre vom Intellekt nach Aristoteles nebst zwei averroistischen Antworten nach Thomas von Aquin.* Lateinisch – deutsch. Hrsg., übers., eingel. und mit Anmerkungen versehen von Matthias PERKAMS. Freiburg u. a.: Herder, 2007 (Herders Bibliothek der Philosophie des Mittelalters; 12). – geb., 255 S., ISBN 978-3-451-29033-6, EUR 34,00

Wir wissen: im Januar 1269 ist Thomas von Aquin zum dritten Mal in Paris. Hier setzt er sich auseinander einerseits mit den extremen Aristotelikern, den so genannten Averroisten, Siger von Brabant und Boethius von Dacien, andererseits mit konservativen Theologen, die ihn verdächtigen, sich allzu sehr auf die griechische Philosophie einzulassen. Drei Jahre später wird Thomas bereits aus Paris wieder abberufen. Er soll in Neapel ein Studienhaus des Dominikanerordens errichten. Wiederum zwei Jahre später, unterwegs auf dem Weg zum Konzil von Lyon (1274), stirbt er, 49 Jahre alt, am 7. März. Siger von Brabant (1240–1284) dozierte mit Boethius von Dacien zwischen 1265 und 1270, vielleicht auch länger, an der Pariser Artesfakultät. 1266 konnte ihn der päpstliche Legat Simon von Brion als Hauptunruhestifter in der Fakultät ausmachen, als Schüler des Averroes (1126–1198), des arabischen Kommentators des Aristoteles, als Wortführer jener, die, wie Jos Decorte richtig bemerkte, einen „integralen Aristotelismus" vertraten (2006, 208). Was aber ist damit gemeint? Was genau besagt die averroistische Lehre des Monopsychismus, die Lehre davon, dass es nur einen einzigen Intellekt für alle Menschen und transzendenten Intelligenzen gebe? Wer es genau wissen will, der muss Siger von Brabant studieren; und zwar seine „Quaestiones in tertium librum De anima". Dieser schon zu Sigers Lebzeiten Aufsehen erregende Kommentar zu der Schrift des Aristoteles „Über die Seele" wird hier zum ersten Mal in einer vollständigen

Übersetzung vorgelegt, dazu noch in einer leserfreundlichen Synopse: links der lateinische, rechts der deutsche Text (57–191). Angehängt werden „Testimonien zu Siger von Brabants ‚Über den Intellekt' und ‚Über das Glück'" (197–233) sowie und eine „Antwort eines anonymen Averroisten an Thomas von Aquin" (237–247). Die Überschrift des ersten Anhangs zeigt schon, dass nicht immer sorgfältig formuliert wurde. Überhaupt scheint es dem Übersetzer nicht bewusst zu sein, dass es im Mittelalter noch keine Gentilnamen gab, dass also Siger von Brabant kein Adelsname, sondern Bezeichnung seiner Herkunft ist: Siger aus Brabant. Der Genetiv darf also nicht mit „Brabant", sondern muss mit „Siger" gebildet werden. Es darf also nicht, wie es permanent geschieht, „die Werke Siger von Brabants", sondern es muss „die Werke Sigers von Brabant" heißen, ebenso natürlich auch, was ebenfalls ständig missachtet wird, „das Denken Thomas' von Aquin" und nicht das „Denken Thomas von Aquins". Wenn dann auch noch im Vorwort zu lesen ist, dass Perkams kaum wusste, wer Siger von Brabant war, als er gebeten wurde, die Übersetzung anzufertigen, befürchtet der Leser Schlimmstes. Wie kann jemand, dem „Siger von Brabant und sein Werk" nahezu „unbekannte Größen" sind, es überhaupt wagen, diese bedeutende Schrift zu übersetzen und für den modernen Leser aufzuarbeiten?

Doch das Befürchtete tritt nicht ein. Die Einleitung (11–56) zeigt es schon: Hier werden durchaus kenntnisreich zunächst die Person des Siger von Brabant und die Lehre von der Einheit des Intellekts vorgestellt, wird informativ eingeführt in den Averroismus, in die Rezeptionsgeschichte der aristotelischen Geistlehre vor und seit Siger sowie durch die Pariser Artisten in der zweiten Hälfte des 13. Jahrhunderts. Immerhin kommen auch die Kritik an Sigers These von 1265 bis 1270 sowie Sigers Reaktion auf diese Kritik in der Schrift „De intellectu" zu Wort. Hilfreich, weil gut überlegt, ist auch die lateinisch-deutsche Liste einheitlich übersetzter Worte (50 ff.) sowie das Glossar zentraler Begriffe (52–54). Allerdings sollte durchgehend „accidens" mit „Akzidens" (nicht Akzidenz!), „per accidens" mit „akzidentell" (nicht akzidentiell!) und „substantia" mit „Substanz" übersetzt werden. Doch sollen hier keine Erbsen gezählt, sondern die historische Perspektive eröffnet werden: Die

gegenwärtige Diskussion über das Verhältnis von Vernunft und Glaube ist kein Relikt der Aufklärung, sondern hat durchaus auch ihre mittelalterlichen Wurzeln, die wiederum bis in die griechische Antike zurückreichen. Die vorliegende insgesamt durchaus lesbare Textausgabe legt beeindruckendes Zeugnis davon ab.

Manfred Gerwing

Christliche Gesellschaftslehre

KREUZHOF, Rainer: *Wirtschaft, Moral und christliche Lebenspraxis. Eine Herausforderung der postsäkularen Gesellschaft.* Paderborn: Schöningh, 2007. – brosch., 260 S., ISBN 978-3-506-76341-9, EUR 29,90

Dass sich in der Flut wirtschaftsethischer Literatur die Betriebswirtschaftslehre dem Thema Ethik zuwendet, überrascht kaum noch; dass aber aus betriebswirtschaftlicher Perspektive ein Beitrag zum Verhältnis von Wirtschaft und „christlicher Lebenspraxis" geleistet werden soll, überrascht schon, zumal die Frage nach dem Proprium christlich-theologischer Wirtschaftsethik in letzter Zeit kaum mehr explizit gestellt worden ist. Rainer Kreuzhof wagt es mit seiner Dissertation und stellt die These auf, dass wirtschaftlicher Erfolg und christliche Kultur mit ihren moralischen Werten engstens zusammenhängen.

Im ersten Teil versucht der Autor das Verhältnis von Wirtschaft und Moral neu zu bestimmen. Ziel ist es, eine „Wirtschaftsontologie" zu entwickeln, die allein noch in der Lage sein soll, den in der modernen Gesellschaft aufgebrochenen Konflikt zwischen wirtschaftlichem Erfolg und moralischem Handeln aufzulösen. Unser modernes Menschenbild mit seiner naturwissenschaftlichen Sichtweise menschlichen Handelns, wie sie seit Adam Smith gepflegt wird, hat zu einer Entmoralisierung der Wirtschaft und einer Instrumentalisierung des Menschen geführt (vgl. S. 77). Die

„postsäkulare" Gesellschaft biete schließlich neue Anknüpfungspunkte für den Ansatz einer christlichen Wirtschaftsontologie, da einerseits in der wissenschaftstheoretischen Debatte Empirismus und Positivismus zunehmend in Frage gestellt und andererseits Religion als „nomatives Problemlösungspotential" (der Autor denkt dabei vor allem an Habermas) erkennbar werde. Neben einer durchgehenden, wenn auch eher marginalen betriebswirtschaftlichen Tradition, „die sich an der Katholischen Soziallehre bzw. der aristotelisch-thomistischen Philosophie" (S. 70) ausrichtet, ist es der Wirtschaftsethiker Peter Koslowski, auf den sich der Autor bezieht. Sein zentrales Anliegen ist es nämlich, die Einheit der Kultur zu explizieren, gegen den Szientismus der Moderne mit seiner ethikfreien Wirtschaftslehre. Zwar will die Arbeit keine „geschlossene christliche Betriebswirtschaftslehre" entwerfen, aber gleichwohl die Ökonomie öffnen, indem sie ihren „ontologischen Status" reflektiert und so ihren gemeinwohlorientierten Sinnhorizont aufweist.

Im Sinne einer „Machbarkeitsstudie" (S. 71) soll im zweiten Teil geprüft werden, ob diese Thesen in der aktuellen Managementlehre auch umgesetzt werden können und wenn ja, mit welchen Ergebnissen. Es lässt sich zeigen, so die Annahme, dass sich bei genauerer Betrachtung eine Umkehr von der Sichtweise eines rein ökonomischen Weltbildes andeutet: Sei es die „Entdeckung sinnvoller Ziele, Zwecke und Verhaltensgrundsätze" (S. 85) oder die Verantwortung der Entscheidungsträger und die Rolle der Tugenden (vgl. S. 109) oder schließlich die Konzentration auf die moralische Kompetenz. Ob es auf diesem Wege überhaupt gelingen kann, einen „dritten Weg" zwischen Demokratisierung des Unternehmens und Abwehr der Einbeziehung der Anspruchsgruppen (stakeholder) des Unternehmens zu skizzieren, indem auf die „entsprechende Sachkompetenz und das moralische Urteilsvermögen der Betroffenen" (S. 96) verwiesen wird, erscheint eher fraglich.

Im dritten Teil soll der Zusammenhang zwischen „Spiritualität und Moralität im Kultursachbereich der Wirtschaft" (S. 126) näher untersucht werden. Es soll gezeigt werden, dass und wie uns das kontemplative, geistliche Leben aus den Verengungen von Marxismus und Ökonomismus herausführen kann. Unter Rückgriff auf das Prinzip „Ora et labora" des heiligen Benedikt und in Konfrontation mit der materialistischen Geschichtsauffassung bei Karl Marx, versucht der Autor nun, das Verhältnis von vita contemplativa und vita activa zu klären und zwar mit Blick auf die moderne Gesellschaft. Der Katholischen Soziallehre hält er vor, dass sie die Frage, woher das moralische Urteilsvermögen und die Motivation der Entscheidungsträger in der Wirtschaft kommen sollen, offen gelassen hat. Erst Papst Johannes Paul II. habe mit „Laborem exercens" die Soziallehre gegenüber der spirituellen Theologie geöffnet und eine „Spiritualität der Wirtschaft" entwickelt. Unter Zuhilfenahme des Moraltheologen Servais Pinckaers sollen sittliche und spirituelle Erfahrung miteinander verbunden werden (vgl. 159). Wie kann aber eine solche Integration in der Wirtschaft wirksam werden? Durch eine Spiritualität von Arbeit und Konsum, so lautet die Antwort. Elemente des gesuchten Arbeits- und Konsumethos sind: Verzicht, Selbstannahme (als Voraussetzung für sinnvolles Wirtschaften), Andacht halten und Mitgefühl für andere.

Als Beispiele für Elemente einer „Spiritualität der Wirtschaft" nennt er schließlich die Erfahrungen der Sonntagskultur sowie Gebet und Sakrament. „Ziel ist es, aus dem geistlichen Leben heraus christliche Einstellungen zur Arbeit und zum Konsum herauszubilden und die damit verbundenen Tugenden zu entwickeln" (S. 177).

Der vierte und letzte Teil der Arbeit will die „Praktikabilität" (S. 184) einer christlichen Lebensführung in der Wirtschaft unter modernen Bedingungen prüfen. Es geht um die „Konsequenzen für die praktische Theologie". Welche Anforderungen sind an eine „postsäkulare Neu-Evangelisation der Wirtschaft" (S. 186) zu stellen? Zunächst einmal gilt es, Spiritualität und Ethos als primäre Elemente der Seelsorge neu zu entdecken (vgl. S. 199). Beispiele für die geforderte pastorale Konzeption der „Neu-Evangelisation der Wirtschaft" sind ein „Manager-Gebetbuch" des BKU und Anselm Grüns Hilfestellungen für Führungskräfte (vgl. S. 200 f.). Das zentrale Dilemma sieht der Autor darin, dass durch die vielen Bemühungen um die Wirtschaftsethik die drei Elemente – wirtschaftlicher Erfolg, moralisches Handeln und christlicher Lebensvollzug – auseinanderfallen. Dann verstrickt sich nämlich wirtschaftliches Handeln in ein „kurzfristiges Nutzendenken, dem hilflose Appelle gegenübergestellt werden, und die christliche Spiritualität driftet ab in einen individualistischen und abgesonderten Privatbereich" (S. 202).

Zunächst muss man es dem Autor hoch anrechnen, dass er den Mut gefunden hat, die Frage nach dem Proprium christlicher Wirtschaftsethik zu stellen. Die Schöpfungsund Heilsordnung soll der Maßstab werden für theologisches Sprechen, auch im Kontext wirtschaftlichen Handelns. Positiv ist auch, dass er das individuelle moralische Subjekt in den Mittelpunkt seiner Betriebwirtschafslehre zu stellen versucht. Des weiteren ist sein Bemühen, die Wirtschaft wieder in das Gesamt der Kultur zu integrieren, hervorzuheben. Man kann ihm nur zustimmen wenn er beklagt, dass die Unternehmenskultur sehr häufig aus betriebwirtschaftlichem Kalkül mit ethischen Etikettierungen versehen und eben nicht als Frucht der „wechselseitigen Verflechtung" (S. 68) mit dem kulturellen Kontext des jeweiligen Unternehmens begriffen wird.

Die Gedankenführung des ersten Teils der Arbeit ist nicht wirklich klar. Was nützen die besten Programmatiken, hier die Vermittlung von Moral und Ökonomie auf dem Boden einer „Wirtschaftsontologie", wenn sie argumentativ nicht eingeholt werden bzw. in Verweisen, Hinweisen, Forderungen stecken bleiben. Für einen Sozialethiker zumal ist es nicht leicht, diese Arbeit zu würdigen. Zu pointiert wirbt sie für einen individual- und tugendethischen Ansatz von Wirtschaftsethik, und das auf dem Sachgebiet, dass die „Sozial"-Ethik für sich reklamiert. Zu Recht! Wirtschaftliches Handeln kann unter modernen Bedingungen eben nicht mehr angemessen individual- und tugendethisch begriffen werden. Zu anonym und komplex sind die Handlungsbedingungen in diesem Sachbereich. Eine umfassendere und sorgfältigere Auseinandersetzung mit

der aktuellen wirtschaftsethischen Debatte hätte helfen können. So erscheint diese Arbeit nicht zufällig eigentümlich abstrakt und wirklichkeitsfern, was sich spätestens dann zeigt, wenn sie „konkreter" werden will: Mit Liturgie und Gebet soll in wirtschaftliches Handeln eingegriffen werden. Entweder erscheint ein solcher Vorschlag vollständig unpolitisch und affirmativ, weil er „Wirtschaftsethik" auf die religiös qualifizierte Innerlichkeit beschränkt, oder wie schon angedeutet, Wirtschaft und Moral bzw. Spiritualität fallen völlig unvermittelt und integralistisch zusammen. So sehr zu Recht nach einer gemeinsamen Basis für Ethik und Wirtschaft gesucht wird, so sehr muss sie sich bewähren in der Suche nach konkreten Vermittlungen. Insgesamt handelt es sich um einen recht eigenwilligen Beitrag zur Diskussion um eine christliche Betriebswirtschaftslehre, die noch einmal die große Herausforderung deutlich macht, die in der theologischen Debatte um das Verhältnis von Markt und Moral steckt.

Günter Wilhelms

Kirchengeschichte

Hegedus, Tim: *Early Christianity and Ancient Astrology.* New York u.a.: Peter Lang, 2007 (Patristic Studies; 6). – geb., XIV, 396 S., ISBN 978-0-8204-7257-7, EUR 69,90

Nach der Geburt Jesu kamen Sterndeuter zu Herodes, die dem „neugeborenen König der Juden" huldigen wollten, dessen Stern sie im Osten hatten aufgehen sehen (Mt 2,1–12); üblichen astrologischen Techniken gemäß bezog Herodes den Beginn dieser Erscheinung auf den Geburtstermin, was sich im Kindermord von Bethlehem auswirkte (Mt 2,16–18). Ebenso wie andere Perikopen bot der Abschnitt, der unbefangen astrologische Erzählmotive in die heiligen Schriften des Christentums integrierte, mehreren Kirchenvätern Anlass, sich auf theo-

logisch-exegetischer Ebene oder im pastoralen Alltag mit dem Phänomen auseinanderzusetzen. Dabei zeichnet sich ein vielfältiges Spektrum an Einstellungen und Kenntnissen zur Astrologie und ihren Praktiken ab: So begriff Origenes die Sterne als Wesen, die laut Schöpferwillen (Gen 1,14) künftige Ereignisse anzeigen könnten, doch sei der in Gestirnen und ihren Bewegungen verborgene Wille Gottes nur von wenigen Eingeweihten zu entschlüsseln (Philokalia 23). Augustinus, der in seiner manichäischen Lebensphase für astrologische Praktiken aufgeschlossen war (Conf IV,3), lehnte als Katholik jeden Einfluss der Gestirne auf den Charakter und das Schicksal der Menschen entschieden ab; dagegen spräche alle Erfahrung, richtige astrologische Prognosen beruhten allein auf Zufall (Conf VII,6).

Zahlreiche weitere Belege hat H. in seiner Dissertation [*Attitudes to Astrology in Early Christianity: A Study Based on Selected Sources*. University of Toronto, 2000] gesammelt und ausgewertet, jetzt legt der Associate Professor of New Testament Theology am Waterloo Lutheran Seminary (Wilfrid Laurier University) in Waterloo (Ontario, Kanada) eine leicht überarbeitete und bibliographisch aktualisierte Fassung vor.

Den Stellenwert der Astrologie im griechisch-römischen Kulturkreis deutet ein konziser einleitender Überblick (1–22) an, der die Popularität astrologischer Lehren und Praktiken aufzeigt und auf enge Beziehungen zur paganen Religiosität und ihren Kultformen hinweist. Der erste Teil (23–193) behandelt – nach Argumentationsmustern gruppiert – die skeptisch-ablehnende Resonanz in der frühchristlichen Literatur. Hier werden Äußerungen vorgestellt, die auf herkömmliche (philosophische) Einwände paganer Schriftsteller zurückgriffen und daneben eigene, aus der christlichen Glaubenslehre abgeleitete Argumente entwickelten. Angeführt wurden traditionell z.B. die Beobachtung verschiedener Viten trotz identischer Horoskope (bei Zwillingen) bzw. übereinstimmender Schicksale trotz divergierender Horoskope (Todesopfer bei Katastrophen) oder der Hinweis, dass durch den fatalistischen Einfluss der Sterne jede persönliche Verantwortung der Menschen für ihr Tun hinfällig werde und dann letztlich auch alle religiösen Opfer und Gebete sinnlos seien. Aus christlicher Perspektive wurde die Astrologie ebenso wie Magie und Mantik häufig als Götzendienst qualifiziert, insbesondere sei sie mit grundlegenden theologischen Überzeugungen unvereinbar, etwa hinsichtlich der Schöpfung (Gestirne könnten nicht wirkmächtiger sein als ihr Schöpfer). Ergänzend präsentiert der zweite Teil (195–370) Überlieferungen, in denen astrologische Elemente Bedeutung für das christliche Glaubensverständnis entfalte-

ten. An Bibeltexten fanden gerade die eingangs erwähnte Perikope (Mt 2,1–12) und das apokalyptische Zeichen der Frau und des Drachen (Offb 12) ein großes Echo; so wurde der Stern auf Christus selbst bezogen und als Erfüllung der Bileam-Prophetie (Num 24,17) gedeutet, die apokalyptische Frau unter Betonung astrologisch-mythologischer Entsprechungen zum Tierkreiszeichen der Jungfrau als Himmelskönigin und Sinnbild der Kirche als Mutter aufgefasst. Wie Origenes gestand etwa Tertullian der Astrologie einen begrenzten Wert zu (idol 9 beschränkt ihn auf die Zeit bis zur Geburt Jesu), während für den Syrer Bardesanes eine hohe Affinität zur Astrologie feststellbar ist: Er verband naturgegebene Kräfte, von Gott bestimmte schicksalhafte Einflüsse und die Willensfreiheit der Menschen zu einer einzigartigen Synthese (Buch der Gesetze der Länder). Ein knappes Resümee (371–374) beschließt die Studie, deren Gehalt ein detailliertes Register (389–396) wiedergibt.

Aufgrund vielfältiger Indizien in der frühchristlichen Literatur konstatiert H. zu Recht bei Christen ein hohes Interesse an der Astrologie. Ebenso wenig wie im paganen Umfeld ist daraus unmittelbar eine „Sternengläubigkeit" abzuleiten, auch wenn die Kirchenväter vor allem pastorale Ziele verfolgten. Sie führten keine Fachdiskussion mit Astrologen, sondern richteten sich an Gläubige, um sie von astrologischen Praktiken abzuhalten und ihnen die christlichen Glaubenswahrheiten zu vermitteln. Dass im Zuge einer allmählichen Glaubensnormierung manche Theologen und Gruppierungen als häretisch betrachtet wurden, u.a. weil sie eine große Nähe zur Astrologie zeigten, kann daher kaum überraschen.

Zu ergänzen ist, dass sich im christlichen Kulturkreis die Auseinandersetzung um das rechte Verständnis der Astrologie in den folgenden Jahrhunderten fortsetzte. Zum wichtigsten Argument avancierte in der lateinisch-westlichen Christenheit die Willensfreiheit (Albertus Magnus, Thomas von Aquin: menschliche Triebe können

für den Einfluss der Sterne geneigt machen, Willensstärke jedoch die Neigung be-
zwingen). Noch im Reformationszeitalter
gehörten medizinische Ratgeber, Jahresvor-
hersagen zu Wetter- und Ernteaussichten,
zu Kriegsgefahr oder Seuchen und gerade Geburtshoroskope zu den verbreiteten
astrologischen Praktiken; erst ein gewan-
deltes Wissenschaftsverständnis diskreditier-
te die Astrologie in der Aufklärung zum
„Aberglauben". Trotzdem haben noch heute Horoskope Konjunktur, sind Menschen
an Astrologie interessiert – unter ihnen auch
Christen. Offensichtlich sind pastorale Ge-
sichtspunkte nach wie vor durchaus aktuell. Anregungen mag H. mit den profund
und anschaulich beschriebenen Antwortver-
suchen der Kirchenväter auf die Herausforderungen durch die Astrologie ihrer Zeit geben.

Gerhard Franke

ERNESTI, Jörg: *Ferdinand von Fürstenberg
(1626–1683). Geistiges Profil eines barocken
Fürstbischofs.* Paderborn: Bonifatius, 2004
(Studien und Quellen zur Westfälischen Geschichte; 51). – geb., 442 S., ISBN 3-89710-
282-X, EUR 29,80
    Schon der Untertitel der kirchenhistori-
schen Mainzer Habilitationsschrift bezeichnet mit „geistigem Profil" und „barock" Ziel-
setzung, methodischen Ansatz und Deu-
tungsrichtung: Es geht darum, mentale und
biographische Voraussetzungen und Dispo-
sitionen des vornehmlich als Schöngeist, Ge-
lehrter, Kunstmäzen und idealer Seelsorge-
bischof tridentinischer Art in die Geschichte
eingegangenen Paderborner (1626/1661–83)
und Münsteraner (ab 1678) Fürstbischofs
herauszuarbeiten. So bleibt denn auch Barock eine kunsthistorische Kategorie, keine
politische, als welche der Begriff inzwischen
in der Frühneuzeitforschung angesichts des
in Mißkredit geratenen Absolutismus-Be-
griffs diskutiert wird. Von vornherein zeigt
sich damit für das Buch, daß dem „geistigen"
Komplex gegenüber der Stellung und Rolle

Ferdinands als Landesherr, Reichsfürst und
nicht zuletzt Familienpolitiker die Deutungs-
hoheit eingeräumt wird, auch wenn letztere
Funktionen des Bischofs durchaus zur Sprache kommen. Eine solche Perspektivenent-
scheidung kann aber bedeuten, die Gesamt-
persönlichkeit in bestimmten Dimensionen
zu verkürzen. So richtig und notwendig es
ist, nach dem „geistigen Profil" zu fragen
oder nach dem in biographischen Ansätzen
oft bemühten „Selbstverständnis" – ein pro-
blematischer Begriff –, besteht die unlösbare
methodische Schwierigkeit, daß das Denken und Fühlen, die mentale Disposition,
des Protagonisten nur aus dessen Handeln
und Verhalten, dessen Attitüden und Ha-
bitus erschlossen werden können. Dagegen
aber sperrt sich die unaufhebbare historische und kulturelle Distanz in Denk- und
Wahrnehmungsweisen zwischen Betrachter
und historischer Figur. Umso mehr bedarf es
klarer methodischer Grundannahmen und
sachlicher Auswahlentscheidungen. Ernesti
bezieht erklärtermaßen den Begriff des „geistigen Profils" aus der Augustinus-Biographie
von Paul Simon (1954) und begründet seine Eignung damit, daß es nicht in erster Linie „um res gestae, also um die Taten einer
Person und ihre Biographie geht." Inwie-
weit läßt sich davon das Geistige isolieren?
Darauf geht der Vf. nicht ein und stellt unter Berufung auf Paravicini konkrete Figuren
und Ereignisse als Zugang zu allgemeinen
Einsichten über theoretische Überlegungen.
Seine methodische Entscheidung formuliert
er folgendermaßen: „Diese Studie versteht
sich als personengeschichtlicher Zugang zum
Rollenbild des *Princeps christianus* mit seinen
geistesgeschichtlichen Implikationen – und
damit indirekt zu den sozialen Gegebenheiten der *Germania sacra* und der Mentalität
einer Epoche" (S. 15).
    Die Quellenbasis, auf die sich der Vf.
stützen kann, ist nach Qualität und Menge stupend – äußerlicher Grund dafür die
außerordentlich gute Überlieferungslage insbesondere im fürstenbergischen Hausarchiv
Herdringen, sachlicher Grund dafür die re-

ge Korrespondenz, die der Bischof in einem weiten Netzwerk mit literarischen, wissenschaftlichen, kirchlichen und politischen Größen und Persönlichkeiten seiner Zeit und mit Verwandten unterhielt, neben allem anderen Schrifttum, das aufgrund seiner Stellung als Landesherr und Reichsfürst anfiel (25 zentrale Stücke, darunter Briefe der schwedischen Königin Christina, sind im Anhang ediert). Was aber Ferdinand gegenüber Seinesgleichen hervorragen läßt, sind die umfangreichen autobiographischen Aufzeichnungen und Tagebücher und die eigenen literarischen und poetischen Werke. Die gewaltigen Stoffmassen ordnet Ernesti in fünf Kapiteln an, welche die wesentlichen Dimensionen von Ferdinands Persönlichkeit, Handeln und Stellung repräsentieren: *Episcopus* – Der Bischof (Kap. 2, S. 21–149); *Homo litteratus* – Ein gelehrtes Beziehungsnetz (Kap. 3, S. 150–264); *Pinceps* – Der Fürst (Kap. 4, S. 265–294); *Persona* – Charakteristika der Persönlichkeit (Kap. 5, S. 295–349); *Aedificator* – Stiftung und Ausstattung von Sakralbauten (Kap. 6, S. 350–376). Die letzten beiden Kapitel vertiefen Aspekte, welche in den drei ersten schon angesprochen Worten sind, oder thematisieren die verbindenden Grundkonstanten ferdinandeischer Denk- und Handlungsweisen. Zu diesen gehört die vom Vf. immer wieder hervorgehobene persönliche Frömmigkeit und der damit korrespondierende Einsatz für katholische Kirche und Glauben. Sie bilden für Ernesti das Hauptmovens des Handelns und den Kern des Selbstverständnisses Ferdinands als Fürst-Bischof.

Primär als Ausfluß von dessen pastoraler Konzeption erscheint vor allem auch die im letzten Kapitel dargestellte sakrale Bau- und Stiftungstätigkeit. Nur nebenbei verweist der Vf. auf den begleitenden „repräsentativen Zug" in Form einer Selbststilisierung „als Mäzen und pastoral weitblickenden Förderer" (S. 376). Er vergibt damit die Chance, Repräsentation als Mittel der in der neueren historischen Forschung diskutierten „symbolischen Kommunikation" zu interpretie-

ren. Dieser kommt zweifellos eine hohe politische Relevanz zu, und die Berücksichtigung dieser Tatsache erweiterte das „geistige Profil" des Helden und integrierte so auch das Allgemeinpolitische. Diesbezüglich lohnte es sich etwa auch, den Blick von der beschriebenen Förderung der fürstenbergischen Familie hin auf deren politische Funktion im „System Ferdinand" zu öffnen: Die strategisch überregional auf Domkanonikaten und in der Kurie plazierten Brüder gewährleisteten den politischen Aufstieg Ferdinands als Fürst, wie sich etwa in der Münsteraner Koadjutorwahl zeigte, als er sich gegen die Konkurrenz des Kölner Kurerzbischofs, einen Wittelsbacher, durchsetzen konnte. Als Münsteraner Fürstbischof war er Ausschreibender Stand des Westfälischen Reichskreises, und das Bistum Münster war deutlich potenter als das Paderborner. So greift das, von Ferdinand selber weidlich beanspruchte, Argument der Sorge um die Katholizität und deren großräumige Verteidigung zu kurz. Wie verträgt sich damit, daß der Bischof mittels seiner guten Kontakte in den Vatikan die Möglichkeit unterlief, in Osnabrück wieder auf Dauer einen katholischen Bischof zu etablieren? Soviel, diese Fälle geben zu denken über die Bedeutung des Politischen in Ferdinands Selbst- und Fremdbild, zumal ihn Ernesti in letzterem Fall beiläufig als „politischen Denker" bezeichnet und ihm im ersten „Machtpoker" zugesteht (S. 72; 80). Andererseits bescheinigt er ihm eine „a-politische Einstellung", die zu seiner Selbststilisierung als *homo litteratus* gehört habe, und überhaupt eine „irenische Grundhaltung" (S. 383 et passim) in der Außenpolitik. Freilich zählte allgemein eine Stilisierung als christlicher Friedensfürst zum Repräsentationsrepertoire auch des kriegerischen Barockfürsten – das altbekannte Problem des Widerspruchs zwischen Anspruch und Wirklichkeit. Blickt man schärfer auf Vorgänge, die sich nüchtern nur als Interessenpolitik bezeichnen lassen – die Nachfolge auf dem Münsteraner Bischofsstuhl, der Versuch des Erwerbs der Herrschaft Büren für die fürstenbergische Familie – bekommt das hehre Bild des intellektuell, spirituell und moralisch weit über seinen Zeitgenossen stehenden Bischofs dunkle Flecken. Das Problem scheint dem Vf. durchaus bewußt, versichert er doch dem Leser wiederholt, er wolle keine Hagiographie betreiben.

Im Schlußkapitel führt der Vf. gemäß seinen methodischen Prämissen die auf den unterschiedlichen Untersuchungsfeldern erreichten Ergebnisse zu einem Bild des „geistigen Profils" zusammen: Hatte schon Helmut Lahrkamp Ferdinand von Fürstenberg als Historiker, Poeten, Literaten und Mäzen, als „Gelehrtenbischof" gezeichnet, so gelingt es Ernesti, diese Seite der Persönlichkeit – vor allem in Hinblick auf seine autobiographischen, auf die Nachwelt zielenden Hinterlassenschaften – weiter auszuleuchten und in einem europäischen späthumanistischen Beziehungsnetz von Gelehrten und Literaten zu verankern. Wenn dem Bischof der kuriale Hof in Rom ein wesentlicher Bezugspunkt und Vorbild des eigenen Stils von Hofhaltung gewesen sei, so hätten sich hier durchaus Gelehrsamkeit und Kirchenpolitik verbunden. In den Dienst letzterer stellte Ferdinand, folgt man dem Vf., gleichwohl die über erstere gestifteten Kontakte. Das entsprach der von Ernesti postulierten Grundentscheidung Ferdinands für die Religion. So erweitert denn auch die vorliegende Arbeit das Persönlichkeitsprofil des Bischofs insbesondere um dessen Kirchenpolitik, die nicht nur innerterritoriale Ziele der Festigung der katholischen Lehre, sondern in steter Verbindung und Abstimmung mit der Kurie reichsweite Interessen verfolgte, ja die katholische als Weltkirche im Blick hatte. Mit der Kirchenpolitik korrespondierte ein zweiter Komplex, den intensiv erforscht zu haben Ernestis Verdienst ist: Ferdinands Engagement für die Seelsorge in konkreten pastoralen Maßnahmen wie auf dem Felde der Priesterausbildung, der Ordensförderung, der Mission und der Volksfrömmigkeit, wobei dem auch die sakrale Bautätigkeit zugeordnet wird. In diesen Dingen wie auch in denen der inneren staatlichen Politik

und Verwaltung erkennt der Vf. Ferdinands, diesen auch als Historiker prägende, Grundauffassung von staatlich-kirchlicher Einheit und von der Wirkkraft von Tradition. Mit Blick auf diese Feststellung ist es zu bedauern, daß sich der Vf. nicht darauf einläßt, das seit geraumer Zeit die Frühneuzeitforschung umtreibende Konfessionalisierungsparadigma bezogen auf seine Ergebnisse zu diskutieren. Womöglich wäre so auch ein anderes Licht auf die von Ernesti konstatierten Widersprüche in des Bischofs Person gefallen, deren negativen Seiten der Vf. als „Defizite" qualifiziert – freilich eine Frage des Maßstabes. Hierzu rechnet er in der äußeren Politik Ferdinands Schwanken zwischen dem Reich und Frankreich, in der inneren einen paternalistischen Hang zum kleinlichen Reglementieren, des weiteren ein unverhohlenes Streben nach neuen Pfründen und den Ehrgeiz, auch den Münsteraner Bischofsstuhl zu besteigen – lediglich eine „version noire" (382)? Gilt das auch für den Kontrast zwischen Gelehrsamkeit und irenischer Grundhaltung auf der einen Seite und, trotz des intensiven Umgangs mit protestantischen Gelehrten und Ranggleichen, eines unversöhnlichen Antiprotestantismus auf der anderen? Darüber hinaus gefallen dem Vf. an dem Bischof seine, wenn auch zeitgemäße, Wunderglaübigkeit, sein geringes naturwissenschaftliches Interesse, seine theologische Blässe nicht.

Zweifellos hat Ernesti die Forschung über den Bischof auf einen Höhepunkt geführt und das Wissen über ihn in seinem zeitlichen Kontext generell und in einer Fülle von Details enorm erweitert. Zu einem Abschluß hat er, was auch nicht seine Absicht war, die Ferdinand-Forschung aufgrund der gewählten Deutungsperspektive und methodischen Prämissen vorerst nicht gebracht. Er hat aber für die weitere Auseinandersetzung unentbehrliche sachliche Grundlagen bereitgestellt, ein immenses Material erschlossen und mit seiner Deutung Thesen formuliert, die zur Weiterarbeit reizen. Ernesti selbst hat dazu – neben Norbert Börste – als Herausgeber des Sammelbandes „Friedensfürst und guter Hirte. Ferdinand von Fürstenberg, Fürstbischof von Paderborn und Münster" (2004) den Anstoß gegeben.

Frank Göttmann

CLARK, Christopher: *Preußen. Aufstieg und Niedergang. 1600–1947.* München: Deutsche Verlags-Anstalt, 2007. – geb., 896 S., ISBN 978-3-421-05392-3, EUR 39,95

Seit jeher, so heißt es in einem Gesetz des alliierten Kontrollrats vom 25. Februar 1947, sei Preußen Träger des Militarismus und der Reaktion in Deutschland gewesen. Um des Friedens, der Sicherheit und des demokratischen Neuanfangs im Lande willen sei es also unvermeidlich: „Der Staat Preußen, seine Zentralregierung und alle nachgeordneten Behörden werden hiermit aufgelöst." Mit diesen wenigen Worten war das abschließende Urteil über eine mehrere Jahrhunderte während Geschichte gefällt. Ein für alle Mal sollte eine Kampfmaschine mit Monokel und Pickelhaube, nur auf die nächstbeste Gelegenheit lauernd, um wieder los- und dreinzuschlagen, unschädlich gemacht werden. Übrig blieb allein ein Pappkamerad, der den historischen, politikwissenschaftlichen und soziologischen Universitätsseminaren der Nachkriegszeit zu Übungszwecken überlassen war: pedantische Ordnung, verweigerte Modernisierung, ostelbische Junker, unerbittlicher Drill, veraltete Strukturen, unkritische Obrigkeitshörigkeit und so fort.

Obwohl es in den vergangenen Jahrzehnten immer auch Historiker und Publizisten gab, die ein weitaus differenzierteres Bild zeichneten, hat sich an der weitverbreiteten Skepsis, mit der viele Deutsche dem Phänomen Preußen begegnen, bislang nur wenig geändert. Insofern verdient die Monographie von Christopher Clark (*1960) besondere Aufmerksamkeit: Im Jahr 2006 zuerst auf Englisch erschienen, liegt sie seit Anfang 2007 in deutscher Übersetzung vor und hat innerhalb von wenigen Monaten gleich

mehrere Auflagen erfahren. Damit setzt sich übrigens ein Trend der letzten Jahre fort, insofern viele der maßgeblichen und lesbaren, folglich auch im Verkauf erfolgreichen Werke zur deutschen Geschichte in der angelsächsischen Welt geschrieben worden sind. Tatsächlich stammt Clark gar nicht aus preußischen Landen, er ist kein Brandenburger, Schlesier oder Ostpreuße, ja nicht einmal ein Rheinländer oder Hannoveraner, sondern er lehrt Neuere Europäische Geschichte in Cambridge und ist Australier! Allein diese räumliche und biographische Distanz hat vielleicht schon Vorteile für die Beschreibung des Phänomens, denn Clark braucht sich weitaus weniger als deutsche Historiker mit der Frage konfrontiert sehen, in welchem Bezug Preußen zur eigenen nationalen (Unheils-)Geschichte steht. Im Gegensatz zu vielen seiner deutschen Kollegen deduziert er die *Geschichte Preußens* nicht aus einem abstrakten Prinzip heraus, sondern er erzählt eher *preußische Geschichten*, angefangen im 17. Jahrhundert bis hin zu jenem 25. Februar 1947. Freilich wird damit nicht einfach eine Fülle amüsanter und bestenfalls lehrreicher Anekdoten zusammengetragen. Vielmehr beruht der Verzicht auf ein an Fußnoten und Fremdwörtern reiches Theoriegebäude selbst auf einem reflektierten methodischen Prinzip: daß Hermeneutik ihrem Gegenstand nie gewachsen, d. h. daß das historische Material immer viel bunter als alle graue Theorie ist. Wenn Clark hinter die Deutungsmuster, die man sich in der Forschung teilweise zurechtgelegt hat, nicht selten Fragezeichen setzt, dann deshalb, weil ein unbefangener Blick auf die Quellen diese fraglich erscheinen läßt. Das gilt beispielsweise für die Thesen vom deutschen Sonderweg (182, 197 f., 762) oder vom preußischen Militarismus (683–687) – wohl war Preußen ein stark militarisierter Staat, jedoch nicht notwendigerweise eine stark militarisierte Gesellschaft (257).

Aus der Sicht des Theologen besonders erfreulich ist, daß Clark der Kirchengeschichte breiten Raum einräumt. Wie wenig die preußische Geschichte auf einen Begriff zu bringen ist, zeigt sich auch an den Widersprüchen der Religionspolitik: Einerseits nahm man im 17. bzw. 18. Jahrhundert bereitwillig in ihren Heimatländern verfolgte Minderheiten auf, etwa französische Hugenotten oder Salzburger Protestanten, wobei rein humanitäre Erwägungen eine freilich weit geringere Rolle spielten als das ökonomische und religionspolitische Kalkül. Andererseits konnte Preußen auch sehr intolerant sein. Als sich in der ersten Hälfte des 19. Jahrhunderts in stark lutherisch geprägten Gemeinden Widerstand gegen die staatlich verordnete Union mit den Reformierten regte, setzte eine regelrechte Verfolgung durch die Behörden ein, so daß Tausende sogenannter Altlutheraner in die USA und nach Australien auswanderten. Kritisch anzumerken ist freilich, daß die Situation der Katholiken, die nicht zuletzt durch die Einverleibung neuer Territorien wie Schlesien oder Westfalen die zahlenmäßig weitaus stärkste Minderheit im preußischen Staat waren, nur wenig thematisiert wird. So hätten beispielsweise die Säkularisationen zu Anfang des 19. Jahrhunderts weit mehr Beachtung verdient, zumal sie in den letzten Jahren intensiv erforscht worden sind. Demgegenüber werden Protestantismus und Judentum ungleich mehr berücksichtigt, was sicherlich auch damit zusammenhängt, daß Clark selbst über deren Verhältnis in Preußen publiziert hat.

An Clarks Studie besonders hervorzuheben ist ihre stilistische Eleganz: Geschichte wird in ganz hervorragender Weise erzählt. Über aberhunderte Seiten hinweg vermag Clark den Leser im Bann zu halten, und manchmal könnte man geradezu meinen, einen Roman zu lesen. So finden sich auch immer wieder grandiose Abschnitte wie etwa die lakonische Schilderung des Abgangs des letzten deutschen Kaisers und preußischen Königs (696–699). Doch ist das Buch nicht nur stilistisch hervorragend, sondern es ist materialreich, hochinformativ, eröffnet neue Perspektiven und trägt nicht zuletzt dazu bei, Preußen gerechter zu werden.

Benjamin Dahlke

Fundamentaltheologie

STOSCH, Klaus von: *Einführung in die Systematische Theologie.* Paderborn: Schöningh, 2006. – brosch., 352 S., ISBN 3-8252-2819-3, EUR 16,90

Die als Lehr- und Arbeitsbuch konzipierte Einführung in die Systematische Theologie des Kölner Fundamentaltheologen Klaus von Stosch beansprucht, „mit Hilfe unterschiedlicher Textgenres und Methoden einen verstehenden Durchgang durch die zentralen Inhalte christlichen Glaubens zu ermöglichen" (7). Das Buch behandelt nacheinander die vier Bereiche „Quaestio religiosa", „Quaestio christiana", „Quaestio catholica" und „Glaubensverantwortung heute". Moraltheologische oder sozialethische Fragen werden nicht berücksichtigt. Die vier Bereiche werden in dreizehn Kapiteln untersucht, die jeweils einem bestimmten Thema gewidmet sind. Dabei folgt der Aufbau jedes Kapitels einem formal gleichen Schema: 1. Auftakt ist ein fiktiver Dialog zwischen einer katholischen Theologiestudentin und einem atheistischen Philosophiestudenten, der in das Thema des Kapitels einführen und Argumente für und gegen die christliche und atheistische Position benennen soll. 2. Unter „Konzepte" folgt dann ein systematischer Überblick über das vorgestellte Thema. 3. Danach wird eine aktuelle theologische Debatte aus dem Spektrum des Themas präsentiert. 4. Im Anschluss stellt der Verf. bedeutende Theologen vor, die in dieser Debatte beteiligt sind. 5. Am Schluss eines jeden

Kapitels finden sich Aufgaben zur Rekapitulation des Themas und kurz kommentierte Literaturhinweise. Am Ende des Buches ist ein Personen- und Sachregister angefügt. Der Verf. betont, dass das Buch in mehrjähriger Praxis im Grundstudium der Theologie und im Religionsunterricht der gymnasialen Oberstufe erprobt sei und insofern auch einen breiten, auch außeruniversitären Leserkreis anspreche.

Unter der „Quaestio religiosa" behandelt der Verf. vier religionsphilosophische Themen. Beim ersten Thema „Gottes Dasein denken" geht es um den Inhalt und die Bedeutung von Gottesbeweisen, um Formen der Religionskritik und um ein Kurzporträt von Thomas von Aquin. Das zweite Thema „Gottes Wesen denken" führt in die Trinitätstheologie und in Positionen zur Negativen Theologie ein und stellt kurz den Ansatz Karl Barths vor. Beim dritten Thema „Gottes Handeln denken" skizziert der Verf., nach einem Überblick über den Begriff „Offenbarung", die Diskussion um die Frage nach dem Handeln Gottes in der Welt und anschließend die Geschichtstheologie Wolfhart Pannenbergs. Im vierten Kapitel „Gott und das Leid" wird die Theodizee-Problematik und die Debatte um die „free will defense" dargestellt; als Theologe wird Johann B. Metz präsentiert.

Unter der „Quaestio christiana" geht es in verschiedenen Kapiteln um die Christologie: Im ersten Kapitel („Jesus, der Gottmensch") um einen kurzen Einblick in die frühe Konzilsgeschichte und in die Grundlagen des Inkarnationsglaubens; im zweiten Kapitel („Jesus der Auferstandene") um den Schöpfungsbegriff im Kontext heutiger Naturwissenschaft und um die Debatte um den Osterglauben; im dritten Kapitel („Jesus, der Erlöser") um die Soteriologie im Allgemeinen und das Konzept Thomas Pröppers im Besonderen; im vierten Kapitel („Jesus, der Richter und Vollender") um das Thema Eschatologie und um die Kontroverse, ob Gott als zeitlicher oder zeitloser gedacht werden müsse. Vorgestellte Theologen sind in dieser

Quaestio Romano Guardini, Rudolf Bultmann, Dietrich Bonhoeffer und Hans Urs von Balthasar.

Unter der „Quaestio catholica" führt der Verf. im ersten Kapitel kurz in pneumatologische und ekklesiologische Fragen ein und stellt die Auseinandersetzung um die Unfehlbarkeit dar. Im zweiten Kapitel geht es um Sakramententheologie und – als Debatte – um die Tragweite der Gotteserfahrung. Das letzte Thema dieser Quaestio widmet sich der Ökumene und strittigen Aspekten im Dialog zwischen den Konfessionen. Vorgestellt werden die Konzepte von Karl Rahner, Dorothee Sölle und Martin Luther.

Unter „Glaubensverantwortung heute" werden zum Schluss noch zwei Themen angesprochen: Erstens geht es um die Religionstheologie, dabei besonders um das Verhältnis der monotheistischen Religionen, um die Diskussion der verschiedenen religionstheologischen Modelle und um den pluralistischen Entwurf von John Hick. Zweitens vermittelt der Verf. einen Einblick in Strategien der heutigen Glaubensverantwortung und in Möglichkeiten der Verhältnisbestimmung von Glaube und Vernunft. Als Repräsentant dieses Themas stellt der Verf. – seinen Lehrer – Jürgen Werbick vor.

Das Buch ist gut und verständlich geschrieben. Sicherlich dürfte die Lektüre mancher Kapitel gerade am Anfang des Studiums nicht ganz leicht sein. Dabei stellt der formale Aufbau eine didaktische Hilfe für Leserinnen und Leser dar. Auch ist es eine bemerkenswerte Idee, die Kapiteln mit einem einführenden Dialog zu eröffnen. Diese Gespräche bewegen sich inhaltlich auf einem meist hohen theologischen Niveau und formulieren die entscheidenden Argumente für und gegen die christliche Position. Davon fällt der Versuch, die Dialoge als sich gegen Widerstände entwickelnde Liebesgeschichte zu inszenieren, radikal ab: Nicht nur die oft spätpubertären und immer mehr auf Sexualität fixierten Gedanken des Philosophiestudenten, sondern auch die zum Teil derbe Diktion sind ärgerlich und wirken als

Anbiederung an einen vermeintlich studentischen Geschmack.

Der Sachtextteil ist dem Verf. insgesamt sehr gut gelungen, besonders im Feld seiner eigenen Forschung, im Bereich der „Quaestio religiosa" (Gottes Handeln, Theodizee). Hier wird ein knapper und gelungener erster Einblick in Themen und Debatten geliefert, der Interesse für eine vertiefte Lektüre wecken kann. Dies gilt, mit wenigen Abstrichen (etwa der Eschatologie, die zum größten Teil im Dialog behandelt wird), auch für die „Quaestio christiana". Leider fällt der Bereich der „Quaestio catholica", besonders in den Themen Ekklesiologie und Sakramententheologie, qualitativ leicht ab. Die Porträts der Theologen sind flott geschrieben und helfen, Debatten mit beteiligten Personen zu verbinden. Der Verf. referiert nicht nur, sondern stellt immer wieder seine eigene Überzeugung heraus. Kleinere, meist orthographische Fehler: S. 71 („Theeologie"), S. 162 („transzendendierendes"), S. 283 („Transsubtantiation" und „Wasserverwandlung").

Fazit: Das Buch präsentiert in angemessener Länge eine gut lesbare, anspruchsvolle und insofern empfehlenswerte Einführung in die Systematische Theologie, die von einem fundamentaltheologischen Zugang geprägt ist und durch die didaktisch geschickte Gliederung verschiedener Textformen auf unterschiedliche Aspekte der vorgestellten Themen aufmerksam machen kann.

Bernd Irlenborn

RÜHLE, Inken: *Gott spricht die Sprache der Menschen. Franz Rosenzweig als jüdischer Theologe – eine Einführung.* Tübingen: Bilam, 2004. – geb., 567 S., ISBN 3-933373-07-7, EUR 18,00
BRASSER, Martin (Hrsg.): *Rosenzweig als Leser. Kontextuelle Kommentare zum ‚Stern der Erlösung'.* Tübingen: 2004. – brosch., 606 S., ISBN 3-484-65144-X, EUR 98,00
CASPER, Bernhard: *Religion der Erfahrung. Einführung in das Denken Franz Rosenzweigs.*

Paderborn: Schöningh, 2004. – brosch., 212 S., ISBN 3-506-70138-X, EUR 19,80

Nicht trotz, sondern mit seinen christlichen Freunden wollte er entschieden das werden, was er war: ein Sohn Israels. Franz Rosenzweig, besonders sein Klassiker „Der Stern der Erlösung", ist eine Pflichtlektüre für alle theologisch interessierten oder beauftragten Christen, sollte es jedenfalls sein. So ist es nur zu begrüßen, dass mit Rühles kenntnisreichem Opus eine überzeugende Einführung in Franz Rosenzweigs Leben und Denken vorliegt. Ausgiebig aus den Quellen schöpfend und diese zitierend, zeichnet die evangelische Theologin die Hauptlinien von Leben und Werk nach, und beides ist für Rosenzweig untrennbar. Denn Wahrheit, die sich nicht denkend, lebend und sterbend bewährt, wäre für ihn keine Wahrheit. Rosenzweigs Leben und Denken ist ohne seine entschiedene Reversion zum Judentum nicht zu verstehen. Lebensentscheidend sind für den liberal erzogenen Sohn jüdischer Eltern, der an der Schwelle steht, seinen Freunden ins Christentum konvertierend zu folgen, die Erfahrungen an den höchsten jüdischen Feiertagen Neujahr und Jom Kippur 1913. Bezeichnenderweise hat er sich nie direkt dazu geäußert. Aufschlussreich aber ist z.B. seine Bemerkung, es gäbe einen Glauben, den man „als unmittelbares Gottesgeschenk oder als tradiertes Erbgut – aber jedenfalls empfängt". Entsprechend lässt sich der „Stern der Erlösung" als Midrasch zu Bibel und Liturgie verstehen – ständig in kritischer Auseinandersetzung mit dem Denken von „Jonien bis Jena" und im geschwisterlichen Widerstreit mit dem Christentum (und auch dem Islam) (20). „Unsere Wurzeln sind getrennt, nur unsere Kronen sind ineinander gewachsen; reißt er mir die Wurzeln aus, so verdorrt die Krone" – so ein bezeichnendes Bild für die Verhältnisbestimmung von Judentum und Christentum. Letzteres „als eine aus dem Judentum hervorgegangene, welterfüllende Macht" hat in dieser Perspektive den Dienst der Universalisierung des bleibend Jüdischen weltweit zu leisten (36). Stets ausführlich aus Rosenzweigs Werk zitierend und behutsam kommentierend, erschließt Rühle Hermeneutik und Traditionsverständnis ihres Autors, im fünften Kapitel natürlich zentral das „Wunder der Offenbarung" und damit die Herzmitte von Rosenzweigs Sprach- und Zeitdenken. „Gott spricht die Sprache der Menschen" – dieses Zentralwort von Rabbi Jischmael wird zum Notenschlüssel für das Gesamtwerk. Pointiert zum Unterschied im Christlichen könnte man sagen: Gott ist nicht Mensch geworden, sondern Menschenwort, in der Selbstmitteilung Gottes wird der Mensch zur Antwort und damit zum Wort allererst erweckt; im gleichen Atemzug aber entdeckt der Mensch, wie sehr sich Gott selbst nun in seinem Sprechen von der Antwort des Menschen auch abhängig gemacht hat: „Gott spricht: wenn ihr mich nicht bezeugt, so bin ich nicht." (Vgl. 55). Entsprechend kommt den Anthropomorphismen nicht nur in der Bibel, sondern systematisch eine wichtige Rolle zu – für das jüdisch-christliche Gespräch zentral. Zu solch bedeutenden Einzelmotiven des Offenbarungsbegriffs gehört – wie könnte es anders sein – das „Gebot" der Liebe und – überraschender – der Tod. Was dies bedeutet, erfährt Rosenzweig selbst in seinem jahrelangen Hinsiechen und Sterben. Nicht zufällig werden dem Hohen Lied der Liebe gleich zwei ausführliche Kapitel gewidmet – eines zur Auslegungsgeschichte des Liedes der Lieder (wenigstens bis ins frühe Mittelalter), in sich eine kleine Monographie; das andere zu diesem Kernstück des „Stern" insgesamt; ein Dokument zudem jener schwierigen und besonderen Liebesgeschichte mit Margrit Rosenstock-Huessy, der Frau seines Freundes (Rühle ist die Mitherausgeberin der berühmten und für die Erschließung des Gesamtwerkes grundlegenden mehr als tausend „Gritli"-Briefe). Eindrucksvoll überwindet Rosenzweig die meist exklusiv unterstellte Alternative von „Heiligkeit" und „Profanität" des biblischen Buches, in dem einerseits Israel (besonders am

Jom Kippur) und andererseits die Christenheit die Intimität ihres Gottesverhältnisses erkennen und bezeugen (die christliche Liebesmystik kommt bei Rühle zu kurz). Mit Recht widmet die Autorin deshalb der Entfaltung sowohl der Liturgie des Jom Kippur wie auch der Bedeutung des biblischen Gottesnamens eigene Abschnitte. Schließlich wird dem Verhältnis von Judentum und Christentum (der Islam ist schon bei Rosenzweig eher ein Appendix geblieben) als historischen Konkretionen der einen Offenbarung – realgeschichtlich getrennt bis zur Vollendung und trotzdem in der Krone eben dieser Vollendungshoffnung – schon jetzt zutiefst verbunden.

Kurzum: auch dank der glänzenden Register und des Glossars ist eine insgesamt hervorragende Einführung in Rosenzweigs Theologie entstanden, die für die Entdeckung und Erschließung seines Weges unentbehrlich sein wird – dank der vielen Primärzitate zugleich eine Art Reader, dessen Reichtum hier nur angedeutet werden kann. Die Interpretationen Rühles freilich zeigen nicht nur ihre protestantische Prägung, sondern ihre Schülerschaft bei Reinhold Mayer und Friedrich-Wilhelm Marquardt: die katholische Rosenzweig-Forschung, angeführt von Bernhard Casper und auch Josef Wohlmuth, wird nur selektiv berücksichtigt; die jeweils im Text mitgegebenen Deutungen von christlichen Glaubensinhalten und -aussagen sind nicht frei von Vorurteilen und Einseitigkeiten. Aus dem Bemühen heraus, all die schlimmen antijudaistischen Erblasten christlicher Theologie und Geschichte zu überwinden, entstehen des öfteren Schwarz-Weiß-Optionen, die einer genauen historischen Prüfung wie theologischen Reflexion nicht standhalten. So wird z.B. Rosenzweigs Betonung, Gottes Offenbarung sei seine Selbstmitteilung, ein überholtes christliches Offenbarungsverständnis gegenübergestellt, demzufolge Gott primär „Inhalte" und „Wahrheiten" mitteile. Auch in der zweifellos zentralen Frage nach der Mittlerschaft Christi wäre genauer weiterzudenken: Ist das christliche Verständnis einer durch Christus vermittelten Gottunmittelbarkeit wirklich im Gegensatz zu jener typisch jüdischen Intimität des Bundes zwischen Gott und Menschen, der keiner Vermittlung bedarf? Zweifellos: Rosenzweig musste, angesichts des Christentums *seiner* Zeit und der ausgeprägten Wirkungsgeschichte vorher, so antithetisch stilisieren. Dies heute interpretierend, müsste aber der Stand aktueller christlicher Theologie in konfessioneller Unterschiedenheit und vor allem Einheit doch deutlicher ins Spiel gebracht werden. Als drittes Beispiel einer in gewisser Weise „animosen" Darstellung des Christlichen zwecks Profilierung des Jüdischen sei auf die völlig unzureichende Darstellung der chalkedonensischen Grundfigur des Christlichen hingewiesen. Zudem: wieso sollen die Texte von Nikaia „kirchliche Kampfdokumente" (137) sein? Gewiss: keine christologische Vereinnahmung der Hebräischen Bibel, aber auch keine theologische Verabsolutierung derselben!

Hatte schon Rühle auf wichtige Gesprächspartner Rosenzweigs ausführlich hingewiesen, besonders auf Hermann Cohen und Martin Buber (den jüngeren, den zionistischen und liberalen kritisch; den älteren freundschaftlich und einvernehmlich), so zeigt der Sammelband von Brasser mit seinen 24 Beiträgen führender Rosenzweig-Forscher erst recht, wie sehr der „Stern der Erlösung" sowohl im Prozess seiner Entstehung wie in seiner Gesamtgestaltung durchgängig als Kommentar verstanden werden muss und dementsprechend auch die Lesebiographie Rosenzweigs abbildet. „Die Entstehung des Textes des *Stern* gehorcht also einerseits der Logik einer genialisch-eruptiven Kreativität und andererseits der Logik der akribischen und wiederholten Überarbeitung durch kritische Selbstlektüre." (5) Die Bedeutung Hermann Cohens kann gar nicht überschätzt werden, auch nicht die von Nietzsche und Kant. Noch aufschlussreicher ist der Beitrag über die Spur Augustins in Rosenzweigs Werk, und auch Schelling im Hintergrund. Wie weit die Opernästhetik Richard Wagners tatsächlich auch als Vorbild für die Gesamtkomposition des *Stern* fungiert, bliebe wohl genauer zu diskutieren. Wie groß die Bedeutung der Vettern Hans und Rudolf Ehrenberg sowie des Freundes Rosenstock gerade für Rosenzweigs Sprach-Denken ist, wird nochmals im Detail herausgearbeitet. Diese eher werkgeschichtlich orientierten Bezüge werden ergänzt durch explizit thematische Beiträge – zu Rosenzweigs Liturgieverständnis, zum Verhältnis von philosophischem Gedanken und biblischem Text, zur Auffassung vom „Gesetz" – und immer wieder zum Themenfeld Sprache, Text, Übersetzung und Kommentar. Zentrale Bibeltexte werden in der Lesart Rosenzweigs eigens besprochen: die Psalmen 90 und 115 und natürlich das Hohelied. Stellvertretend für die unschätzbare Bedeutung dieses Kommentars zum Stern sei Almut Sh. Bruckstein's „Versuch über das Schweigen nach Husserl" hervorgehoben, in dem sie auch theologisch ausgesprochen wichtige Anmerkungen „zur Phänomenologie der jüdischen Liturgie" entfaltet: „In der Vorwegnahme des Reiches, in der Vorwegnahme einer vollkommenen menschlichen Ordnung, erscheint der Augenblick als Bürge der Ewigkeit" (360). Deutlicher wird, warum für Rosenzweig der Zusammenhang von Sprache, Erfahrung und Zeit so fundamental ist.

Bernhard Casper, seit seiner Dissertation Pionier des Rosenzweig'schen Denkens nicht nur im katholischen Raum, legt seine gesammelten Aufsätze vor, die in eindrücklicher meditativer und argumentativer Konzentration Zentralperspektiven des jüdischen Denkers umkreisen: Das Bedürfen der Zeit und das Geschehen der Offenbarung, das Verstehen des Glaubens zur rechten Zeit – stets ein antwortendes Verstehen, der neue und tiefe Begriff von Erfahrung „als die mit der Lebensganzheit in ihrer Zeitlichkeit und ihren Grenzen und schließlich sogar mit dem ‚Lebenseinsatz aller Geschlechter' in einem Verweisungszusammenhang stehende" (6).

Immer geht es um die Erfahrung des gelebten Lebens im Ganzen, im Kontext mitmenschlicher Geschichte also. Entsprechend wird die Kategorie des Ereignisses (ursprünglich Eräugnis) erwogen, das Verständnis von Offenbarung und Erlösung. Rosenzweigs Denken im Gespräch mit Cohen wird im Blick auf die erneut aktuelle Frage nach der „Einzigkeit Gottes" bedacht, in Rosenzweigs Kritik an Bubers „Ich und Du" wird deutlich, wie sehr für ersteren das Bedürfen der Zeit nur als Bedürfen der Offenbarung einleuchtend ist, also auf Zeitlichkeit und Gegenwart bzw. Vergegenwärtigung der Grundworte zu bestehen ist. Weiterführend sind zudem die gewichtigen Aufsätze zum Gespräch zwischen Rosenzweig und Lévinas – über „Die Genese des Sprechens im Übersetzen" und „Negative Theologie der Diachronie", die Erfahrung der Zeit (und der Sterblichkeit) im Gegen-Über vom anderen her und zum anderen hin. Dem für Rosenzweig so typischen Kernsatz „Das Gebet stiftet die menschliche Weltordnung" gilt ebenfalls ein grundlegender Aufsatz. Caspers Analysen sind unersetzlich für ein religionsphilosophisches und theologisches Verständnis Rosenzweigs, für das im interreligiösen Dialog herausgeforderte Gespräch zwischen Judentum und Christentum erst recht. Rühles Darstellung ist die derzeit ausführlichste und werkgeschichtlich kenntnisreichste Einführung in Rosenzweigs Theologie.

Gotthard Fuchs

HOEPS, Reinhard (Hrsg.): *Handbuch der Bildtheologie. Band I: Bild-Konflikte.* Paderborn: Schöningh 2007. – geb., 419 S., ISBN 978-3-506-75736-4, EUR 44,90

Im Kontrast und Widerspruch zur Bedeutung der Bilder in der Glaubens- und Kirchengeschichte, spielen sie in der theologischen Reflexion und Ausbildung kaum eine Rolle, Glaubens- und Denkform prägend schon gar nicht. Zwar sind Bilder in Volksfrömmigkeit und Glaubensvermittlung spätestens seit dem Beginn des zweiten Jahr-

tausends im Christentum wichtig, aber im Kanon der theologischen Disziplinen sind sie, systematisch schon gar nicht, kaum präsent. Dieses auf vier Bände angelegte Handbuch, das aus jahrelanger Forschungsarbeit eines Expertenkreises erwächst, will hier dringend notwendige Abhilfe schaffen. Im deutschsprachigen Raum ist es vor allem Alex Stock, der durch seine „Poetische Dogmatik" und viele andere Arbeiten das Terrain dazu vorbereitet hat. „Vor allem zwei Kristallisationspunkte versammeln dabei die unterschiedlichen Aspekte: der Widerstreit mit dem Wort und die Struktur des Sakramentalen", wie Hoeps einleitend unterstreicht. Stehen Wort und Bild resonanzartig in Verständnis und Vermittlung des Glaubens gleichberechtigt nebeneinander oder ist das Bild bestenfalls eine Illustration bloß der worthaft verstandenen Offenbarung und ihrer glaubenden Aneignung? Die signifikationshermeneutische Definition des Sakramentes, die seit Augustinus lange vorherrschend war, impliziert die Vorstellung von Repräsentanz und Realpräsenz. Die Medialität des Bildes und die Vermittlungskraft des Sakramentes erschließen sich, wie vor allem in der ostkirchlichen Ikonen-Theologie und -Praxis, wechselseitig. „Medialität als vermittelte Unmittelbarkeit am Leitfaden des Sakramentes und die unhintergehbare Uneigentlichkeit der Metaphorik des Wortes umreißen das christliche Interesse am Bild."

Ist in den Kunst- und Kulturwissenschaften gar vom iconic turn die Rede, so will dieses Handbuch für die Theologie sekundieren und Vergessenes aufholen – in diesem ersten Band durch einen diachronen Rückstieg in die bisherige Christentumsgeschichte und das Quellgebiet ihrer Anfänge unter dem bezeichnenden Leittitel „Differenz" und „Konflikt". Dieser historische Durchgang vermisst das Problemgelände und sammelt Themen wie Perspektiven zur weiteren Bearbeitung. Durchgängig deutlicher wird dabei die Unterscheidung zwischen Bild und Kunst mindestens in dreierlei Hinsicht, wie Hoeps unterstreicht: Seit dem frühneuzeitlichen Übergang von durch Liturgie und religiöse Vollzüge determinierten Werken meist anonymer Herkunft (Kult- und Andachtsbilder!) hin zu Werken von Künstlern mit ausgeprägter persönlicher Kreativität. Längst ist, zweitens, der Begriff Kunst ausgeweitet auf alle kreativen Gestaltungsprozesse – weit über das bildnerische Schaffen hinaus – und entsprechend tendiert Kunstwissenschaft im Medienzeitalter zur „Bildanthropologie". Je autonomer Kunst sich versteht und artikuliert, je größer also die Entfremdung zwischen „Kunst" und „Kirche" wird, desto mehr freilich gibt es spätestens seit der Zeit um 1800 vielfältige Resonanzen, wechselseitige Beerbungsverhältnisse und „Aufhebungen" im (nur vordergründig weithin abgebrochenen) Dialog zwischen Kunst und Theologie. Dem fortschreitend sich emanzipierenden Ursprung der Kunst aus der Religion und der Religion aus der Kunst mit wechselseitig sich freisetzendem Kreations- und Kritikpotential geht der Band im Einzelnen nach – eine ausgesprochen fachkundige und aufregende Spurensuche, angefangen beim biblischen Bilderverbot und seiner patristischen Vermittlung mit antiker, besonders neuplatonischer Bildmetaphysik. Schon hier wird die grundsätzliche Problematik deutlich, das Unsichtbare zu visualisieren, das Unsagbare zu sagen und im Wissen um die bleibende Differenz von Abbild und Urbild kultisch und kultkritisch zu inszenieren. Die Differenz zwischen dem Erscheinenden und seiner Erscheinung nötigt zu neuen Konzeptionen des Symbolischen und Metaphorischen. In diesem Milieu werden die frühchristlichen Apologeten die nicht-christliche Verehrung der Bilder als Ausdruck des heidnischen Polytheismus brandmarken und die eigene christliche Identität, das jüdische Bilderverbot christologisch verschärfend, ausarbeiten. Wie nie zuvor sind es dann die byzantinischen Bilderstreitigkeiten des 6.–9. Jahrhunderts, die die Bedeutung des Kultbildes theologisch begrenzen und profilieren, mit einer entsprechenden Inkarnationsfrömmigkeit und

sakramententheologischen Konkretisierung im Zentrum. Über die karolingische Auseinandersetzung mit dem zweiten Nizänum (787) gewinnt in der westlichen Christenheit die Frage nach dem Status der Bilder im Zusammenhang des Reliquienkultes besondere Valenz.

Sowohl die evangelische Reformation wie die katholische Gegenreformation nehmen entsprechend ikonoklastische und bildkritische Fragen verschärft auf, eröffnen zugleich aber in konfessionalistischer Kontrastierung neue Formen katholischer Bildfrömmigkeit (z.B. in Renaissance und Barock). Die eckhardtsche Maxime „die Bilder durch Bilder austreiben", die wie ein Notenschlüssel der ganzen Entwicklung gelesen werden kann (biblische Bildtheologie und neuplatonisches Ideendenken christozentrisch zusammenführend), zeigt sich auch hier in der Spannung von glaubensvermittelnder Bildkraft etwa in Kirchenbau und bildender Kunst einerseits und bildkritischer Betonung kontemplativer Dunkelheit und göttlicher Unbegreiflichkeit. Als weitere Station für bezeichnende Bildkonflikte im Christentum ist natürlich das Zeitalter der Aufklärung, der Romantik und des Idealismus in den Blick zu nehmen. Der Begriff der Kunstreligion markiert die Tendenz, ästhetische als religiöse Erfahrung zu stilisieren und wie etwa bei Runge und Friedrich das Christliche im Erhabenen der künstlichen Natur aufzuheben. Philosophisch wird neu die Frage nach der Darstellbarkeit des Unendlichen im Endlichen, des Göttlichen im Menschlichen durchdacht. Im Schatten Spinozas wird die Göttlichkeit der Natur zur Herausforderung, ihr im kritischen Nachdenken wie im künstlerischen Schaffen kreativ zu entsprechen (vgl. z.B. Schleiermacher, Hegel etc.).

Eindrücklich gipfelt die Reihe der 17 kompetenten Beiträge in Stocks magistralen Überblicksartikel „Religion und Kunst im Widerstreit. Konfliktzonen des 20. Jahrhunderts" – im Gefolge mit einem wichtigen Ausblick Rauchenbergers auf Kreativitätspotentiale zwischen christlichen Bildwelten und der Gegenwartskunst am Beginn des 21. Jahrhunderts. Dass schließlich auch auf „christliche Kunst außerhalb Europas" kurz wenigstens hingewiesen wird, bestätigt Horizont und Aktualität des Bandes. Die differenzierten Register und die reichhaltig gebotene weiterführende Literatur samt vielen Bildreproduktionen, acht davon farbig, machen schon diesen ersten Band zu einem unersetzlichen Lektüre- und Arbeitsbuch. Den in sich höchst unterschiedlichen Artikeln ist deutlich das intensive Ausmaß an Zusammenarbeit, daraus erwachsend die informierende wie argumentierende Stringenz anzu-

merken. Indem so der Theologie im Ganzen die Frage neu zugespielt wird „wie hältst du es mit den Bildern", darf man umso gespannter sein, ob die verschiedenen theologischen Disziplinen dieses Gesprächsangebot schöpferisch und selbstkritisch aufzunehmen willens und in der Lage sind. Das hätte immense Folgen für Darstellung und Vermittlung vor allem systematischer Theologie, nicht minder für die theologische und pastorale Fortbildung von Priestern und allen Seelsorgern.

Gotthard Fuchs

Dogmatik und Dogmengeschichte

HEALY, Nicholas J.: *The Eschatology of Hans Urs von Balthasar. Being as Communion.* New York: Oxford University Press, 2005 (Oxford Theological Monographs). – geb., 232 S., ISBN 0-19-927836-9, USD 99,00

Renommierter Verlag, klassischer Einband, interessantes Thema – ein solches Buch scheint Lesefreude und Erkenntnisgewinn zu garantieren. Daß dies aber nicht immer der Fall sein muß, zeigt leider vorliegende Studie, die immerhin auf eine Oxforder Dissertation zurückgeht. Ihr Verfasser, Nicholas Healy, lehrt inzwischen Theologie an der neugegründeten, betont katholisch-konservativen Ave-Maria University im Bundesstaat Florida (USA).

Die Studie ist in fünf Teile gegliedert: Auf die Einführung (1–18) folgen drei Untersuchungen zu Seinsanalogie (19–90), Hypostatischer Union (91–158) und eschatologischem Endzustand (159–209), die in ein zusammenfassendes Schlußkapitel münden (210–216); Bibliographie und Namens- und Stichwortregister schließen sich an (217–229 bzw. 230–232). Healy möchte nicht Einzelthemen der Eschatologie Balthasars darstellen, sondern das ihnen zugrundeliegende Prinzip („nature" und „form") oder Formalobjekt („formal object") herausarbeiten

(3 f., 17 f.). Dieses wird als Rückkehr Jesu Christi zum Vater im Geist mittels einer ‚eucharistischen' Gabe bestimmt, die das trinitarische Leben offenbare und gleichzeitig die Welt in dieses hineinnehme (ebd.). Daß diese theologische Aussage philosophische, genauer gesagt metaphysische Voraussetzungen hat, wird von Healy in den oben erwähnten drei Untersuchungen zu Ontologie, Christologie und Gotteslehre schrittweise entfaltet: Gott und Welt fallen nicht unter einen univoken Seinsbegriff, sondern die *analogia entis* wird als Beziehungsgefüge von Gabe und Geber verstanden (17, 25, 88).

Healy möchte vor den Augen des Lesers ein beeindruckendes Gedankengebäude errichten, aber das Fundament, auf dem er aufbauen möchte, ist mehr als brüchig: Obwohl schon die gedruckte Sekundärliteratur über Balthasar schwer zu überblicken ist, zitiert Healy unveröffentlichte, kaum zugängliche Seiten und Dissertationen (13 Anm. 40, 22 Anm. 11, 94 Anm. 10, 147 Anm. 146, 222). Dagegen werden Studien, die für das Thema wichtig wären, wie etwa die von Jörg Disse (1996), David Coffey (1999) und Daniela Engelhard (1999), nicht einmal erwähnt. Nun geht es ja nicht um einen möglichst gelehrten Fußnotenapparat; aber der (spannungsreiche) Zusammenhang von Theologie und Metaphysik im Werk Balthasars ist bereits durch die Studie von Michael Greiner (2000) kompetent erhellt worden. Eine stärkere Beachtung der Sekundärliteratur hätte Healy wohl auch davor bewahrt, anstatt einseitig auf die Ontologie des Thomas von Aquin abzuheben (19–90), Balthasars Prägung durch den Deutschen Idealismus zu berücksichtigen; aber Papst Johannes Paul II. wird öfter erwähnt als Hegel! Rätselhaft ist in diesem Zusammenhang, welche Funktion die Verweise auf Konzilsdokumente, päpstliche Enzykliken und Katechismusstellen haben (91 Anm. 3, 92 Anm. 4, 126 Anm. 93, 144 Anm. 137 und 139). Schließlich vermißt der Leser eine Antwort auf die Frage, ob nicht Balthasars metaphysische Bestimmung, Gott müsse alles in allem sein, wenn er denn Gott ist, nicht doch seine Ablehnung der Apokatastasislehre (204–206) unterläuft.

Der Zusammenhang von metaphysischen Voraussetzungen und dogmatischer Durchführung im Werk Balthasars stellt ein Problemfeld dar, das mit stärkerer Beachtung zumal der deutschen Forschung neu erarbeitet werden sollte. Erste Überlegungen dazu finden sich in dem von Striet/Tück (2005) herausgegebenen Sammelband.

Benjamin Dahlke

STEIN, Edith: *Wege der Gotteserkenntnis. Studie zu Dionysius Areopagita und Übersetzung seiner Werke*. Bearb. und eingel. von Beate BECKMANN und Viki RANFF. Freiburg u. a.: Herder, 2003. – geb., XIV, 299 S., ISBN 3-451-22920-X, EUR 35,00

Es gehört zu den Verdiensten des „Internationalen Edith Stein Instituts" (Würzburg) im Auftrag des Kölner Karmel und in Zusammenarbeit mit H.-B. Gerl-Falkovitz (Dresden) und zahlreichen Fachgelehrten endlich eine kritische Edition sämtlicher Schriften Edith Steins zu besorgen. Dabei weist das Projekt, auf insgesamt 24 Bände geplant, fünf Rubriken auf: 1. Biographische Schriften (Bände 1–4), 2. Philosophische Schriften (Bände 5–12), 3. Schriften zur Anthropologie und Pädagogik (Bände 13–16), 4. Schriften zur Mystik und Spiritualität (Bände 17–20) und 5. Übersetzungen (Bände 21–24). Bis heute sind insgesamt zwanzig Bände erschienen. Der vorliegende Band indes erschien bereits wenige Monate nach der „Kreuzeswissenschaft" (Bd. 18) und schließt die erste Abteilung der „Schriften zu Mystik und Spiritualität" ab. Die zweite Abteilung dieser Rubrik wird voraussichtlich erst Ende 2008 zum Abschluss kommen.

Der fragliche Band besteht neben dem Geleitwort des Herausgebers P. Klaus Mass OCD (V), einer kurzen Danksagung (VI), dem ausführlichen Inhalts- (VII–XI), Abkürzungs- und Siglenverzeichnis (XII–XIII) sowie „editorischen Hinweisen" (XIV) und einem detaillierten Anhang mit Literaturverzeichnis, Personen-, Bibelstellen- und Sachregister (279–299) aus zwei Teilen: der Studie zu Dionysius Areopagita, überschrieben mit „Wege der Gotteserkenntnis" (2–76), und, zweiter Teil, Edith Steins Übersetzungen der Schriften des Dionysius Areopagita (78–277). Verdeutscht werden „Divinis nominibus" (85–157), „De caelesti hierarchia" (160–191), „De ecclesiastica hierarchia" (194–244), „De mystica theologia" (245–250) und die „Briefe" (252–277). Der erste Teil bietet eine gelehrte Einführung von Beate Beckmann, die mit Recht nachdrücklich auf die „symbolische Zeichentheorie" aufmerksam macht, die Edith Stein bei ihrer Reflexion über die Wege der Gotteserkenntnis im Werk des Pseudo-Dionysius entwickelt und in der Tat von einigem philosophischen, näherhin erkenntnistheoretischen Belang sein dürfte. Der theologische Wert der vorliegenden Studie liegt aber woanders. Geht es doch um die grundlegende Doppelfrage, a) worin das Ziel aller Theologie besteht und b) wie dieses Ziel zu erreichen ist? Und es zeigt sich: Edith Stein selbst will das Werk des Pseudo-Dionysius erschließen, will mit diesem einflussreichen Denker über die Wege der Gotteserkenntnis nachdenken, will ihn in dieser gewichtigen Frage hören und das, was er zu sagen hat, in den gegenwärtigen „phänomenologischen" Diskurs einbringen. Um es noch deutlicher zu artikulieren: Edith Stein zeigt nicht nur historisches Interesse an Pseudo-Dionysius. Vielmehr ist sie überzeugt davon, dass er den Gegenwärtigen zu denken gibt und womöglich Perspektiven eröffnet, die uns heute immer mehr aus dem Blick zu geraten drohen, Perspektiven überdies, die möglicherweise Lösungswege für Fragestellungen heute bieten. Stein ist der Ansicht, dass wir es uns überhaupt nicht leisten können, auf das zu verzichten, was der Areopagit gedacht hat. Geht es bei all dem doch um die Suche nach Wahrheit. Die aber wird nicht durch den Kalender und nicht durch die Uhr entschieden. Anders formuliert: Bei der Wahrheitssuche wird die geschichtliche Distanz unwesentlich; was wiederum nicht heißt, dass die geschichtliche Distanz einfachhin negiert werden könnte. Im Gegenteil: das zeigen gerade die vorliegenden Interpretationsversuche und gebotenen Arbeitsübersetzungen: „Einfachhin" geht hier gar nichts. Die Anstrengung des Begriffs verbunden mit dem, was die hermeneutische Kunst verlangt, ist zu leisten. Mit Martin Heidegger ist Stein jedenfalls überzeugt davon, dass, wer an Gedachtes denkt, keine „Erfindungen" macht, sondern sich den anstehenden Problemen stellt und Ungedachtes im gegenwärtig Gedachten kritisch aufzuweisen und neue Perspektiven zu eröffnen vermag.

Nach einigen „vorbereitenden Erwägungen" (22–29), die sich auf die Areopagitica, auf die areopagitische Seins- und Erkenntnisordnung und auf die Stufen der „Theologie" beziehen, kommt Edith Stein zum Thema, der so genannten „Symbolischen Theologie" (30–57). Dabei konzentriert Stein sich auf die Werke des Pseudo-Dionysius, die sie extra für diesen Zweck übersetzt, ohne dass sie je beabsichtigt hätte, diese von ihr angefertigte Translation zu publizieren. In der Tat liegt hier eine Werkstattübersetzung vor, die nicht mit den kritischen Augen des Philologen, sondern mit denen des Werkhistori-

kers betrachtet werden sollte. Sie ist ein Beleg dafür, wie redlich Edith Stein sich erst einmal um den Text bemühte, bevor sie sich zu ihm äußerte. Die „Symbolische Theologie", so stellt Stein im kritischen Blick auf die Areopagitica fest, bildet die unterste Stufe der positiven Theologie. Hier werde versucht, die Namen von sinnenfälligen Dingen auf Göttliches zu übertragen. Geschöpft wird dabei „aus dem Gebiet der äußeren und der inneren Erfahrung sowie aus dem, was man mit dem Wort ‚Lebenserfahrung' bezeichnet und worin sehr Verschiedenes zusammenwirkt" (35). Der „Theologe", so stellt Stein im Blick auf Pseudo-Dionysius fest, „lernt Gott aus dem Bilde kennen. Das Bild ist in diesem Fall nicht *sein* Gebilde, sondern Gottes Gebilde. Gott hat sich in seinem Gebilde abgebildet und gibt sich dadurch zu erkennen." (41). Da alles, was geschaffen ist, ohne Gott nicht ist, schöpft die Symbolische Theologie diese Gebilde aus der gesamten Schöpfung. Die gesamte Schöpfung ist als Schöpfung Sinn-Bild des Schöpfers. Was allerdings nicht übersehen werden darf: Die Theologen im Sinne des Areopagiten stehen allesamt auf dem Boden des Glaubens. „Glaube" aber „ist hier nicht im weiten Sinn des ‚belief' genommen, sondern im engen des *fides*, des Annehmens und Festhaltens der *übernatürlichen Offenbarung*. Unter übernatürlicher Offenbarung ist die Selbstmitteilung Gottes durch das *Wort* im eigentlichen Sinne verstanden" (42 f.).

Gerade darin scheint mir ebenfalls noch einmal die Aktualität des vorliegenden Buches zu liegen: In der Erkenntnis, dass nicht „naiv" und trivial selbstverständlich von „Gotteserfahrung" und von den Spuren Gottes in der Welt gesprochen werden darf. Wer nur fasziniert vom Religiösen ist, öffnet dem Aberglauben Tür und Tor und erweist dem christlichen Glauben letztlich einen Bärendienst. Erst durch das Wort Gottes kommt das Leben zur Entscheidung: Ist es „Sein zum Tode", ist es „Sein in Christus" und damit „Sein zum Leben"? Erst durch die Annahme des Wortes Gottes verändert sich die Sicht auf die Schöpfung generell und das

Geschaffene speziell. Die Welt verliert ihre heidnische Harmlosigkeit. Alles wird Symbol, wird Sinn-Bild des Göttlichen, wird Zeichen der Gegenwart Gottes, eines Gottes aber, der mich anspricht und in Anspruch zu nehmen sucht für sein Reich.

Manfred Gerwing

PRÖPPER, Thomas: *Evangelium und freie Vernunft. Konturen einer theologischen Hermeneutik.* Freiburg u.a.: Herder, 2001. – geb., 326 S., ISBN 3-451-27562-7, EUR 25,50

Papst Benedikt XVI. hat durch seine berühmte Regensburger Vorlesung den öffentlichen Diskurs über das Verhältnis von Theologie und Philosophie sowie von Glaube und Vernunft neu entfacht. In einer „Rückschau auf die eigene theologische Biographie" hat Karl-Heinz Menke jüngst in dieser Zeitschrift (ThGl 96, 2006, 148–170) mit Recht darauf aufmerksam gemacht, dass es bei diesem theologisch schon lange vor Regensburg laufenden Diskurs auch „um die Verhältnisbestimmung von Wahrheit (bzw. Dogma) und Geschichte" und um die „von Wahrheit (bzw. Theorie) und Praxis" gehe. Nicht von ungefähr sei Ratzinger 1998 aus Rom nach Ahaus gereist, um am dortigen Kolloquium teilzunehmen, das anlässlich des 70. Geburtstages von Johann B. Metz zum Thema „Vom Ende der Zeit" durchgeführt wurde. Mit seinem Buch „Joseph Ratzinger – Benedikt XVI. Zur Entwicklung seines Denkens" (2007) hat sich dazu auch noch einmal Hansjürgen Verweyen problemorientiert geäußert; und für den Kenner der Szene zeigt es sich: Die Auseinandersetzung um das „Projekt der Letztbegründung" ist, trotz oder wegen (?) der scharfen Kritik Ratzingers gegen dieses Projekt (in „Zur Lage von Glaube und Theologie heute", IkZ-Com 1996), noch keineswegs Geschichte, im Gegenteil: Sie ist im vollen Gange. Es lohnt sich, in diesem Zusammenhang noch einmal Thomas Pröppers Position genauer zu betrachten, der ja, wie nicht nur Men-

ke (ebenda) feststellt, mit Hansjürgen Verweyen federführend das „Projekt der Letztbegründung" betreibt. Doch darf überhaupt Pröppers theologischer Ansatz mit dem von Verweyen identifiziert werden? Jedenfalls gilt: Wer den philosophisch-theologischen Ansatz Pröppers aus erster Hand zu verstehen sucht, dem sei die Lektüre des vorliegenden Sammelbandes zu empfehlen.

Das Buch enthält verschiedene Aufsätze des bis vor kurzem noch in Münster „Dogmatik und theologische Hermeneutik" lehrenden Autors, Aufsätze zumal, die, bisher nur verstreut oder gar nicht publiziert, Pröppers problemorientierte Perspektive einerseits akzentuieren und grundieren, andererseits vorantreiben und spezifizieren. Ob dabei allerdings, wie es der Untertitel verspricht, die „Konturen einer theologischen Hermeneutik" zutage treten, ist zu bezweifeln. Der Grund des Zweifelns ergibt sich aus vielem, nicht zuletzt aus dem zumindest fragwürdig zu nennenden Modus des Umgangs mit den Begriffen, mit der theologischen Sprache und dem Modus theologischen Sprechens überhaupt, wie bei Pröpper schon seit geraumer Zeit und gerade auch in den Beiträgen des vorliegenden Bandes zu beobachten ist. Während z.B. Thomas von Aquin ganz im Sinne des Aristoteles darauf geachtet hat, dass man im Benennen der Dinge mit den Vielen geht (Aristoteles, Topik II, 2 110a, 15–18), und der „doctor communis" gleich in den ersten Sätzen seiner „Summa gegen die Heiden" vor jenen warnt, die alles daran setzen, „originell" zu formulieren und sich herzlich wenig oder gar nicht um den „communis usus loquendi" (I, 83,2) kümmern, liebt Pröpper es offensichtlich, sich so auszudrücken, dass sich die von ihm artikulierte Begrifflichkeit allererst im Vollzug des Mitdenkens dessen, was zu Wort gebracht werden soll, in ihrer Weite und Tiefe zeigt. Allerdings ist positiv anzumerken, dass der Vf. um diese Schwäche weiß, sie bereitwillig konzediert und es selbst immer wieder unternimmt, seinen abweichenden Sprachgebrauch zu erklären; so z.B. den im Untertitel benutzten Terminus „Hermeneutik". Streng genommen meint er ja die Lehre vom Verstehen und Auslegen. „Tatsächlich verwende ich ihn in einem Sinn, der zwischen beiden Bedeutungen oszilliert und sie verbindet: verstehe ich doch die Dogmatik, wenn ich sie als theologische Hermeneutik oder Hermeneutik des Glaubens bezeichne, als die untrennbar mit der systematischen Explikation seiner Wahrheit verbundene Vergegenwärtigung ihrer Bedeutung – als eine Erschließung ihrer Bedeutung jedoch, die ihr Tun kontrolliert und deshalb die Erfordernisse, die für sie gelten, reflektiert haben muß" (VII).

Was aber ist „freie Vernunft"? Zunächst doch wohl ein Pleonasmus. Pröpper stimmt zu, mag aber um der Bedeutung von Freiheit für die Theologie und das Evangelium nicht auf ihn verzichten. Der „indizierte Streitpunkt" sei ihm zu wichtig; was er dann auch sogleich im ersten des aus insgesamt drei Teilen bestehenden Sammelbandes unterstreicht: Geht es doch hier um die Reflexion seines „elliptischen Ansatzes", näherhin um die von Pröpper in diesem Kontext markierten „Brennpunkte und Kategorien" (5–102). Nicht von ungefähr lässt er, gleichsam programmatisch, die Aufsatzsammlung beginnen mit dem Wiederabdruck der 1998 in „Bijdragen" erschienenen Arbeit über „Freiheit als philosophisches Prinzip theologischer Hermeneutik" (5–22). Hier kommt auch sein Verständnis von „Dogmatik" als „Explikation des dem Glauben eigenen Verstehens" zur Sprache. Überdies greift er neben „Freiheit" bereits in diesem ersten Teil das Stichwort „Erlösung" ebenso auf wie „Wahrheit" und „Verantwortung". Mit dem in der dritten Auflage des LThK publizierten Artikel zum komplex-komplizierten Verhältnis von Theologie und Philosophie findet dieser erste Teil schließlich seinen Abschluss (93–101) und zugleich seinen sinnvollen Übergang zum zweiten Hauptteil. Dieser wiederum ist überschrieben mit „Bestimmung des Standorts: Problemverläufe und Kontroversen" (103–219) und will ins-

gesamt Pröppers eigenen und eigenwilligen Ansatz, bezogen auf diverse systematische Entwürfe, exemplifizieren, fokussieren und dogmengeschichtlich konturieren.

Begonnen wird wiederum mit dem Stichwort „Freiheit", genauer gesagt, mit dem in NHThG 1984 erschienenen und mit reichlich Material versehenen Handbucharti- kel zum genannten Grundwort, jetzt erweitert allerdings um den durchaus problematischen Untertitel „Ausprägungen ihres Bewusstseins" (103–128). Sodann wird über „Schleiermachers Bestimmung des Christentums und der Erlösung" unter der Perspektive der Problematik der transzendental-anthropologischen Hermeneutik des Glaubens reflektiert (129–219), wobei Schleiermachers Glaubenslehre gleichsam als „Prototyp anthropologisch vermittelter Dogmatik" (101) vorgestellt und kritisch analysiert wird. In einem dritten Beitrag konzentriert sich der Vf. unter der Überschrift „Das Faktum der Sünde und die Konstitution menschlicher Identität" auf die Anthropologie Wolfhart Pannenbergs, um auch im Blick auf diese theologische Position seinen eigenen, mit der Freiheit des Menschen auch im Kontext der Sünde rechnenden Ansatz deutlicher herauszuarbeiten (153–179). Dass bei allen Gemeinsamkeiten mit Hansjürgen Verweyens „Grundriss" auch elementare Differenzen zwischen ihm und Pröpper bestehen, ist intern längst bekannt, wird aber in den letzten beiden Beiträgen des zweiten Hauptteils noch einmal, freilich aus einseitiger Sicht Pröppers – sehr deutlich. Dabei werden zunächst noch einmal Pröppers Anfragen an Verweyen abgedruckt, gestellt unter dem die Entscheidung herausfordernden Titel: „Erstphilosophischer Begriff oder Aufweis letztgültigen Sinnes?" (180–196), um so dann noch einmal die Antwort des Vf. auf Verweyens messerscharf argumentierender Replik darzulegen und konziliante Gesprächsbereitschaft zu signalisieren: „Sollenevidenz, Sinnvollzug und Offenbarung" (197–219). Leider wird auf die dritte, vollständig überarbeitete Auflage des

„Grundrisses" (vgl. meine Rez. in ThGl 92, 2002, 292–294) nur am Rande eingegangen (102), auch die von Verweyen angeführten Argumente und Analogien aus der Dogmengeschichte werden allzu selektiv von Pröpper aufgegriffen, eher noch auf die leichte Schulter genommen. Um es noch deutlicher zu sagen: Wer Verweyens Kenntnisse und zugegebenermaßen durchaus provozierende Interpretation gerade auch der mittelalterlichen Denker unterschätzt, sehe zu, wie er der untergründigen Tiefe der so fundierten Weisungen begegne.

Der dritte Hauptteil, überschrieben mit „Einweisung in die Geschichte", verstanden als „Anwege zur Gotteslehre" (225–299), ist zweifellos der spannendste Part des gesamten Buches. Geht es hier doch um die Frage nach dem genuin christlichen Gottesverständnis im Blick auf die Schöpfungswirklichkeit, näherhin um die Frage nach dem vor- und fürsorgenden Gott, gewissermaßen um elementare Reflexionen, die bei dem gegenwärtig anstehenden Versuch, die klassische Lehre von der Vorsehung zu rekonstruieren, in der Tat unverzichtbar sind (dazu R. Bernhardt, Was heißt ‚Handeln Gottes'?, Gütersloh 1999; dazu meine Rez. in ThGl 94, 2004, 575–577). Die hier wieder abgedruckten „Thesen zum Wunderverständnis" (225–244) sowie der bislang unveröffentlichte Artikel „Zur vielfältigen Rede von der Gegenwart Gottes und Jesu Christi" (245–265) verdienen alle Beachtung. Dass er allerdings im Ernst hofft, mit seinen Hinweisen auf die „Realpräsenz" nun endgültig der Lehre von der Transsubstantiation den „Abschied gegeben" zu haben (265), lässt auf ein erstaunliches Missverständnis des Vf.s des tatsächlichen Aussagegehalts der Transsubstantiationslehre gegenüber schließen (dazu M. Laarmann, in AfB 41, 1999, 119–150); denn die Lehre von der Transsubstantiation kann, recht verstanden, durchaus nicht gegen die Lehre von der Realpräsenz ausgespielt werden, sie muss vielmehr von vornherein von dieser her verstanden werden. Es folgen unter dem Titel „Fragende und Gefragte zugleich"

seine bereits 1993 publizierten „Notizen zur Theodizee" (266–275), die 1998 veröffentlichten „Wegmarken zu einer Christologie nach Auschwitz" (276–287), zwei Artikel aus dem in dritter Auflage erschienenen LThK, nämlich zur „Allmacht" (288–293) und zur „Freiheit Gottes" (294–299), und schließlich noch – unter dem von Charles Péguy stammenden Titel: „Gott hat auf uns gehofft …" – der im April 1999 anlässlich des 70. Geburtstages von Peter Hünermann gehaltene und bislang unveröffentlicht gebliebene Festvortrag, in dem der Vf. über die „theologischen Folgen des Freiheitsparadigmas" reflektiert (300–321). Wer sich durch das vorliegende Buch durcharbeitet, wird belohnt. Hier wird groß gedacht: vom Menschen, seiner Vernunft und seiner Freiheit. Dabei geht es vor allem darum, dem vielfach postmodern begründeten Relativismus zu wehren und an der Wahrheitsfähigkeit des Menschen festzuhalten, darum auch, der menschlichen Vernunft, die „im szientistisch zerfächerten und als geltungstheoretischer Pluralismus sich etablierenden Denken der Gegenwart nur wenige Anwälte hat" (97), neue Geltung zu verschaffen um eine Vernunft auch, die sich keineswegs dem Glauben verschließt, sondern sich immer wieder dem Glauben öffnet. Freilich darf der Vernunftsoptimismus nicht auf Kosten des Glaubens gehen; und umgekehrt (dazu die Beiträge anlässlich der Emeritierung Pröppers, hrsg. von K. Müller/M. Striet, 2005). Ebenso wie zwischen Vernunft und Glaube sorgfältig zu differenzieren ist, gilt es auch, die Beziehung zwischen beiden zu bedenken und womöglich und wo nötig neu zu justieren.

Manfred Gerwing

Nichtweiss, Barbara; Raffelt, Albert (Hrsg.): *Weg und Weite*. Festschrift für Karl Lehmann. Freiburg u.a.: Herder, 2001. – geb., LVI u. 808 S., ISBN 3-451-27572-4, EUR 50, 11

Auch wenn inzwischen Karl Kardinal Lehmann seinen siebzigsten Geburtstag feiern konnte, lohnt es sich gerade heute, doch noch einmal einen sorgfältig-kritischen Blick auf jene Festschrift zu werfen, die der Vorsitzende der Deutschen Bischofskonferenz zu seinem fünfundsechzigsten Geburtstag von seinen Freunden sowie den ehemaligen wie derzeitigen Mitarbeiterinnen und Mitarbeitern erhalten hat. Versammelt die vorliegende Ehrengabe doch zahlreiche Studien und Stellungnahmen zu jenem Stichwort, mit dem in der Tat nach wie vor zahlreiche Herausforderungen der Gegenwart markiert und fokussiert zu werden vermögen; und zwar unter dem – merkwürdigerweise nicht im Titel auftauchenden – Stichwort „Transzendenz". Dabei entspricht das mit diesem Wort Gemeinte dem mit dieser Festschrift Geehrten in besonderer Weise. Lehmann hat ja bereits früh in seinem akademischen und kirchlichen Leben, als Professor wie als Bischof, um die Wiederentdeckung und -belebung jener Wirklichkeit gerungen, die mit dem Wort „Transzendenz" angezielt ist. Im Grunde ging es um dieses Thema bereits in Lehmanns voluminöser philosophischer Dissertation aus dem Jahr 1961/62: „Vom Ursprung und Sinn der Seinsfrage im Denken Martin Heideggers."

Als Bischof lenkt er sodann durchaus selbstkritisch den Blick besonders auf die Führungskräfte der Heute-Gesellschaft einerseits und auf die von unten wild wachsende „neue Religiosität" mit ihren doch oft recht diesseitig ausgerichteten Sehnsüchten und diversen Kultgemeinschaften andererseits: „Wir alle, auch die Glaubenden, sind bis in unser Denken und Fühlen hinein von einem sehr säkularen Bewusstsein mitbestimmt. Es ist schwerer geworden, wenigstens einen Spalt der Tür zur Transzendenz, zu Gott und zur Ewigkeit zu öffnen. Der Zeitgeist schlägt sie mit kräftigem Wind immer wieder zu. Umso mehr müssen wir alle Aktivitäten des kirchlichen und christlichen Lebens auf das Eine [sic!] Notwendige konzentrieren: die Wege zu Gott offen zu halten und in Wort und Tat von ihm Zeugnis zu geben" (IX).

Der Weg zu Gott ist der Weg in die Weite. Er ist zugleich der immanente Weg zum transzendenten Gott, ein Weg aber, der vom transzendenten Gott in die Immanenz hineinführt und so allererst unseren immanenten Weg zur Transzendenz ermöglicht. Die immanente Transzendenz ist nicht die Transzendenz der Immanenz, sondern die Transparenz der Immanenz im Blick auf die Transzendenz in der Immanenz. Dorothea Sattler, Schülerin Theodor Schneiders und inzwischen längst selbst Lehrstuhlinhaberin (Münster), geht gerade unter diesem Aspekt den „Spuren einer Verwandtschaft im Denken von Karl Lehmann und Karl Rahner" nach. Doch Vorsicht bei dem Terminus „Spuren", wenn er mit Gott in Verbindung gebracht wird! Hier gilt besonders das zu beachten und kritisch weiterzudenken, was Rahner gegen Ende seines Lebens noch einmal – durchaus selbstkritisch – über die Analogie ausgeführt hat. Die Immanenz ist ganz und gar auf die Transzendenz hingeordnet, von ihr abhängig und insofern ihr ähnlich, via affirmativa: Kommt der Immanenz Wirklichkeit zu, dann „erst recht" der Transzendenz. Die Welt aber, die der Immanenz zukommt, darf nicht mit Gott verwechselt werden. Selbst der ins Unendliche verlängerte Horizont des Seins, in dem ein Seiendes als Seiendes allererst erfasst zu werden vermag, verweist zwar auf Gott, darf aber nicht mit Gott identifiziert werden, via negativa: Die Wirklichkeit der Immanenz ist ganz und gar verschieden von der Wirklichkeit der Transzendenz. Da die Immanenz das auf Gott in seiner Transzendenz Hingeordnete und gerade in diesem Hingeordnetsein das ganz und gar von Gott Dependente und Differente ist (creatio ex nihilo), kann lediglich von einer einseitigen Analogie der Immanenz der Transzendenz gegenüber gesprochen werden, via eminentiae: Die Welt ist Gott ähnlich und unähnlich zugleich. Gott aber ist, analog gesprochen, der Welt nur unähnlich.

Das Buch insgesamt ist vierfach gegliedert: Unter dem Stichwort „Quellen" (12–

157) werden vor allem die biblischen Aussagen über den transzendenten Gott, der doch zugleich der Gott bei uns und mit uns ist, „Emmanuel", dargelegt, über Gott, der sich, im besonderen Blick auf Jesus Christus, zugleich auch als der Weg Gottes zum Menschen sowie des Menschen zum transzendenten Gott erweist. Hier verdient vor allem der Beitrag von Thomas Söding aktuelle Bedeutung, der vom „Gottesdienst der Urgemeinde" handelt. Er untersucht dabei das erste „Summarium urgemeindlichen Lebens in Jerusalem" und weist Perspektiven des lukanischen Bildes in Apg 2,42 auf: „Sie verharrten bei der Lehre der Apostel und der Gemeinschaft, beim Brechen des Brotes und bei den Gebeten." Dabei wird Söding dankenswerterweise recht deutlich, z.B. dann, wenn er auf den sich rasant ausbreitenden „liturgischen Analphabetismus" zu sprechen kommt. Dieser könne nicht durch „die Auflockerung (angeblich oder tatsächlich) erstarrter Gottesdienstformen" behoben werden, sondern hier müsse eine „elementare Mystagogie das Ziel" sein (91). Dabei führt Söding Peter Handkes „Märchen aus den neuen Zeiten" an und unterstreicht: Die Liturgie, „nicht die Predigt" hinterlässt im Roman den „entscheidenden Eindruck": „mit wenigen schlichten Gesten und wenigen schlichten Worten, die aber höchst bedeutungsvoll sind" (92).

Unter dem Stichwort „Stationen" kommen im zweiten Hauptteil (157–418) dogmengeschichtliche Versuche und Vorschläge zum genannten Thema zu Wort, wobei allerdings die mittelalterliche Theologie recht stiefmütterlich behandelt wird. Von den insgesamt achtzehn Beiträgen konzentrieren sich nur zwei auf die ungemein anregende Zeit der noch ungeteilten abendländischen Christenheit: Fidel Rädle untersucht unter dem Thema „Ein Traum vom Paradies" (159–170) kenntnisreich das Naturverständnis des Alanus ab Insulis (Alanus von Lille, gest. 1202/03), während Otto Hermann Pesch mit Bezug auf Thomas von Aquin und

Martin Luther für eine „asketische" Lehre vom dreieinen Gott plädiert (171–196). Seine Feststellung, formuliert mit Martin Luther, dass im Blick auf das mysterium trinitatis sowie das Geheimnis der Inkarnation keinerlei „Zank noch Streit" bestehe, kann aus ökumenischer Perspektive gar nicht hoch genug veranschlagt werden (189–196). Und worin besteht die in diesem Kontext angezielte Askese? Darin, dass Professoren wie Bischöfe sich zurückhalten und nicht mehr zu „wissen" vorgeben, als ihnen gegeben ist; denn und vor allem: am „Ende aller Worte" stehe „das Schweigen der Verehrung" (196).

Den dritten Hauptteil, überschrieben mit „Reflexionen" (419–642), eröffnet der lange Zeit in Bochum lehrende, vielfach ausgezeichnete Professor em. für philosophisch-theologische Grenzfragen Richard Schaeffler; und zwar mit einem fast vollständig ohne Anmerkungen verfassten, aber äußerst dichten und messerscharf argumentierenden Beitrag zum philosophischen Transzendenzbegriff (421–430). Beendet wird dieser Hauptteil mit einer Arbeit über „Wahrheit des Christentums" von Joseph Cardinal Ratzinger, dem jetzigen Papst Benedikt XVI. (631–642). Beide Artikel verdienen es, intensiv reflektiert zu werden. Sie sind geprägt von einer bemerkenswerten Gründlichkeit des Denkens und entschiedenen Radikalität des Glaubens, einer Radikalität, die den Relativismus pluraler Religionstheologien als Scheinlösung entlarvt und Wahrheit als gemeinsamen Bezugspunkt kritisch bzw. transzendentaltheologisch geltend macht, ja gerade so „fides et ratio", „Glaube" und „Vernunft", aufeinander zu beziehen und neu zu justieren vermag. „Durch seine Option für den Primat der Vernunft bleibt das Christentum auch heute ,Aufklärung', und ich denke, daß eine Aufklärung, die diese Option abstreift, allem Anschein zuwider nicht eine Evolution, sondern eine Involution der Aufklärung bedeuten müsste" (642).

Der die FS abschließende vierte Teil, überschrieben mit „Konkretionen" (643–804), thematisiert so exemplarisch wie punktuell diverse Frage- und Problemfelder aus den weiteren Bereichen der politischen, kirchlichen und gesellschaftlichen Wirklichkeit. In gewisser Hinsicht korrespondiert dieser letzte Part mit dem Teil der politischen Grußworte, den persönlichen Zeugnissen (XIII-LVI) und, nicht zuletzt, mit dem von Ulrich Ruh erstellten Porträt des mit dieser FS Geehrten (3–11). Doch es ist merkwürdig: So lesenswert auch noch nach mehr als einem Lustrum die elf Beiträge zu diesem Teil sind, sie bleiben insgesamt doch hinter den anderen zurück. Woran liegt das? An den Autoren definitiv nicht: Es sind, bis auf wenige Ausnahmen, über ihr jeweiliges Fachgebiet hinaus bekannte, ja berühmte, nicht selten auch durch zahlreiche Preise und Ehrungen ausgezeichnete Frauen und Männer: Paul Kirchhof (Der Kulturauftrag von Staat und Kirche), Heinhard Steiger (Verantwortung vor Gott und den Menschen), Hans Maier (Die Grundwertedebatte im Deutschland der neunziger Jahre), Hans Langendörfer (Bleibt die Kirche Partner in politischer und gesellschaftlicher Verantwortung?), Hans Küng (Ermutigung zur Zivilcourage), Theodor Schneider (Frauenordination und Ökumene), Ilona Riedel-Spangenberger (Die Rechtsstellung des Diözesanbischofs), Klaudia Martini (Zur sittlichen Begründung einer Politik für eine nachhaltige umweltgerechte Entwicklung), Hanna-Renate Laurin (Politik in Verantwortung vor Gott und den Menschen), Anton van Hoof (Zur theologischen Begründung des konfessionellen Religionsunterrichts) sowie Heribert Schmitz („Mainzer Gespräche". Kontaktgespräche zwischen Bischöfen und Theologieprofessoren). Nochmals: Wenn es nicht an den Autoren liegt, woran dann? Man kennt die Autoren, ehrenwert, und man kennt die Themen, auch ansprechend. Renommierte Autoren, ansprechende Themen und doch: Langeweile bei der Lektüre, kaum ein Glanzpunkt. Die Mischung macht's. Hier aber kennt man die Kombination: Autor und Thema. Man weiß, was er oder sie schreiben und was sie oder er worüber denken. Kaum eine neue Perspektive, kaum etwas, was noch überrascht. Und was ist mit dem, was programmatisch gerade dieser Teil der FS verspricht, was ist mit den „Konkretionen"? Sie beziehen sich auf die verschiedenen Fragestellungen, nicht aber auf die Durchführung. „Konkretionen", von wegen; gerade in diesem Teil denkt man abstrakt! Doch „wer denkt abstrakt?", fragte schon Hegel kritisch (Hegel-Studien, Bd. 5, 1969, 161–164) und wusste die Antwort: „Sauve qui peut! Rette sich, wer kann!"

Doch die Mehrzahl der vorliegenden Beiträge ist nicht zum Weglaufen. Wenngleich schon längst nicht mehr alle Wege nach Rom führen, in die Weite und Tiefe weisen sie allemal, Transzendenz. Die meisten Beiträge sind nach wie vor zum Mit- und Nachdenken; und das noch nach Jahren: Duc in altum und: Glückwunsch!

Manfred Gerwing

Kirchenrecht

GRICHTING, Martin: *Das Verfügungsrecht über das Kirchenvermögen auf den Ebenen von Diözese und Pfarrei.* St. Ottilien: EOS-Verlag, 2007 (Münchener Theologische Studien, III. Kanonistische Abteilung, Bd. 62). - geb., 691 S., ISBN 978-3-8306-7279-1, EUR 68,00

Wer bestimmt, wie die zeitlichen Güter in der Kirche verwaltet und (vor allem) wozu sie verwendet werden? Die Beantwortung dieser Frage führt zu gravierenden Konsequenzen in bezug auf Einfluß und Macht. Die im CIC normierte Zuständigkeit des Diözesanbischofs und des Pfarrers

steht dabei in Spannung zur „legitimen" Praxis in manchen Ländern, in denen Laien
in entscheidender Weise die Vermögensverwaltung bestimmen. Die am Klaus-Mörs-
dorf-Studium für Kanonistik der Universität
München vorgelegte Habilitationsschrift beabsichtigt, „vor dem Hintergrund der ge-
schichtlichen Entwicklung die heutige kodikarische Ordnung zu würdigen und nach
deren Sinnhaftigkeit und ekklesiologischen
Relevanz zu fragen" (2), denn bis in die Gegenwart sei immer wieder versucht worden,
„das Kirchengut dem Einfluss der kirchlichen
Hierarchie zu entziehen und es als weltliche
Basis zu benützen, um innerhalb der Kirche
eine zweite – die Hierarchie konkurrenzie-
rende Kraft zu schaffen" (2). Solche Bestrebungen könnten auch in Zukunft auftreten,
„etwa dann, wenn etablierte Kirchenfinan-
zierungssysteme ins Wanken geraten sollten"
(2).

Nach einer *Einführung* (1–6) beleuch-
tet Kapitel I das *Früh- und Hochmittelal-
ter* (7–69) und legt in einem historischen
Spannungsbogen bis zum 13. Jh. Wurzeln,
Entwicklung, Miseren und Überwindung
des Eigenkirchenwesens sowie das Benefi-
zialrecht dar. In *Spätmittelalter und früher
Neuzeit* (II., 71–98) sei es durch zahlreiche
Stiftungen der Gläubigen und innerkirch-
liche Mißstände erneut zu einem großen
Einfluß von Laien auf die Vermögensverwaltung und die Besetzung von Benefizien
in Form privatrechtlicher Abmachungen gekommen.

Aufgrund der unterschiedlichen Entwick-
lungen und Verhältnisse von Staat und Kirche stellt der Verf. anschließend einzelne
Länder vor. In *Österreich* (III., 99–136) hätte
das josephinische System „zu einer weit-
gehenden Verstaatlichung der Kirche und
ihrer Amtsträger" (134) geführt, zu einer
„Form (finanzieller) Laienherrschaft über die
Kirche" (105). Der Liberalismus des 19. Jh.
habe versucht, „im Raum der Kirche eine
zweite Kraft zu etablieren, die ein Gegen-
gewicht zur Hierarchie bilden sollte" (134),
der Nationalsozialismus mit der Einführung

des Kirchenbeitragssystems auf den finanzi-
ellen Ruin der Kirche gezielt. In *Frankreich*
(IV., 137–199) habe die materielle Abhängig-
keit der Kirche vom Staat infolge der Revolution es Napoleon und seinen Nachfol-
gern im 19. Jh. ermöglicht, die Kirche in
ihr autoritäres gesellschaftliches System ein-
zupassen. Das Trennungsgesetz von 1905
habe die hierarchische Struktur der Kirche
zwar nicht offen bekämpft, sie aber *faktisch*
aushöhlen wollen. In *Italien* (V., 201–279)
habe der liberale Staat seit Mitte des 19. Jh.
durch Ausschaltung der Orden und Verwendung des Vermögens für eine „nützliche Seelsorge" versucht, auf die Kirche Einfluß zu
nehmen, wodurch der Staat (trotz der Ca-
vour'schen Formel von der „freien Kirche im
freien Staat") beachtliche Teile des Kirchenvermögens zur Erreichung politischer Ziele
innerhalb der Kirche habe lenkend einsetzen
können. Letztlich erst der Accordo von 1984
ermögliche die Zusammenarbeit eines freien
Staates und einer freien Kirche: Die Kirche
könne mit ihren kanonischen Rechtsperso-
nen (Pfarreien und Bistümer) im weltlichen
Rechtsbereich wirken und ihr Vermögen
ihren ekklesiologischen Grundsätzen entsprechend einsetzen. In *Deutschland* (VI.,
281–371) habe der Reichsdeputationshaupt-
schluß der Kirche lediglich die unmittelbare Pfarrseelsorge als Arbeitsbereich belas-
sen, die Revolution von 1848 zwar theoretische Grundlagen zur Überwindung mas-
siver staatlicher Einwirkungen geliefert, sei
aber in manchen Staaten nur kurz rezipiert
worden. So habe das Preußische Vermögens-
verwaltungsgesetz von 1875 zwar nicht eine unmittelbare staatliche Herrschaft über
die kirchliche Vermögensverwaltung angezielt, diese aber einer nach den Vorstellun-
gen des Staates strukturierten Gruppe katholischer Staatsbürger unter einer besonderer Staatsaufsicht übertragen. Auch die
Neufassung des Gesetzes von 1924 stehe
in Spannung zur Weimarer Reichsverfassung. In den *Vereinigten Staaten von Ame-
rika* (VII., 373–472) hätten wegen fehlender
ziviler Rechtspersönlichkeit der Kirche Lai-

en deren Vermögen treuhänderisch gehalten (System des Trusteeism), was vereinzelt zur Durchsetzung eigener Interessen mißbraucht worden sei: Die Bischöfe bzw. Priester seien kompetent für die Leitung der Kirche gewesen, hätten aber nicht die notwendigen materiellen Mittel gehabt, die Laien-Trustees hätten keine Kompetenz zur Leitung der Kirche besessen, jedoch über die materiellen Mittel verfügt (467–468). Auch das Eintragen des Diözesanvermögens auf den Namen des Bischofs (System des Fee Simple) sei nicht sicher genug gewesen. Seit rund 100 Jahren könne sich die Kirche privatrechtlicher Rechtsinstitute bedienen, was Besitz und Verwaltung ihrer Güter im Einklang mit ihrem Wesen ermögliche. Für die *Schweiz* (VIII., 473–579) werden exemplarisch drei Kantone vorgestellt: Bern (reformiert geprägt), Aargau (paritätisch) und Luzern (traditionell katholisch). Trotz der konfessionell und staatskirchenrechtlich unterschiedlichen Ausgangslage und Entwicklung stelle sich heute die Lage in der Schweiz durch das Kirchengemeinde- und das „Landeskirchen"-System weitgehend uniform dar, allerdings mit dem Nachteil, daß deren Gremien, die über das Geld verfügen, „auf längere Sicht der Versuchung kaum widerstehen können, mit diesen Instrumenten die Leitung der Kirche selbst in die Hand zu nehmen" (577); so hätten sich in jüngster Zeit verschiedene „Landeskirchen" zum Sprachrohr von Forderungen gemacht, die das Glaubensgut der Kirche selbst betrafen. Kapitel IX *Die Rechtsentwicklung im 20. Jahrhundert* (581–645) behandelt zunächst die Rechtslage des CIC/1917 hinsichtlich Benefizien, Kirchenfabrik und Diözesanvermögensrat, um dann die Impulse des II. Vatikanischen Konzils (Abkehr vom Benefizialsystem, Mitwirkung der Laien) und die einschlägigen verfassungs- und vermögensrechtlichen Vorschriften des CIC/1983 vorzustellen. Gemeinkirchlich sei im 20. Jh. ein Totalumbau der Vermögensträger von Benefizium und Kirchenfabrik zu Diözese und Pfarrei erfolgt. Das Konzil sei „nicht über das hinausgegangen, was

seit jeher gegolten hatte: Vermögensverwaltung ist nicht – im Sinne einer ‚Gewaltenteilung' – eine von der übrigen Leitungsfunktion des Diözesanbischofs und des Pfarrers abtrennbare Aufgabe, die man einfach als eine den Laien zustehende Kompetenz ausgliedern könnte. … Das Konzil hat … sachkompetente Laien eingeladen, mit Rat und Tat den eigentlichen Verwaltern des kirchlichen Vermögens bei deren Arbeit zu helfen" (643–644). Heute noch bestehende gegenteilige Modelle könnten sich weder auf das kirchliche Recht noch auf das Konzil berufen, sondern verdankten „sich der illegitimen staatlichen Einflussnahme, und sie stellen im Organismus der Kirche einen Fremdkörper dar" (644); der theologische Ansatz von Winfried Aymans, des Lehrers des Verf., wird hier deutlich.

Abschließende Thesen (647–665) fassen die Ergebnisse zusammen: 1. Das kirchliche Vermögensrecht muß vom Wesen der Kirche her seine Ausrichtung erhalten; 2. Der Leiter der öffentlichen juristischen Person ist auch deren Vermögensverwalter; 3. Der kirchliche Vermögensverwalter hat sich beraten zu lassen; 4. Das Kirchengut ist nicht im eigenen Namen, sondern im Namen der Kirche zu verwalten. Es folgen Canones- (667–668), Sach- (669–674) und Personenregister (675–691); Literatur- (XVII–XCVIII) und Abkürzungsverzeichnis (IC–CV) sind der Arbeit vorangestellt.

Hinsichtlich der alten Streitfrage, in wessen „Ressort" die Verfügung über die kirchlichen Temporalien fallen, gelangt der Verf. zu dem klaren Ergebnis, daß trotz unterschiedlicher staatsphilosophischer Ausgangspositionen (Aufklärung, Staatskirchentum, Liberalismus, strikte Trennung) die staatliche Einflußnahme auf die Verwaltung des Kirchenvermögens zu einem ähnlichen Resultat im Sinne einer doppelten Hierarchie geführt hat: Eine weitgehende (Mit-)Entscheidungskompetenz von Laien, was in der Praxis immer wieder (innerkirchlich und staatskirchenrechtlich) zu erheblichen Konflikten geführt hat und im Widerspruch zur Ekklesiologie des II. Vatikanischen Konzils und den geltenden kodikarischen Normen steht.

Die Arbeit ist formal sorgfältig erstellt. Die Sachverhalte werden, basierend auf einer klar strukturierten Gliederung, unter Heranziehung und sachgerechter Auswertung einer wirklichen Fülle von Literatur und Quellen (letztere leider manchmal nicht über die originären Publikationsorte, z.B. für Preußen) in historischer und systematischer Hinsicht in angemessener Darstellung und stringenter Argumentation sowie Reflexion bereits vorgetragener Thesen und Meinungen sachgerecht und nachvollziehbar dargestellt, wobei der für das Verständnis des Entstehens bestimmter Situationen und Rechtslagen besondere Bedeutung zukommende geistesgeschichtliche Hintergrund sowie die Interdependenz von Gesellschaft, Staat und Kirche stets ausführlich Berücksichtigung finden. Die „Synthese" am Ende jeden Kapitels fokussiert Ergebnisse, die Register helfen die Arbeit zu erschließen. – Den Nachweis der wissenschaftlichen Lehrbefähigung hat der Verf. durch seine gediegene Habilitationsschrift zweifelsohne erbracht; darüber hinaus ist es ihm gelungen, einen auch für einen Nichtkanonisten verständlichen, ja spannenden Aufriß zu erstellen.

Sicher mag dieses Werk auch zu weiteren Diskussionen Anlaß geben, die nicht als Kritik an diesem zu verstehen sind: Hat – trotz vereinzelter gravierender Mißstände in Vergangenheit und Gegenwart – die verantwortlichen Beteiligung von Lai-

en an der Vermögensverwaltung der Kirche nicht auch Gutes gebracht: durch ihren Sachverstand, durch ihr Erkennen aktueller Bedürfnisse – vielleicht sogar durch einen auch „erfolgreichen Praxistest" Konzilsväter inspiriert? Wäre die finanzielle Schieflage mancher Diözesen bei einer weitreichenderen und transparenteren Beteiligung sachkundiger Laien an der Vermögensverwaltung, durch ein Ernstnehmen der Beratungspflicht auch in solchem Maße eingetreten? Inwiefern ließe sich die kirchliche Vermögensverwaltung den kodikarischen Bestimmungen anpassen: Behielten die Bischöfe in Deutschland im Zuge der (außer in Nordrhein-Westfalen) erfolgten Ablösung staatlicher Vermögensverwaltungsgesetze durch kirchliche die Strukturen und Kompetenzen der Gremien in der Vermögensverwaltung auf pfarrlicher Ebene in Verkennung der Ekklesiologie nur aus „Angst vor den Laien" bei, und wie ließe sich die kodikarische Vorgabe in Anbetracht der aus dem Priestermangel resultierenden gravierenden Veränderungen in den Seelsorgestrukturen (bei denen eine Befreiung der Pfarrer von Verwaltungsangelegenheiten angezielt wird) und zum Teil komplexer Vermögensverhältnisse heute umsetzen? Sicher bedeutet die Verfügung über das Geld auch Macht, die nicht mit Vollmacht zu verwechseln ist. Neben der ekklesiologischen Struktur bedarf es sicher auch gelingenden kommunikativen Strukturen.

Rüdiger Althaus

Eingesandte Schriften

(Besprechung unbestellter Bücher vorbehalten)

BECKER, Sabina: *Literatur- und Kulturwissenschaften. Ihre Methoden und Theorien.* Reinbek: Rowohlt Taschenbuch Verlag, 2007. – brosch., 224 S., ISBN 978-3-49955686-9, EUR 12,90

DEISTER, Bernhard: *Anthropologie im Dialog. Das Menschenbild bei Carl Rogers und Karl Rahner im interdisziplinären Dialog zwischen Psychologie und Theologie.* Innsbruck: Tyrolia, 2007 (Innsbrucker theologische Studien; 77). Zugl.: Mainz, Univ., Diss., 2006. – brosch., 355 S., ISBN 978-3-7022-2870-5, EUR 34,00

FISCHER, Gottfried: *Christlich evangelische Neugründung. Die Gründung der Evangelien in der Naturwissenschaft oder Vom Raum zur Vierten Dimension.* Dresden: Der Gute Hirte Verlag, 2007. – geb., 265 S., ISBN 978-3-933833-14-3, EUR 24,00

GABRIEL, Ingeborg; GASSNER, Franz: *Solidarität und Gerechtigkeit. Ökumenische Perspektiven.* Ostfildern: Grünewald, 2007. – brosch., 278 S., ISBN 978-3-7867-2651-7, EUR 25,00

GABRIEL, Ingeborg; PAPADEROS, Alexandros K.; KÖRTNER, Ulrich H. J.: *Perspektiven ökumenischer Sozialethik. Der Auftrag der Kirchen im größeren Europa.* Ostfildern: Grünewald, ²2006. – brosch., 337 S., ISBN 3-7867-2568-3, EUR 19,80

HERCSIK, Donath: *Der Glaube. Eine katholische Theologie des Glaubensaktes.* Würzburg: Echter, 2007. – brosch., 360 S., ISBN 978-3-429-02884-8, EUR 24,80

LEWIS, Albert: *Responsorisch Kirche sein. Antwortgestalt und Sendung der Kirche nach Hans Urs von Balthasar.* Berlin: LIT Verlag, 2007 (Theologie; 84). Zugl.: Münster, Univ., Diss., 2007. – brosch., 231 S., ISBN 978-3-8258-0310-0, EUR 24,90

MÜHL, Matthias: *Christsein und Lebensform. Vergewisserungen zu Ehe, Amt und Ordensleben.* Paderborn u.a.: Schöningh, 2007. Zugl.: Freiburg/Br., Univ., Diss., 2006. – brosch., 474 S., ISBN 978-3-506-76391-4, EUR 60,00

MÜLLER, Iris; RAMING, Ida: *Unser Leben im Einsatz für Menschenrechte der Frauen in der römisch-katholischen Kirche. Lebensberichte – Hintergründe – Dokumente – Ausblick.* Berlin: LIT, 2007 (Theologische Orientierungen; 4). – brosch., 255 S., ISBN 978-3-8258-0186-1, EUR 17,90

NIKOLAUS VON KUES: *Predigten in deutscher Übersetzung. Band 3: Sermones CXXII–CCIII (Bd. XVIII der Opera omnia).* Münster: Aschendorff, 2007. – geb., XXIII u. 545 S., ISBN 978-3-402-03483-5, EUR 36,80 (Subskriptionspreis EUR 29,80)

PIEPKE, Joachim G. (Hrsg.): *Kultur und Religion in der Begegnung mit dem Fremden.* Nettetal: Steyler Verlag, 2007 (Veröffentlichungen des Missionspriesterseminars St. Augustin; 56). – brosch., 207 S., ISBN 978-3-8050-0544-9, ohne Preis

RIVINIUS, Karl Josef: *Im Dienst der Mission und der Wissenschaft. Zur Entstehungsgeschichte der Zeitschrift Anthropos.* Fribourg: Academic Press, 2005 (Studia Instituti Anthropos; 51). – brosch., 352 S., ISBN 3-7278-1528-0, EUR 50,00

SALMANN, Peter (Hrsg.): *Die Leere des Herzens. Essay-Sammlung zur geistigen und* geistlichen Ödnis der Moderne. Warendorf: Schnell, 2007. – geb., 144 S., ISBN 978-3-87716-725-0, EUR 19,80

SCHLÖGL-FLIERL, Kerstin: *Das Glück – Literarische Sensorien und theologisch-ethische Reaktionen. Eine historisch-systematische Annäherung an das Thema des Glücks.* Berlin: LIT, 2007 (Studien der Moraltheologie; 36). Zugl.: Regensburg, Univ., Diss., 2005. – brosch., 362 S., ISBN 978-3-8258-9955-4, EUR 29,90

SPAETH, Martin: *Gewonnene Zeit – verlorenes Heil? Zum christlich verantworteten Umgang mit der Zeit im Zeitalter der Beschleunigung.* Münster u.a.: Lit, 2007 (Studien zur Traditionstheorie; 10). Zugl.: Frankfurt/M., Univ., Diss., 2007. – brosch., 358 S., ISBN 3-8258-0246-2, EUR 24,90

TIMMERMANNS, Paul: Die *„Realität" des Sollens in der Lebenswelt. Phänomenologie einer lebensweltlichen Letztbegründung normativer Sollgeltung.* Wuppertal: der hospiz verlag, 2006 (Wissenschaftliche Reihe: Übergänge des Lebendigen; 1). – geb., 291 S., ISBN 978-3-9811240-2-6, EUR 39,90

VALENTIN, Joachim (Hrsg.): *Sakrileg. Eine Blasphemie. Das Werk Dan Browns kritisch gelesen.* Münster: Aschendorff, 2007. – brosch., 170 S., ISBN 978-3-402-11785-9, EUR 12,80

Ulrich T.G. Hoppe
Zwischen Atum und Mohrenland

Eine theologische Relecture narrativer Texte Werner Bergengruens unter besonderer Berücksichtigung ihrer geschichtstheologischen Möglichkeiten und Grenzen

Viele Buchtitel Werner Bergengruens (1882–1964) standen bis in die 70er Jahre des 20. Jahrhunderts auf den Leselisten der Schulen. Manche seiner Werke, wie »Der Großtyrann und das Gericht« wurden Bestseller. Warum aber werden heute Texte Bergengruens nicht mehr in der Weise gelesen wie Werke seiner Zeitgenossen Thomas Mann oder Bert Brecht? Manche sehen darin das Resultat einer Ideologisierung des Literaturbetriebes in den späten 60er Jahren, dem viele der so genannten christlichen Dichter zum Opfer gefallen seien. Ulrich T.G. Hoppe versucht dagegen dieser Frage nicht aus dem Blickwinkel des Literaturbetriebes, sondern als Theologe nachzugehen. Er sieht in der Prosa Bergengruens einen wichtigen mentalitätsgeschichtlichen Impuls, um die theologische Problematik von göttlicher Fügung und menschlicher Freiheit im Auge zu behalten.

Münsterische Beiträge zur Theologie, Band 64
2007, 258 Seiten, kart. 38,– €
ISBN 978-3-402-03969-4

ASCHENDORFF VERLAG
www.aschendorff.de/buchverlag

Ursula Dirmeier CJ (Hrsg.)
Mary Ward und ihre Gründung
Die Quellentexte bis 1645

Mary Ward (1585–1645) gehört zu den bedeutendsten Frauen des 17. Jahrhunderts. Als englische Katholikin schuf sie auf dem europäischen Festland einen Frauenorden nach dem Vorbild der Gesellschaft Jesu. Seine wichtigsten Ziele waren die Erziehung der Mädchen und die Bildung der Frauen. Mitglieder aus neun Nationen wurden in England, Saint-Omer, Lüttich, Köln, Trier, Rom, Neapel, Perugia, München, Wien und Pressburg tätig. Die Freiheit von der Klausur und die Unterstellung der Schwestern unter eine zentrale Vorgesetzte, die nur dem Papst verantwortlich war, führte zur Unterdrückung der Gemeinschaft. Die Untersuchung der Inquisition wegen des Verdachtes auf Häresie endete mit einem Freispruch. Dennoch durfte Mary Ward von 1749 bis 1909 nicht als Gründerin benannt werden.

Der Seligsprechungsprozess für diese Frau, die die Klarheit und den Mut einer Prophetin mit absoluter Treue zur Kirche verband, ist eingeleitet. Mit der Veröffentlichung der Originaltexte ist ein solides Fundament für die weitere Forschung gelegt.

Corpus Catholicorum.
Werke katholischer Schriftsteller im Zeitalter der Glaubensspaltung
Band 45: Teil 1, 2007, VIII und 768 Seiten, geb. 89,– €. ISBN 978-3-402-03459-0
Band 46: Teil 2, 2007, VI und 658 Seiten, geb. 79,– €. ISBN 978-3-402-03460-6
Band 47: Teil 3: 2007, VI und 559 Seiten, geb. 69,– €. ISBN 978-3-402-03461-3
Band 48: Teil 4: 2007, VI und 304 Seiten, geb. 42,– €. ISBN 978-3-402-03462-0
Preis beim Bezug aller vier Bände: 224,– €. ISBN 978-3-402-10525-2

ASCHENDORFF VERLAG
www.aschendorff.de/buchverlag

Cyprian Krause
Mysterium
und Metapher
Metamorphosen der Sakraments- und Worttheologie bei Odo Casel und Günter Bader

Im Grenzgang zwischen *Mysterium* und *Metapher* beginnen katholische Sakraments- und evangelische Worttheologie voneinander zu lernen. Die Metaphorologie des Bonner evangelischen Systematikers Günter Bader wirft dabei ein überraschendes Licht auf Grundprobleme der viel diskutierten Mysterienlehre Odo Casels. Insbesondere die Figuren der *Repraesentatio*, der *Eulogia*, des *Silentium mysticum* und der *Logikè thysía* erfahren hierbei eine hermeneutisch motivierte Relecture. Hatten Casel-Interpreten wie Arno Schilson und Lothar Lies gefordert, man solle die Mysterientheologie heute mithilfe einer kommunikationstheoretisch oder personologisch gedachten Interaktionssymbolik neu formulieren, so zeigt die vorliegende Studie, dass gerade die semantische Interaktion der Metapher den metakommunikativen Ermöglichungsgrund für theologischen Symbolizitätsgewinn angesichts der transzendentalen Aphasie der Postmoderne darstellt. Die Metaphorologie erinnert an das *geschichtliche Werden* symbolischer Sprachfähigkeit und erscheint dadurch als eine hermeneutisch artikulierte Mystago-gie, die dem *hermetischen* Wunsch nach »unmittelbarer Mysterienschau« perspektivische Brechungen zumutet. Vor allem Casels schwebendem Begriff der »Gnosis« begegnet in der hermeneutisch nachvollziehbaren Schwebung der Metapher ein denkgeschichtliches Modell der »Gnoseo-genese« Denn nach Hans Blumenberg gilt: »Die Wahrheit der Metapher ist eine vérité à faire.«

Liturgiewissenschaftliche Quellen und Forschungen, Band 96

2007, 617 Seiten, kart. 74,– €
ISBN 978-3-402-11260-1

ASCHENDORFF VERLAG
www.aschendorff.de/buchverlag

Heribert Smolinsky
Der Augsburger Religionsfrieden 1555
Wissenschaftliches Symposion aus Anlass des 450. Jahrestages des Friedensschlusses, Augsburg 21. bis 25. September 2005

Im Jahr 2005 wurde in Augsburg durch ein ganzes Bündel von Veranstaltungen der 450. Jahrestag des Augsburger Religionsfriedens begangen. Den Höhepunkt des Gedenkjahres markierten drei Ereignisse im unmittelbaren zeitlichen Umfeld der formellen Ausfertigung des Reichstagsabschiedes am 25. September, nämlich die offiziellen Feierlichkeiten der Kirche und der Stadt Augsburg am Sonntag, den 25. September 2005; die vom 16. Juni bis 16. Oktober im Maximilianaeum zu besichtigende historische Ausstellung »Als Frieden möglich war«; schließlich ein internationales wissenschaftliches Symposion, das vom 21. bis 23. September im Haus St. Ulrich tagte. Die Beiträge dieser Veranstaltung, die im vorliegenden Sammelband in überarbeiteter und mit dem notwendigen wissenschaftlichen Apparat versehener Form veröffentlicht werden, dokumentieren den gegenwärtigen Forschungsstand. Das gilt sowohl für die Voraussetzungen, die Funktionsweisen und die Folgen der Friedensbestimmungen innerhalb des Reiches sowie die Gründe für das Scheitern zu Beginn des 17. Jahrhunderts als auch für die Ausstrahlung über die Grenzen des Reiches hinaus und die vergleichende Einordnung dieses frühen Friedensschlusses in das Gesamtspektrum europäischer Religionsfrieden auf dem Höhepunkt konfessionell-weltanschaulicher Konfrontation von der Mitte des 16. bis zur Mitte des 17. Jahrhunderts.
Die 23 Beiträge bieten in europäischer Perspektive einen Überblick über die Ereignisse und die relevanten Sachzusammenhänge sowie über die Probleme ihrer Deutung und wissenschaftlichen Verortung, dem auf lange Sicht handbuchartige Funktion zuwachsen dürfte.

Reformationsgeschichtliche Studien und Texte, Band 150

2007, VIII und 486 Seiten, kart. 58,– €
ISBN 978-3-402-11575-6

ASCHENDORFF VERLAG
www.aschendorff.de/buchverlag

Thomas Marschler

Die spekulative Trinitätslehre des Francisco Suárez S.J. in ihrem philosophischtheologischen Kontext

Der Jesuitentheologe Francisco Suárez (1548–1617) gilt als entscheidende Vermittlungsgestalt philosophisch-theologischen Denkens auf der Schwelle zwischen Mittelalter und früher Neuzeit. In der jüngeren Forschung hat seine dogmatische Theologie im Vergleich zum Metaphysikentwurf eher geringe Beachtung gefunden. Diese Lücke versucht die vorliegende Studie für die Trinitätslehre des Suárez zu schließen, die in ausführlicher Fassung 1606 erstmals publiziert wurde. Nach einer historisch-systematischen Einleitung bietet die Arbeit einen analytischen Gang durch alle Bereiche des suárezischen Traktats, der in dichter Synthese die gesamte Trinitätsspekulation seit Beginn des Hochmittelalters widerspiegelt. Querbezüge zu theologischen Nachbartraktaten kommen ebenso ans Licht wie Diskussionen, die Suárez mit Zeitgenossen, etwa seinem Ordensbruder Gabriel Vázquez, geführt hat. Die Studie weist nach, dass Suárez einen selbständigen Weg zwischen den maßgeblichen Autoritäten Thomas von Aquin und Johannes Duns Scotus, aber auch unter Berücksichtigung nominalistischer Konzeptionen einschlägt. Seine Stellungnahme zu philosophischen Grundthemen (Transzendentalien, Distinktionen, Relationen, Personalität) bildet die Basis der theologischen Explikation, muss sich jedoch ihrerseits von den Ansprüchen der Glaubenslehre Zielmaß und Richtung vorgeben lassen. Die suárezische Trinitätslehre erweist sich so als historisch wie systematisch gleichermaßen interessantes Paradigma spekulativer Dogmatik in der letzten großen Epoche ihrer lebendigen scholastischen Entfaltung.

Beiträge zur Geschichte der Philosophie und Theologie
des Mittelalters. Neue Folge, Band 71
2007, 789 Seiten, kart. 96,– €
ISBN 978-3-402-10281-7

ASCHENDORFF VERLAG
www.aschendorff.de/buchverlag

Jürgen Aretz / Rudolf Morsey / Anton Rauscher

Zeitgeschichte in Lebensbildern, Band 12

Aus dem deutschen Katholizismus des 19. und 20. Jahrhunderts

Die Biographien dieser renommierten Reihe gelten Persönlichkeiten, die von ihrer christlichen Überzeugung her Verantwortung übernommen und in je ihrer Epoche das geistige oder kirchliche, das politische oder soziale Leben in Deutschland maßgeblich mit bestimmt haben. Das gilt für Politiker und Wissenschaftler, Bischöfe und Priester, Unternehmer und Gewerkschaftler, Repräsentanten des Verbandskatholizismus und des sozial-karitativen Wirkens, für Publizisten und Dichter. Diese Reihe will die Erinnerung an das Wirken dieser Persönlichkeiten lebendig halten.

Band 12 enthält die Biographien von: Rainer Barzel, Alfred Dregger, Johannes Dyba, Hermann von Grauert, Paulus van Husen, Richard Jaeger, Thusnelda Lang-Brumann, Amalie Lauer, Franz Meyers, Hermann Platz, Otto B. Roegele, Wilfried Schreiber, Josef Stingl, Arthur F. Utz, Hermann Kardinal Volk, Wilhelm Weber.

2007, 256 Seiten, 16 Fotos, gebunden, 20,40 €
ISBN 978-3-402-06124-4

Herausgegeben von J. Aretz, R. Morsey, A. Rauscher

ZEIT GESCHICHTE IN LEBENSBILDERN

Aus dem deutschen Katholizismus des 19. und 20. Jahrhunderts
Band 12

ASCHENDORFF VERLAG

ASCHENDORFF VERLAG
www.aschendorff.de/buchverlag